LE SECRET MAGNIFIQUE

BELVA PLAIN

LE SECRET MAGNIFIQUE

Traduit de l'américain
par Rebecca Satz

UNE ÉDITION DU CLUB QUÉBEC LOISIRS INC.

Titre original: Legacy of Silence
Traduit de l'américain par Rebecca Satz

Dépôt légal — Bibliothèque nationale du Québec, 1999
ISBN 2-89430-384-X
(publié précédemment sous ISBN 2-7144-3640-4)

Imprimé au Canada

Prologue

J'entends l'amant de ma mère lui déclarer : « Que tu es belle ! Tu ressembles à la gravure de Rébecca au puits. »

J'ai dû rêver cette scène. Ma mère, Caroline, est morte avant que je sois en âge de la connaître. Et ma sœur Ève ne parle presque jamais de lui. Non, à y bien réfléchir, ce doit être Lore qui m'a répété cette phrase.

Elle m'a dit combien Caroline et Ève se ressemblaient, avec leurs magnifiques yeux noirs, et elle a ajouté que la mère et la fille étaient souvent prises pour des sœurs car elles n'avaient que vingt ans d'écart.

Pourtant, elles n'auraient pu commencer leur vie dans des mondes plus dissemblables. Ève est née dans une petite ville bien tranquille, sur les rives du lac Érié, alors que notre mère a vu le jour dans l'Europe d'avant-guerre, pendant la crise qui aboutit au conflit. Mais, finalement, ces deux univers et leurs secrets se sont rejoints, entrelacés pour tisser un habit aux mille couleurs, comme aurait pu, cette fois encore, le formuler l'amant de ma mère.

1938

Caroline

1

La maison de pierre blonde, carrée et bâtie pour défier les siècles, ressemblait à toutes les demeures des faubourgs prospères de Berlin. Sur l'avenue, les hautes fenêtres étroites dominaient un parc vallonné, et de tous côtés on voyait des ormes, des marronniers, des maisons entourées de haies et de verdure. Au centre du jardin, une roseraie rayonnait autour d'un cadran solaire monté sur un piédestal de marbre.

Caroline, son caniche Peter allongé sous sa chaise, venait souvent étudier là, ou lire. Mais, en cette année 1938, il n'y avait plus de cours, plus d'examens, car la porte de l'université lui était fermée. Il ne lui restait plus qu'à trouver le moyen de gagner sa vie dans le pays où elle émigrerait. Elle se sentait bien plus âgée que ses dix-huit ans, et elle avait en effet mûri, comme vieillissent prématurément les gens soumis au règne de la peur et au danger.

— Pour toi, ce sera facile, avait déclaré son père, un médecin. Tu peux donner des cours de langues vivantes. L'anglais, le français, il y a une demande. Mais pour moi, non. À mon âge, ce serait trop dur de repasser dans une langue étrangère les examens qui me permettraient de pratiquer la médecine ailleurs.

Parfois, surtout quand le soleil brillait comme par ce bel après-midi, l'angoisse montait, insupportable. Caroline pensait au départ qui la couperait de son univers familier, de sa maison, de ses amis, et même de sa langue maternelle. Elle se leva, referma son livre, attacha la laisse au collier de Peter, puis traversa l'avenue pour aller dans le parc.

Des feuilles mortes, ambre et rouge fané, tapissaient l'allée. Une tempête, quelques jours plus tôt, en avait amoncelé de grands tas sous les arbres, et Peter s'élança en jappant de plaisir et se mit à gratter comme un fou. Elle attendit en songeant à l'image qu'elle offrait : celle d'une jeune fille promenant son chien à la lumière du soleil ; il suffisait de changer le costume pour se trouver face à un sujet de Vermeer ou de n'importe quel autre peintre. La scène n'aurait pu être plus ordinaire, pensa-t-elle. Et, justement, toute l'horreur résidait là. Comment la vie pouvait-elle continuer, paisible, alors que des événements atroces se déroulaient tous les jours dans la ville, peut-être en ce moment même, à deux pas. À deux pas...

— Quel magnifique caniche !

Elle n'avait entendu personne approcher. En se tournant, elle vit un jeune homme qui tenait un german pointer en laisse.

— Ne vous inquiétez pas, Siggy est très gentil. Il ne se bat jamais avec les autres chiens.

— Peter non plus.

Et, en effet, les deux chiens se reniflaient, emmêlant leurs laisses.

— Drôles d'animaux ! remarqua le jeune homme. Dire qu'on ne peut pas s'en passer !

— Oui. Nous, nous avons Peter depuis trois ans. C'est Peter numéro deux. Nous l'avons pris à la mort du premier.

— J'aime bien son toilettage naturel. Je trouve ridicules les caniches qu'on déguise en clowns.

— Tout à fait d'accord.

Caroline avait entendu dire un jour que la meilleure façon d'entamer une conversation galante – domaine dans lequel elle brillait par son inexpérience – était de promener un enfant ou un chien. En temps ordinaire, cette petite aventure l'aurait enchantée. Ce jeune homme, qui ne devait avoir que quelques années de plus qu'elle, lui plaisait beaucoup. Il était séduisant, bien bâti, avait les traits fins et s'exprimait de façon cultivée. Seulement les circonstances n'avaient rien d'ordinaire.

— Vous aviez l'intention de continuer votre promenade ? s'enquit-il.

Oui, elle pensait poursuivre jusqu'au bassin, dont elle faisait le tour avant de rentrer chez elle, parfois deux fois de suite.

— Dans ce cas, m'autorisez-vous à vous accompagner ?

— Bien volontiers.

Elle avait de l'assurance, on le remarquait souvent, et personne n'aurait pu deviner à quel point elle était troublée. Quel beau visage : les yeux clairs, sous des sourcils très bruns, l'observaient gentiment, tandis que la bouche restait sérieuse, comme on l'attendait d'un homme... Mais elle songea aussitôt qu'elle réagissait comme une idiote, en adolescente.

— Walter Litzhauser, déclara-t-il avec une brève inclinaison du buste, en lui tendant la main.

— Caroline Hartzinger, répondit-elle.

Ils repartirent ensemble, un chien de chaque côté.

— Je n'ai pas l'habitude de promener Siggy. Mes parents sont en voyage et ils m'ont demandé de m'en occuper. Je ne suis pas souvent chez moi ; je vais à l'université.

— Moi, je sors Peter tous les jours. C'est mon chien. Il couche dans ma chambre.

La conversation se tarit. C'est drôle, se dit Caroline, même si on vient de rencontrer quelqu'un, il faut parler sans arrêt pour ne pas sembler impoli ou indifférent.

— Excusez-moi, mais... vous préparez encore l'entrée à l'université, ou vous y êtes déjà ? Je ne sais jamais juger l'âge des autres...

Ainsi, lui aussi était timide. Elle répliqua prudemment :

— Je n'ai pas encore décidé si je veux y aller.

Après tout, elle n'avait aucune raison de raconter sa vie à cet inconnu. « De toute façon, nous allons quitter l'Allemagne. »

— Je comprends, commenta-t-il en hochant la tête, c'est difficile de décider de son avenir. Moi, je n'en ai plus que pour quelques mois avant de passer mon diplôme. Après, je devrai me décider. Je voudrais me spécialiser en histoire de l'art et devenir conservateur de musée, mais mon père tient à ce que j'entre dans son entreprise. Une usine de roulements à billes, ajouta-t-il avec une petite grimace.

— Horrible dilemme !

— En effet, ce n'est pas facile.

Il se baissa pour ramasser une pomme de pin qu'il lança à son chien.

— Enfin, passons à des sujets plus agréables, reprit-il. Vous aimez l'opéra ? Les représentations de la Tétralogie vont bientôt recommencer.

— Oui, quelle merveille !

Il aurait fallu lui expliquer que sa famille n'avait pas le droit d'aller à l'opéra, enfin, sa mère, puisqu'elle était juive. Et, évidemment, son père n'irait en aucun endroit où on n'acceptait pas son épouse.

Mais elle ne dit rien. À quoi bon ?

Ils continuèrent leur promenade, alimentant une conversation décousue pendant qu'ils terminaient leur tour du lac.

— C'est là que je vis, déclara Caroline une fois qu'ils furent revenus à leur point de départ, et elle désigna la maison de l'autre côté de l'avenue.

— Ce n'est pas loin de chez moi. J'habite par là, à gauche, à cinq minutes. Si on se revoyait demain ? Mes parents ne me débarrasseront pas de Siggy avant la semaine prochaine.

— Peut-être. Je ne suis pas sûre.

Elle retomba dans la dépression qui l'avait envahie avant sa promenade. Redoutant de retrouver l'atmosphère triste de la maison et les inévitables inquiétudes quotidiennes, elle s'assit de nouveau dans le jardin. Mais, même là, l'angoisse revint à la charge... En 1933, elle avait douze ans, l'année où le Parti national-socialiste avait pris le pouvoir, drapeaux rouge et noir au vent, sous les acclamations de la foule, au rythme des défilés. Le pays entier marchait en cadence, et les organisations encadraient la population : il y en avait pour les enfants, pour les étudiants, pour les anciens combattants. On avait créé des groupes pour tout, même pour le corps médical, mais son père n'en faisait pas partie.

À cause de sa femme, on l'avait écarté de l'hôpital et il avait perdu son poste de professeur à la faculté de médecine. Sans se plaindre, il avait continué à soigner les patients de sa clientèle privée qui voulaient bien encore le consulter. Il acceptait les règlements en nature : un menuisier lui remplaçait une porte, un plombier lui colmatait une fuite. Souvent il ne demandait aucun paiement, de sorte que leurs économies fondaient à vue d'œil.

La mère de Caroline disait que, sans sa profession, il aurait depuis longtemps quitté le pays ; et puis aussi, contrairement à elle, il avait cru que le régime ne pouvait pas durer. Il n'avait perdu cet espoir que deux semaines auparavant, après la nuit de Cristal, avec l'arrestation de milliers d'innocents, et l'intervention d'escouades brutales qui avaient mis la ville à feu et à sang sous les yeux indifférents de la police. Des incendies, des fenêtres et des vitrines fracassées, des blessés, des femmes et des enfants en larmes. Après cela, impossible de se bercer d'illusions.

Ils avaient donc décidé de partir, ou, plus exactement, d'essayer de partir, car on ne laissait pas souvent sortir les gens du pays. Il y avait des quotas, des visas de transit, des attestations, des problèmes d'argent.

— Qu'est-ce que tu fais ? Tu rêves ? demanda Lore, qui descendait les marches à l'arrière de la maison.

— Tu rentres tôt, aujourd'hui.

— Oui, j'ai échangé mon service avec une collègue, j'avais rendez-vous chez le dentiste. J'ai mal aux dents, comme d'habitude.

Elle portait encore son uniforme blanc d'infirmière avec l'insigne de la Croix-Rouge. Sa démarche était assurée ; son visage large, sans beauté, respirait la force. C'était une femme décidée. Caroline se dit brusquement que, si on était malade, on devait avoir envie de se faire soigner par Lore.

— Je t'ai vue par la fenêtre de la cuisine. Puisque tu ne fais rien, tu n'as qu'à m'aider à éplucher les légumes qui nous restent, pour faire de la soupe. Ce serait dommage de les laisser se perdre.

Caroline entendit la critique sous-jacente : maman, que par ailleurs Lore aimait beaucoup, se révélait piètre cuisinière. Sa passion était le piano, dont elle jouait à merveille, et la littérature. Depuis qu'on avait dû se séparer des domestiques, Caroline aidait sa mère à préparer les repas et elles s'occupaient de la maison de leur mieux. Mais, malgré leur bonne volonté, rien ne tournait rond tant que Lore ne prenait pas l'intendance en main.

— Coupe les carottes plus fin, Caroline.

Le soleil était presque aussi chaud qu'au printemps, luxe surprenant alors qu'on n'était qu'à un mois de Noël. Elles en profitaient en silence, avec l'impression d'avoir déjà tout dit, trop souvent. Les sujets de conversation ne variaient pas beaucoup. Elles ne parlaient que de l'avenir incertain, ou du passé, avec nostalgie.

Lore prit soudain la parole.

— Je me souviens de mon premier jour dans cette maison comme si c'était hier. Tu avais trois mois, tu dormais dans ton landau, ici, au jardin. Je me rappelle parfaitement la couverture de bébé, rose avec un nœud au milieu. Le ruban formait une rosette.

Caroline avait déjà entendu l'histoire cent fois, et toutes les anecdotes qui l'accompagnaient : une patiente du docteur Hartzinger avait évoqué une nièce orpheline âgée de douze ans – une enfant très intelligente, très docile – qu'elle avait recueillie mais dont elle ne pouvait plus s'occuper car elle avait huit enfants à charge et un mari au chômage. Le médecin, en rencontrant la petite fille, Lore, s'était pris de pitié pour elle et l'avait ramenée chez lui.

Selon les parents de Caroline, Lore, à douze ans, était une enfant charmante, pleine de vie, très obéissante. Et puis sa reconnaissance était touchante. Elle appréciait la bonne nourriture, ses vêtements neufs, sa jolie chambre, les soins dont on l'entourait. Bonne élève, elle avait réussi sans difficulté ses études d'infirmière. D'ailleurs, elle faisait tout à la perfection.

Dès le début, elle avait tenu le rôle de fille aînée, et, à mi-chemin entre Caroline et sa mère, elle servait de confidente à l'une comme à l'autre.

— Ah, ces dents ! éclata Lore. Regarde-moi ça, elles tombent en poussière. J'avais six ans au début de la guerre, en 1914, j'ai grandi en pleine pénurie. On ne mangeait pas assez. Pas étonnant que j'aie les os fragiles. Et puis tous les hommes ont été tués, mon père, mes deux grands frères...

Elle s'interrompit afin d'inspecter le jardin d'un coup d'œil et, ne voyant personne, se pencha vers Caroline pour avouer dans un murmure :

— C'est pour ça que je veux partir avant la prochaine guerre. Et avant que tous les hommes jeunes ne se fassent tuer, ajouta-t-elle avec un rire. Autrement, je ne trouverai jamais de mari.

Pauvre Lore, songea tristement Caroline, elle ne rencontrait jamais que des femmes. À sa naissance, la nature ne l'avait pas favorisée. De petite taille, trapue, Lore avait un nez large aux narines épaisses, et des cheveux bruns peu abondants et sans éclat. Quelle injustice ! À cause de cela, les hommes dédaignaient son intelligence, son esprit pratique et son cœur d'or.

— Voilà, j'ai terminé d'écosser les petits pois, déclara Lore. Les haricots sont prêts et tu seras bientôt venue à bout des carottes. Avec le reste de viande d'hier, nous aurons une excellente soupe. C'est délicieux avec du bon pain frais.

Elles rentrèrent. Déjà, bien qu'aucun meuble n'eût été déménagé, la maison sentait le logis abandonné, l'habitat temporaire. Beaucoup de pièces étaient fermées. La gouvernante anglaise était rentrée chez elle l'année précédente, et la Française, d'origine juive, était retournée dans son pays depuis longtemps. Les dîners fins dans la grande salle à manger avaient laissé place à des repas simples, à la table de la cuisine. Dans le jardin d'hiver, les verrières rendaient la famille trop vulnérable aux bandes de voyous qui faisaient parfois des descentes dans le quartier. On se sentait plus en sécurité dans la petite bibliothèque à l'arrière, et c'était là qu'ils s'enfermaient tous les soirs, regroupés autour de la radio pour écouter des concerts, ou autour de la mère de Caroline quand elle jouait doucement du piano.

Maintenant, surtout depuis la nuit de Cristal, ils avaient peur dans leur propre maison.

— Lore, ta soupe est excellente, déclara le docteur Hartzinger.

— Dimanche, je ne travaille pas. Je vous ferai de la charlotte aux pommes.

— Moi, ce que je préfère, c'est ton struddel aux cerises, soupira Mme Hartzinger. Je me souviens, l'année dernière, pour l'anniversaire de Caroline, celui que tu as fait aurait été digne de la table d'un roi.

Ils continuèrent dans cette veine pendant le dîner, citant les soupers qu'aucun de leurs amis – parmi les rares qui restaient – ne donnait plus. Il y avait aussi les restaurants qu'ils ne pouvaient plus fréquenter. Ils évoquèrent ensuite un livre que Mme Hartzinger venait de terminer et recommandait, puis un patient fraîchement opéré dont Lore s'occupait. Ils évitaient d'un commun accord, ce n'était que trop apparent, le sujet qui les obsédait tous.

Lore, grâce à ses patients, apprenait toujours des ragots amusants qu'elle racontait à sa famille, en général des indiscrétions pas bien méchantes sur des histoires d'alcôve. Mais, parfois, elle revenait avec des informations plus graves, et tous replongeaient dans la réalité.

— J'ai eu la confirmation, dit-elle à son père adoptif, que l'aéroport dont on a entendu parler est bien en construction. L'ami d'un patient, qui lui rendait visite cet après-midi, a trouvé du travail là-bas. Mais je n'ai pas appris grand-chose : quelqu'un lui a fait signe de se taire.

— Ça ne m'étonne pas. Nous savons tous très bien ce qui va se passer.

— On devrait se dépêcher de partir, avertit Lore pour la centième fois.

— Nous dépêcher, je voudrais bien, mais les visas pour l'Angleterre sont impossibles à obtenir. Quant à l'Amérique, il faut attendre son tour à cause des quotas. Se dépêcher... On est bien obligés d'attendre. Surtout à cause d'Eva, qui est née en Pologne. Les quotas des Polonais sont tous combles. Et ne me dis pas que nous aurions dû nous inscrire à l'émigration depuis longtemps, je ne le sais que trop bien.

— Le monde nous ferme ses portes, murmura Mme Hartzinger.

Caroline pensait en silence à leurs ancêtres. Dieu savait depuis combien de temps la famille de son père vivait sur le territoire qu'on appelait à présent l'Allemagne ; probablement depuis la Préhistoire ! Et les aïeux de sa mère habitaient en Europe depuis des siècles et des siècles. Avant 1492, ils étaient implantés en Espagne, sans doute depuis la destruction du Temple en l'an 70.

— Tu devrais peut-être partir tout de suite, sans nous attendre, Lore, dit pensivement le médecin. Il n'y a aucune raison que tu sois coincée ici à cause de nous, si nous ne pouvons pas nous enfuir.

— Non, je veux rester avec vous, vous êtes ma famille. Si je dois aller quelque part, c'est au lit ! Je me lève tôt demain matin.

— Quel amour ! remarqua Mme Hartzinger quand Lore fut dans l'escalier. C'est la gentillesse même.

Caroline acquiesça. Elle adorait Lore. C'était sa sœur aînée, sa meilleure amie.

— La pauvre ! soupira son père. Si elle avait le nez un peu mieux fait... et le reste... Le jour où elle nous quittera, j'ai bien peur qu'elle ne soit condamnée à vivre seule pour le reste de ses jours. Les hommes sont des imbéciles... Joue-nous quelque chose, Eva. Du Bach, tiens, sa musique donne de l'espoir et du courage.

Longtemps après être montée dans sa chambre, Caroline entendit le son lointain du piano au rez-de-chaussée. La sonorité familière la rassurait, ainsi que la chaleur du petit corps tiède de Peter sur ses pieds.

Ses pensées se mirent à vagabonder et se fixèrent sur la rencontre dans le parc. Elle n'avait pas la conscience tranquille. S'était-elle montrée trop sèche quand il avait demandé à la revoir le lendemain ? Peut-être pas sèche, mais froide... distante, plutôt. Un professeur lui avait un jour conseillé de cesser de s'analyser autant. Peut-être, avait-il suggéré, avait-elle été élevée de façon trop stricte et tremblait-elle de ne pas donner satisfaction.

En effet, poussé à l'extrême, ce défaut finissait par tourner à l'absurde. Elle n'avait passé que quelques minutes en compagnie d'un inconnu, et elle redoutait de l'avoir peiné. Elle ne le reverrait probablement jamais, et si elle le croisait de nouveau, cela ne signifierait rien de particulier. Il promenait son chien, elle faisait de même, voilà tout.

Mais toutes ces bonnes raisons ne l'empêchaient pas de sentir qu'elle allait le revoir.

L'après-midi du lendemain, elle l'aperçut sur le trottoir d'en face, devant le parc. De toute évidence il l'attendait. D'ailleurs, il ne s'en cacha pas.

— J'aimerais qu'on se voie plus souvent, déclara-t-il.

— C'est facile, je viens me promener ici tous les jours, à moins qu'il ne pleuve trop fort.

— Ce n'est pas ce que j'avais en tête. Je voudrais qu'on sorte quelque part, qu'on aille au concert ou à l'opéra, par exemple, puisque vous aimez la musique.

Lui avait-elle déjà confié cela ? Elle n'en gardait aucun souvenir. Comme ils marchaient côte à côte, elle ne le regardait pas, mais elle sentit qu'il guettait sa réponse tout en l'observant.

— Vos voisins, les Cassell, au bout de votre rue, sont des amis de ma famille. Ils vous rassureront sur mon compte.

— Oh, c'est inutile, je ne suis pas inquiète. Je vois bien que...

— Ah oui ?

En percevant le léger amusement que trahissait sa voix, elle tourna le visage vers lui. Un éclat malicieux brillait dans son regard.

— Dès le premier instant, hier, déclara-t-il, j'ai su que nous allions nous entendre. Ça arrive parfois dans la vie, vous savez, pas seulement dans les contes de fées.

— Oui, je sais...

Elle hésita, puis, combattant son appréhension, elle se jeta à l'eau.

— Vous ne devriez même pas me parler, je suis à moitié juive, avoua-t-elle d'une traite.

Elle le vit se figer, puis la considérer. Enfin, il lui répondit d'une voix calmc :

— Ça ne fait rien.

Cette réaction la surprit beaucoup. Elle n'avait pas su à quoi s'attendre, mais son temps d'arrêt avait ressemblé à de la déception et sa réplique la déroutait.

— Je ne comprends pas, rétorqua-t-elle. Comment pouvez-vous considérer que ça ne fait rien, vu les circonstances actuelles ?

— Je veux dire que ce n'est qu'une complication, et que tout problème peut se résoudre, on trouve toujours des solutions. Ce n'est pas plus grave que ça.

Ils se regardaient droit dans les yeux. Elle lut en lui une compassion qui l'aurait fait pleurer si elle s'était laissée aller. La gentillesse se rencontrait rarement, ces temps-ci.

— Je ne voudrais pas que vous ayez des ennuis à cause de moi, déclara-t-elle doucement.

Pour toute réponse, il lui prit la main et dit simplement :

— Marchons un peu.

Déjà, ils se comportaient comme si un lien les unissait. Ils avancèrent en silence et parvinrent à l'endroit où le chemin descendait vers un petit plan d'eau entouré d'une vaste pelouse ; par beau temps, les gens venaient se promener et les enfants jouaient au ballon. Il l'entraîna vers un banc, et ils y restèrent assis avec les chiens à leurs pieds.

Ce jour-là, contrairement à la veille, le soleil se cachait et il faisait très froid. Les rigueurs de novembre avaient fini par s'emparer de la ville. Un calme total régnait, et dans le ciel immobile les branchages des ormes formaient des motifs délicats sur le ciel pâle et gris.

— Regardez. On dirait une estampe japonaise ou de la calligraphie, remarqua Walter en désignant le ciel.

Il lui tenait toujours la main, et elle se sentait proche des larmes. Pourquoi ? Que se passait-il ?

De joyeux pépiements montaient des branches basses où sautillaient de petits oiseaux à tête noire.

— Ils picorent les baies, ils continuent leur existence comme si de rien n'était, observa-t-il. Oui, la nature, la nature et l'art... Rien d'autre ne dure... alors, à long terme, rien d'autre ne compte.

— Rien d'autre ne compte ? Je ne suis pas d'accord.

— À long terme, je dis bien.

Brusquement, il lui lâcha la main et se tourna vers elle.

— Et à court terme, qu'allez-vous faire ?

Elle connaissait très bien les dangers des bavardages, et pourtant, pour une fois, elle se risqua à parler.

— Nous essayons de partir aux États-Unis. Mais nous nous y sommes pris très tard, et il faut maintenant que des Américains se portent garants pour les immigrants. On leur demande d'accepter de subvenir à leurs besoins, de peur qu'ils ne deviennent une charge pour la société. Ma mère a réussi à se procurer des annuaires de New York et de Chicago, il en circule un certain nombre. Elle envoie des lettres à tous les gens qui portent des noms apparentés à ceux de sa famille. À notre connaissance, nous n'avons aucun cousin en Amérique, mais qui sait, peut-être y a-t-il un lien entre nous, à plusieurs générations de distance... Et puis nous espérons que quelqu'un prendra simplement pitié de nous.

— Quelle folie ! C'est mal, très mal, ce qui se passe. Notre pays est devenu...

— Ne dites pas des choses pareilles. C'est dangereux.

— Je sais. D'habitude, je fais attention.

— Heureusement qu'on peut parler chez soi. Il est impossible de se taire sans arrêt.

— Pas chez moi. Au contraire, je suis très prudent.

Il garda le silence quelques secondes, le front plissé par des rides d'inquiétude. Caroline s'en étonna. Jamais elle n'avait remarqué de rides aussi profondes chez des jeunes de leur âge. Lorsqu'il reprit la parole, ce fut avec tristesse.

— Nous ne nous disputons jamais. Je respecte mon père. D'ailleurs, c'est un homme auquel personne n'ose tenir tête. Nous n'avons pas une relation très libre parce que je ne peux pas lui parler à cœur ouvert. N'empêche, il doit se douter de ce que je pense des événements. Ce qu'on ne dit pas exprime souvent aussi bien ce qu'on pense que ce qu'on laisse échapper.

Puis, retrouvant le sourire avec effort, il changea de sujet.

— Caroline, dans des circonstances aussi particulières, où allons-nous nous rencontrer ? Nous n'allons pas pouvoir venir tous les jours dans le parc.

Il tendit la main devant lui.

— D'autant plus qu'il commence à pleuvoir, acheva-t-il.

— Nous n'avons qu'à aller chez moi.

Ainsi la vie de Caroline fut-elle coupée en deux époques : celle d'avant Walter, et celle d'après Walter.

Lore, qu'ils avaient croisée à la maison en rentrant, ne cacha pas sa curiosité.

— Alors toi ! Tu vas te promener dans le parc, et tu nous ramènes un beau jeune homme ! Bonnes manières, joli garçon, de l'élégance. Est-ce qu'il... est-ce qu'il sait que...

— Que maman est juive ? Bien sûr. Ça lui est égal. C'est un garçon cultivé et intelligent. Tu ne crois tout de même pas que je sympathiserais avec un de ces bandits des Chemises brunes ?

— Regardez-moi ça ! Elle le défend déjà ! Tu es tombée amoureuse bien vite, jeune fille.

— Mais tu es folle ! Je ne suis pas amoureuse.

— Peut-être pas encore, mais ça ne saurait tarder. C'est normal. Ah, ça doit être bon... Enfin, le moment n'est peut-être pas très bien choisi.

Caroline ne savait plus où elle en était. Elle avait peur qu'on la trouve ridicule, comme si ses sentiments pouvaient se lire sur son visage. Les idées qui commençaient à germer dans sa tête l'embarrassaient au plus haut point.

À la fin de la semaine, quand il n'y eut plus l'excuse des promenades quotidiennes dans le parc, Walter se mit à venir chez Caroline le soir, et il fut présenté à la famille.

— Un jeune homme très bien, jugea son père.

Mais, après les deux ou trois premières visites, il exprima de l'inquiétude.

— Je n'ai pas à te dire que notre situation est fort précaire. Walter devrait faire plus attention, lui aussi. Je suis surpris qu'il coure le risque de venir ici.

« Maman ne dit rien, songea Caroline, parce qu'elle se sent coupable. » L'héritage qu'elle avait toujours été si fière de transmettre représentait un danger pour les siens dans cette période troublée. Son mari avait dû abandonner sa carrière et s'apprêtait à quitter son pays pour elle.

— Il t'a parlé de sa famille ? demanda le docteur Hartzinger.

Ce qu'il voulait dire était : « Quel est le métier du père, et sont-ils inscrits au Parti nazi ? »

— Non, sûrement pas..., commença-t-il, réfléchissant à haute voix, autrement il ne...

Il s'interrompit, puis reprit quelques secondes plus tard :

— De toute façon, nous allons partir bientôt, et tu es encore...

« Encore trop jeune », acheva Caroline dans sa tête. Il la considérait comme une enfant. Depuis peu, il s'était mis à penser tout haut et à s'interrompre au milieu de ses phrases. Elle se rendait compte qu'il avait beaucoup changé. Avant, c'était un homme énergique, sûr de lui, qui savait toujours tout.

Un jour, elle partit promener Peter du côté de la maison de Christina. Jusqu'à l'âge de douze ans, elles étaient allées en classe ensemble. Après, Caroline était passée dans un collège de confession juive, mais elles avaient continué à se voir un peu, fidèles à leur amitié enfantine. Nostalgique, elle avait souhaité aller jusqu'à chez elle, sans aucune intention pourtant de lui rendre visite.

Le hasard fit qu'elle vit Christina venir vers elle, et, heureuses de se rencontrer, elles coururent l'une vers l'autre. Après des embrassades, cependant, elles sentirent vite une gêne. Christina allait à l'université. Pour les vacances, elle devait partir en Italie. Ne trouvant plus rien à se dire, elles allaient se quitter quand une voiture officielle noire avec chauffeur stoppa devant la maison voisine.

— C'est M. Litzhauser, déclara Christina avec une moue. Il est dans les roulements à billes. Il porte une croix gammée au revers. Un ponte du Parti, ajouta-t-elle avec mépris. Mes parents le détestent, mais naturellement, ils ne s'amuseraient pas à aller le lui dire.

Cette réflexion n'étonna pas Caroline : les parents de Christina étaient des catholiques pratiquants. Elle savait aussi que son amie ne se serait jamais risquée à exprimer ce genre d'idée devant ses camarades actuels. Sa première impulsion, par désir de parler de Walter, fut de lui poser des questions, de lui faire confiance, mais aussitôt elle se ravisa et tint sa langue. Réprimant un frisson, elle regarda en silence le père de Walter pousser sa porte, caricature de nazi avec son crâne rasé et sa démarche d'homme puissant.

Elle embrassa donc Christina et rentra chez elle, glacée par un sinistre pressentiment.

Fallait-il en parler ou garder le secret ? L'information était trop grave, mais dès qu'elle mettrait ses parents au courant, Walter ne pourrait plus venir. Et, dans ce cas, où iraient-ils ? Ils n'avaient pas d'autre refuge possible, même s'ils ne trouvaient là aucune intimité. Ses parents restaient au salon presque jusqu'au départ de Walter, comme s'il leur rendait visite à eux. Et quand, finalement, ils montaient, il était trop tard pour qu'il puisse rester longtemps.

Ce soir-là, au dîner, son père lui demanda d'un ton détaché :

— Walter va encore venir, ce soir ?
— Oh, je ne sais pas... Il va peut-être passer.
— Il est venu cinq fois en deux semaines, remarqua Eva.
Lore lui lança un clin d'œil pour l'inciter à la patience.
— Nous ne voulons que ton bien, commenta Arthur Hartzinger. Ça nous ennuierait que tu te berces d'illusions. Tu connais la situation.
— C'est un camarade, sans plus. J'aime bien parler avec lui. Je n'ai pas beaucoup de distractions, alors si en plus...
— Je sais, ce n'est drôle pour personne, surtout pas pour une jeune fille qui a envie de sortir. Ce n'est pas sain... et voilà aussi pourquoi nous devons partir au plus vite. Dieu sait que nous nous y employons, d'ailleurs..., acheva-t-il d'une voix lasse.
Ils n'avaient reçu aucune réponse des États-Unis, et pourtant, ils avaient envoyé des quantités de lettres dont chaque mot était pesé pour franchir la censure. On ne pouvait parler de la situation réelle, ni révéler sa peur, ni la terrible urgence de cet appel à l'aide.
— C'est comme de jeter une bouteille à la mer, intervint Eva.
Son mari, retrouvant momentanément son optimisme, leur rappela que d'autres avaient reçu des réponses et avaient été accueillis aux États-Unis par de parfaits inconnus.
— Je vous assure que ça peut arriver, même si nous leur demandons un grand sacrifice et que peu de gens, probablement, sont assez généreux pour se sentir concernés. N'empêche, je sens que nous aurons de la chance.
— Et pour l'argent ? Comment allons-nous faire ? demanda Eva. Les nazis ont gelé tous les comptes en banque... Enfin, c'est une façon de parler, je dirais plutôt qu'ils les ont volés !
— Nous vendrons la maison et les meubles, et nous achèterons des bijoux que nous pourrons cacher. Nous verrons. Nous nous débrouillerons bien.
On voyait qu'elle n'y croyait pas. Quand elle ne s'affairait pas à quelque tâche domestique, grande lectrice qu'elle était, elle s'asseyait avec un livre. Mais le plus souvent elle se contentait de le poser sur ses genoux et de rester le regard dans le vide. Au bout d'un moment, elle se levait brusquement pour aller au piano, et de ses doigts s'élevait une tempête de musique qui roulait, vague après vague, dans toute la maison.

— Pauvre Eva, c'est sa façon de noyer son chagrin, remarqua Lore un jour.

Walter arriva un soir pendant que Eva jouait.

— Je me suis arrêté devant la porte sans sonner, en attendant que vous terminiez votre sonate, expliqua-t-il. C'était tellement beau que je n'ai pas voulu vous interrompre.

— Mais vous auriez dû ! s'exclama Eva, ravie. Il fait beaucoup trop froid pour rester dehors.

— Je vous dérange ?

— Pas du tout, assura-t-elle. Nous tenions notre conciliabule habituel pour préparer notre émigration, et comme toujours, puisque nous ne trouvions aucune solution, j'ai décidé de jouer un peu. Viens, Arthur, je veux te montrer quelque chose en haut.

Enfin, ils prenaient pitié, songea Caroline. Pour une fois, on l'autorisait à voir Walter en tête à tête.

Soudain, se retrouvant seule avec lui, elle ne sut plus par où commencer. Elle se sentait gênée par l'insistance de son regard, et douta d'elle, de ses cheveux, de sa robe, au point d'en devenir muette.

— J'aime beaucoup ta maison, remarqua Walter. On s'y sent bien, avec les tableaux, les livres un peu partout. Des livres qu'on lit vraiment. C'est une atmosphère un peu... religieuse.

— Religieuse ? Sûrement pas ! Mes parents ne pratiquent aucune religion.

— Ce n'est pas ce que je veux dire. Je parle du sentiment inhérent à toutes les religions. La façon dont ton père parle de sa profession comme d'une vocation. Et l'amour que ta mère voue à la musique. Elle joue avec toute son âme. Ce doit être une femme très bonne, très douce, non ?

— Oui... Mais elle a aussi de l'esprit et elle est très drôle. Enfin, elle l'était...

— Les attestations, les visas, c'est dur d'attendre, je comprends.

— Nous ne savons pas ce qui va se passer.

— Qu'ils partent dès que possible, il ne faut pas traîner. On parle de plus en plus de la guerre. Elle pourrait éclater cet été. Après l'Autriche et les Sudètes, tout peut arriver.

— Je sais.

— Tu vas me manquer.

La gorge serrée d'émotion, Caroline souffrait déjà de ce qu'elle allait perdre, comme si le temps avait déjà passé, comme si Walter et elle s'étaient déjà unis, confondus, et avaient déjà été séparés. Malgré elle, elle laissa échapper une pensée qu'elle aurait voulu garder pour elle.

— J'ai vu ton père rentrer chez vous.

Elle regretta aussitôt ses paroles, se demandant pourquoi elle n'avait pu se taire. Peut-être parce qu'elle ne supportait pas les mensonges, parce qu'elle voulait préserver la pureté de leur relation.

De toute évidence, elle l'avait surpris, il avait même l'air inquiet.

— Quand ?

— Il y a un certain temps. Il rentrait en voiture.

— Une voiture du gouvernement ?

— Il m'a semblé que oui.

— Alors tu sais tout.

Elle l'observa : les rides d'inquiétude qui se creusaient au-dessus de ses sourcils droits, les beaux yeux limpides.

— Tu en as parlé à tes parents ?

— Non.

— Tu ne souffres pas de leur cacher des choses ?

— Si, mais ça leur ferait trop peur si je les mettais au courant. Et toi ? Ton père, qu'est-ce qu'il ferait ?

— À toi, tu veux dire ?

— Et à toi ?

— Je n'en sais rien, Caroline.

— Tu as toujours eu peur de lui ?

— Je ne dis rien, surtout pour ma mère, pour préserver l'harmonie familiale. Il vaut mieux ne pas le mettre en colère, ça n'a rien d'agréable. Et maintenant, avec la cause nationale qui l'obsède...

L'espace clos et chaud qui les protégeait s'était resserré ; dehors, la nuit recelait d'innombrables dangers inconnus, la peur rétrécissait l'espace.

— Viens, dit Walter, viens t'asseoir à côté de moi.

Sur le petit canapé, entre les fenêtres, il lui prit la main.

— Je ne t'ai pas tenu la main depuis le jour où nous nous sommes assis sur le banc pour la première fois, dans le parc.

— Nous ne sommes jamais seuls.

— C'est parce que tes parents se font du souci pour toi. J'agirais comme ton père, si tu étais ma fille.

— Mais justement, intervint-elle avec un sourire, tu n'es pas mon père.

Il la regarda fixement pendant une longue minute.

— Mon Dieu, dit-il.

Quand ils s'embrassèrent, elle sentit le battement puissant et rapide du cœur de Walter, et elle en conçut une sorte d'effroi. Son cœur, sa vie. Ils restèrent immobiles longtemps, incapables de se séparer.

— J'ai l'impression de t'avoir toujours connu, murmura-t-elle. Comme si tu faisais partie de moi, que nous avions été ensemble toute notre vie, ainsi.

Écartant les longs cheveux qui tombaient sur le front de Caroline, il la dévisagea.

— Que tu es belle ! On dirait la gravure de Rébecca au puits. Tu es si jeune, si fragile.

— Non, Walter, je ne suis pas fragile. Je suis très forte, au contraire. Et je suis très vieille, assez âgée en tout cas pour savoir ce que je veux.

— Ça ne fait que six semaines, et je pense tout le temps à toi. Je t'aime tellement, Caroline...

Des pas résonnèrent dans l'escalier, puis la voix d'Eva se fit entendre.

— Tu es encore en bas, Caroline ? J'ai vu de la lumière, je me suis inquiétée.

Walter se leva.

— Je suis navré, madame Hartzinger. C'est ma faute. Je parle trop, et je ne me suis pas rendu compte de l'heure.

— Ce n'est pas grave, Walter, c'est simplement la lumière qui m'a inquiétée.

Lorsqu'il partit, Caroline trouva sa mère encore dans l'escalier, au milieu des marches.

— Caroline, ce n'est pas sérieux !

— Quelle importance ? Nous n'avons pas regardé l'heure, c'est tout.

— Songe aux apparences ! Je ne veux pas que tu restes seule avec un jeune homme si tard, les gens risquent de jaser... Lore pense que tu es amoureuse de lui.

— Lore se mêle de ce qui ne la regarde pas.

— Elle t'aime beaucoup et elle te connaît bien. Elle a peur que tu aies du chagrin.

— Ne t'inquiète pas pour moi.

Eva la contemplait avec compassion.

— Même s'il n'y avait aucun obstacle, tu es trop jeune pour être amoureuse.

— J'ai dix-huit ans, toi tu en avais dix-neuf. Et en plus vous n'aviez pas la même religion. Ça ne vous a pas empêchés de tomber amoureux. Il y a de ça vingt et un ans, et vous êtes toujours ensemble.

— Les temps ont changé, Caroline. On n'avait pas peur à notre époque.

— De toute façon, ça n'a pas de sens. Je le connais à peine.

— Justement. Tu connais sa famille ? Il n'en parle jamais. J'ai l'impression qu'il ne veut pas qu'on sache, chez lui, qu'il vient ici.

« Pourvu, pensa Caroline, pourvu que papa et maman n'apprennent rien... » À voir sa mère, on ne l'aurait jamais crue aussi observatrice.

— Ça pourrait nous mettre tous en danger, continua Eva. Nous ne devons pas attirer l'attention.

— Ne t'en fais pas, maman. Je t'assure qu'il n'y a rien entre nous. Il va vite se fatiguer de venir, tu verras. D'ailleurs je crois qu'il se lasse déjà.

Ses affirmations ne convainquirent personne. Dans la cuisine, elle surprit une conversation entre sa mère et Lore.

— Caroline est trop innocente, disait Lore. Il devrait plutôt trouver une femme plus mûre, qui aurait plus d'expérience. Enfin, j'imagine que ça ne va pas durer, nous ne devrions pas trop nous inquiéter.

— J'espère que tu as raison. De toute manière, que pouvons-nous y faire ? Plus on met les jeunes filles en garde contre ce genre d'aventure, et plus on aggrave la situation.

La nouvelle année arriva, puis l'hiver laissa place au printemps, et Walter devint un habitué de la maison, un visiteur attendu ; presque, mais pas tout à fait, un membre de la famille. Il venait quasiment tous les soirs après le repas. De temps à autre, il acceptait une invitation à dîner, et il ne se montrait jamais sans apporter un petit cadeau, comme il se doit : des fleurs ou bien des chocolats, et une fois une histoire de l'opéra pour la maîtresse de maison.

Les conversations couvraient tous les domaines, tous les pays du monde, passaient de l'architecture aux zoos, mais sans jamais toucher à la politique. Par un accord tacite, tous évitaient le sujet.

À l'évidence, les deux hommes s'appréciaient, ce qui aurait suffi au bonheur de Caroline s'il n'y avait eu tant de sujets de préoccupation.

Un matin, avant de commencer son travail, son père l'arrêta dans le hall pour s'enquérir avec tact des intentions de Walter.

— Il me plaît beaucoup, tu le sais, ma chérie, mais ça n'a rien à voir. Je suis inquiet. J'espère que tu ne nourris pas de folles idées de mariage. Sois franche, Caroline.

— Nous n'avons jamais parlé mariage, rétorqua-t-elle, poussée dans ses derniers retranchements.

— J'espère que tu comprends bien que ce serait impossible.

— Que veux-tu que je fasse ? Que je lui demande de ne plus revenir ?

Elle vit à l'air malheureux de son père qu'elle avait trop exposé ses sentiments. Il ne répondit pas tout de suite.

— Non, dit-il d'une voix lasse. Non, mais ne fais pas de bêtise.

Lore n'en finissait pas de se moquer tendrement d'elle.

— Je ne vois pas ce qu'il peut bien trouver à un bébé comme toi. Lui, c'est un adulte, un homme exceptionnel, et toi tu n'es qu'une jolie poupée. Ne te laisse pas emprisonner. Tu as la vie devant toi, découvre d'abord le monde. Tu connaîtras des dizaines d'hommes avant de faire ton choix.

— Lore est très intelligente, reconnut Walter lorsque Caroline lui rapporta ces paroles, mais cette fois elle se trompe.

Il avait plusieurs fois déposé Lore à l'hôpital le soir, quand il se rendait en ville, et il l'avait trouvée cultivée.

— En général elle sait ce qu'elle dit, mais en l'occurrence elle a tort.

Sur le canapé, dans la pénombre, ils s'embrassaient en écoutant de la musique et parlaient de tout sauf de la réalité. Une fois, alors qu'elle était dans ses bras, Caroline se rappela soudain le jour où il lui avait dit : « Tu vas me manquer. » Si elle avait osé, elle se serait écriée : « Dis-moi ce que nous allons faire... » Mais, en fin de compte, peut-être valait-il mieux ne pas savoir.

N'empêche, il leur faudrait bientôt parler de l'avenir. Ce refus d'affronter la réalité couvrait leur relation d'une brume dans laquelle ils avançaient à tâtons. Comme si cela allait pouvoir durer ! Et, pendant tout ce temps, ils ne rêvaient que d'être seuls ensemble, complètement seuls ; ils mouraient d'envie de se donner l'un à l'autre...

Puis, un jour, une lettre arriva d'Amérique. Ce n'était qu'un petit mot écrit sur un papier à lignes arraché à un calepin. Eva la lut à voix haute.

« Nous nous appelons Sandler, comme votre nom de jeune fille, madame Hartzinger. Je ne pense pas que nous puissions avoir des ancêtres communs, à moins que votre famille ne vienne aussi de Lituanie. Mais peu importe : par ces temps difficiles, nous sommes tous parents. Quand nous avons lu votre lettre, ma femme et moi, nous avons pleuré. Je ne suis pas riche, j'ai un salaire de simple ouvrier, mais nos enfants ne sont plus à notre charge. Nous avons de quoi manger et des lits pour vous accueillir chez nous. C'est petit, très simple, mais vous serez les bienvenus aussi longtemps que vous voudrez. Voilà une semaine que nous en discutons tous les jours. Je vais signer vos papiers officiels pour vous permettre d'émigrer. »

La lettre était signée « Jacob Sandler » avec un post-scriptum : « Nous sommes croyants. »

— Et extrêmement généreux, commenta le père de Caroline, visiblement très touché. Imaginez, ils sont prêts à accueillir chez eux de parfaits inconnus. Je vous avais bien dit qu'un jour ça arriverait.

Ils avaient joint à leur lettre une photo avec leurs noms au dos : « Jacob et Annie ». Rien ne les distinguait de millions de leurs semblables ; des gens ordinaires, ni vieux ni jeunes, ni gros ni maigres, ni beaux ni laids.

— Je voudrais bien savoir, commenta-t-il, ce qui les pousse à faire ça.

Dans l'ombre, prostrée dans un fauteuil, Caroline observait la scène. Son père, fidèle à sa nature, s'émerveillait de ce miracle. Sa mère parcourait la pièce du regard ; elle caressait des yeux les figurines de Dresde, bergers et bergères, les photographies, les livres, le piano – le piano, son cher piano – comme si elle les voyait pour la dernière fois.

— J'imagine, remarqua-t-elle, qu'ils seront surpris quand ils sauront qui tu es, Arthur, et toi aussi, Lore, avec la croix en or de ta mère autour du cou.

— Mais non, Eva. Beaucoup de catholiques font aussi des pieds et des mains pour quitter ce pays de déments.

Caroline pensa aussitôt au père de Walter, avec sa croix gammée au revers. « Nous aurions dû en parler. Nous aurions dû regarder la réalité en face... »

La nouvelle avait transformé le docteur Hartzinger. Il retrouvait son ancienne personnalité, prenait les choses en main, redevenait celui dont elle se souvenait : le médecin guilleret qui partait travailler le matin, débordant d'énergie, sûr de lui et du monde auquel il croyait.

— Dieu les bénisse tous les deux, déclara-t-il. Je vais vous dire une chose : nous ne leur coûterons pas plus de quelques jours d'hébergement, à peine. Je trouverai du travail dans un hôpital. Je nettoierai par terre s'il le faut jusqu'à ce que je puisse m'inscrire à l'ordre des médecins. Eva donnera des leçons de piano. Caroline, tu pourras enseigner le français et surtout l'anglais aux autres réfugiés.

— Bonne idée, d'ailleurs elle ferait bien de commencer par moi, remarqua Lore. Il faut que je sache l'anglais, pour mon métier d'infirmière.

— Il ne reste plus qu'un point sombre, continua-t-il : nos visas américains. Je vais retourner voir où en est notre demande lundi, dès l'ouverture des bureaux. Ils vont finir par se fatiguer de mon insistance. Et, Eva, tu iras vendre tes bijoux. N'accepte pas le premier prix qu'on t'offrira, va d'abord frapper à toutes les portes, mais j'imagine que la différence ne sera pas énorme. Ils savent tous que les Juifs n'ont pas le choix.

— Tu ne m'as pas parlé d'un médecin qui voulait acheter un piano ? demanda timidement sa femme.

— Si : Braun. Un type bien, pas un nazi. Il m'a promis de m'en donner le prix normal, il ne veut pas nous voler.

— Tu trouveras peut-être d'autres acheteurs honnêtes, comme lui.

— Oui, Eva, j'essaierai. Et quand nous aurons réuni assez d'argent, j'achèterai des pierres précieuses.

— Dans ce cas, quel intérêt de vendre mes bijoux ?

— Ma chérie, je suis désolé, mais aucun de tes bijoux, pris séparément, n'a assez de valeur pour nous permettre d'aller bien loin. Il nous faut quelques pierres précieuses de très grande valeur, montées ou non, que nous pourrons dissimuler facilement.

Lore intervint :

— Il vaudrait mieux que je parte la première. Je peux faire passer des affaires en Suisse d'abord. On n'arrêtera pas une infirmière respectable comme moi, avec sa vieille valise.

La mère de Caroline éclata en sanglots.

— Qui aurait pu croire... ? C'est inimaginable. Et toi aussi, Lore, que tu sois obligée de quitter ton pays...

— On ne me chasse pas, je pars de mon plein gré, rétorqua Lore avec un rire. Je n'ai pas envie de mourir de faim comme pendant la dernière guerre !

Sa plaisanterie ramena un peu de bonne humeur. Eva s'essuya les yeux pendant que son mari complétait sa liste. Et aucun d'entre eux, obnubilés qu'ils étaient par la fuite qui se concrétisait enfin, ne s'était tourné vers Caroline ; ils ne pensaient sans doute même pas à elle.

Dans le jardin, les premiers perce-neige avaient émergé de la terre dure, et, quand on se couvrait bien, on avait assez chaud pour s'asseoir au soleil. Le silence de ce dimanche matin était si profond qu'on avait presque envie de parler à voix basse.

— Tu croyais vraiment que j'allais te laisser partir sans moi ? s'indigna Walter.

— Je ne voulais pas y penser. Je me souvenais seulement qu'un jour tu m'as dit que j'allais te manquer.

— Mais c'était il y a des siècles ! Non, tu ne me manqueras jamais parce que je serai avec toi.

— Et ta famille ? Tu comptes partir un jour comme ça, sans rien dire ?

— Oui, je vais filer discrètement, et le plus tôt sera le mieux, parce que la conflagration est proche. J'aurai fini mes examens en mai, et à ce moment-là je serai au pied du mur. Non seulement il faudra que je m'oppose à mon père si je ne veux pas entrer dans son usine, mais en plus il voudra que je prenne des responsabilités au Parti. Ma mère est déjà dans une organisation de femmes, mon frère est militaire de carrière, et mes sœurs sont toutes dans les Jeunesses hitlériennes. Je suis le seul qui se soit tenu à l'écart de tout ça. Tu imagines comme ma position est facile... Ils exercent sur moi une pression constante. Je déteste être chez moi. Je ne supporte même pas d'y rester une heure pour le dîner. Je passe le plus clair de mon temps à l'université.

Il se leva, s'approcha de la fenêtre et regarda le parc, de l'autre côté de l'avenue. Quand il revint vers elle, Caroline vit à quel point il était agité.

— Le plus drôle, c'est que, en dépit de tout ce que je t'ai dit sur lui, je n'arrive pas vraiment à détester mon père. À moins d'être un ingrat, on n'oublie pas ses premières années, les soins, tout le travail qui lui a permis de m'offrir le confort dans lequel j'ai vécu. Quand j'étais malade, dès que j'avais besoin de quoi que ce soit, il m'a aidé. Non, je ne peux pas le détester. Je hais seulement ce qu'il représente, et le régime qu'il veut que je soutienne. Je ne rêve que de partir.

— On nous a promis des visas américains pour mon père et moi vers mai. Le tour de maman ne viendra pas avant des mois. Elle souhaite que nous partions sans elle. Elle dit qu'elle ne veut pas retarder notre départ. Ils se sont presque disputés hier soir.

Elle dut s'interrompre tant ses lèvres tremblaient, puis elle continua.

— Un collègue de mon père, avec lequel papa était même ami – mais plus maintenant, je te prie de me croire –, a divorcé de sa femme parce qu'elle était juive. Tu imagines ?

— Quel salaud !

— Papa dit qu'il préférerait mourir avec maman plutôt que de l'abandonner. Mais il reste optimiste ; il pense que ça n'ira pas jusque-là, ou du moins c'est ce qu'il prétend.

— J'imagine que tu n'as pas eu le temps de leur parler de nous... D'ailleurs ils doivent déjà s'en douter.

— Je n'ai pas trouvé le bon moment. Mais tu as raison, ils ont deviné. Ça se voit, non ?

— Ils se voilent la face mais ils vont bien être obligés de nous écouter. Si nous allions les voir pour rendre notre décision officielle ?

Les parents de Caroline étaient restés à la table du petit déjeuner, où ils discutaient de leurs multiples problèmes. Le père de Caroline eut l'air surpris de l'apercevoir en compagnie de Walter.

— Je ne vous dérangerais pas à cette heure, déclara ce dernier, si nous n'avions quelque chose d'important à vous annoncer. Ou du moins devrais-je dire à vous demander. Caroline, veux-tu que je commence ou préfères-tu parler toi-même ?

« Comme ils ont l'air fatigués ! se dit-elle. L'annonce de nos fiançailles devrait se passer comme dans les livres, avec des rires, des félicitations, une bouteille de champagne. La famille de Walter serait invitée à un grand dîner pour faire connaissance avec mes parents... »

— Ce n'est pas très difficile de deviner ce que vous nous préparez, intervint le docteur Hartzinger.

— J'espère que vous n'y voyez pas d'objection, monsieur.

— Je n'ai rien contre vous, mon garçon, au contraire. Nous avons bien sympathisé depuis quelques mois. Mais nous ne savons toujours pas grand-chose sur vous, et ça nous inquiète passablement, ma femme et moi.

— Je ne demande qu'à vous éclairer.

— Asseyez-vous, je vous en prie. Nous vous écoutons.

Walter leur exposa donc les faits, avec la précision et l'assurance d'un scientifique qui analyse les données d'un problème. Caroline, Peter sur les genoux, les observait tour à tour ; Walter et son front soucieux ; Eva, très inquiète, qui guettait la réaction de son époux ; et enfin le visage impassible du médecin, dont l'expression montrait qu'il était en état de choc.

— Maintenant vous savez tout, conclut Walter. Je vous ai tout dit.

Il y eut un silence, puis le père de Caroline demanda lentement :

— Et quelle place notre fille trouverait-elle dans une famille comme la vôtre ? Vous devez bien vous rendre compte que...

— Absolument. Elle n'y aura pas sa place. Et moi non plus. Je ferai partie de votre famille, si vous m'acceptez. Je veux vous accompagner en Amérique, et épouser Caroline là-bas pour ne pas remettre en cause le visa que vous venez d'obtenir pour elle.

Les deux hommes se dévisagèrent, se jaugeant attentivement.

— Walter, il faut s'attendre que vous soyez mobilisé très bientôt.

— En effet, ça ne saurait tarder. D'ailleurs, mon père, qui est un ancien combattant médaillé de la dernière guerre, a déjà fait marcher ses relations pour me placer dans le corps des officiers.

— Eh bien, dans ce cas, je ne vois pas comment vous espérez quitter le pays.

— Je sais de source sûre qu'il nous reste encore quelques mois de sursis. Je trouverai une raison de me rendre en Suisse très bientôt. J'ai hérité de mon grand-père, et j'ai l'intention de mettre temporairement ces fonds dans une banque suisse.

— On ne peut plus sortir de devises.

— Vous non, mais moi si. C'est possible quand on connaît les gens qu'il faut.

— Vous avez réponse à tout. Eva, ton avis ?

— Tu sais bien que je pense depuis le début que Caroline est trop jeune... Mais c'est drôle, ça me fait penser à nous. Quand nous avons décidé de nous marier, on a inventé toutes sortes d'obstacles absurdes pour nous en dissuader.

— La différence, c'est qu'il n'y avait pas de danger de guerre, à l'époque. Nous venions de sortir de la dernière.

— Nous avons d'autant plus de raisons d'agir vite, intervint Walter. Et si la guerre n'éclatait pas, car il faut espérer que les grands de ce monde vont réussir à l'éviter, nous...

— Nous serons tous en Amérique ! s'écria Caroline.

Elle se leva d'un bond et alla embrasser ses parents, puis, devant eux, elle embrassa aussi Walter en riant et en pleurant.

Quand arriva la fin de l'après-midi, un plan de bataille avait été dressé. Caroline devait partir pour la Suisse dès qu'elle recevrait son visa. Là-bas, elle attendrait ses parents chez un médecin suisse, vieil ami de son père depuis l'époque de la faculté de médecine. Lore, profitant de son statut de citoyenne « ordinaire », ferait un ou deux allers et retours pour convoyer des bijoux, comme il avait été initialement prévu. Walter, de son côté, citoyen ordinaire lui aussi, prendrait quelques semaines de vacances en Suisse.

— La maison de mes amis se trouve au bord du lac, pas très loin de Genève, conclut le père de Caroline. C'est une région magnifique, un point de départ rêvé pour une longue et belle vie de bonheur.

2

Après une longue journée de voyage, Caroline et Lore arrivèrent à la nuit tombée chez les Schmidt. Allongée dans la chambre inconnue, Caroline écouta longtemps les battements trop rapides de son cœur. Malgré les paroles rassurantes, les plans bien échafaudés, l'avenir s'ouvrait comme un gouffre béant.

Les minutes s'écoulèrent. Petit à petit, songeant à Lore, dans la chambre voisine, elle parvint à se rasséréner. Elle s'était révoltée, au début, devant l'insistance de ses parents et de Walter, qui tenaient à ce que Lore l'accompagne. On aurait cru qu'ils la jugeaient incapable de se débrouiller seule ! Et pourtant, en se souvenant des adieux déchirants sur le quai de la gare à Berlin, elle sentait combien son désespoir aurait été insoutenable si elle avait été seule à partir, seule à se pencher par la fenêtre pour voir le plus longtemps possible son père et Walter lui adresser des signes d'adieu avec leur chapeau et sa mère agiter un mouchoir jaune.

Walter, qui avait analysé à la perfection le rôle de Lore, disait qu'elle les stabilisait, et c'était vrai. Elle était parvenue à calmer les craintes d'Eva, qui redoutait que cette séparation ne soit définitive, et même à transformer en jeu le tragique empaquetage des malles.

La nuit de printemps jetait une lueur blafarde sur l'énorme malle neuve. Ils avaient sans doute acheté la plus grande offerte sur le marché, et ils l'avaient remplie à ras bord.

— Ne prends que des vêtements qui peuvent servir, avait conseillé son père. Ne perds pas de place pour des robes du soir. Bon, d'accord, tu peux choisir quelques jolies robes d'été pour ton séjour chez les Schmidt et pour accueillir Walter quand il viendra te rendre visite, avait-il ajouté avec un sourire des plus compréhensifs.

Ces vêtements et quelques rares photographies seraient les seuls souvenirs de sa maison bien-aimée, les seuls témoins de la vie qu'elle laissait derrière elle.

— Des livres, tu pourras en acheter là-bas, si tout se passe bien, avait ajouté Eva.

Et, réflexion surprenante de sa part, elle avait précisé :

— Les livres ne sont pas d'une nécessité vitale, comme les vêtements.

Caroline avait dû abandonner tous ses livres chéris, les contes de fées de son enfance, les manuels d'histoire et de grec auxquels elle tenait tant. Mais le pire avait été de laisser Peter, auquel Lore avait trouvé un nouveau foyer.

— Une de mes patientes a un caniche dont elle est folle, mais qui est très âgé. Peter tiendra compagnie à son vieux chien et à toute la famille.

C'était la première fois en trois ans qu'elle passait la nuit sans son chien sur ses pieds, et elle se demanda s'il arrivait à dormir. Walter avait très bien compris sa peine.

— Dès que nous aurons notre maison, je t'achèterai un caniche, et nous l'appellerons Peter.

Il comprenait tout. C'était un être exceptionnel. Les gens auraient sans doute dit qu'il s'agissait d'une passion d'adolescente, mais ils se trompaient. Malgré les apparences – cette idée aurait bien fait rire ses parents – elle avait l'esprit pratique ; elle avait dressé la liste des qualités essentielles du mari idéal. En jugeant Walter d'après ces critères, elle ne lui avait trouvé, en toute honnêteté, qu'un seul léger défaut. Peut-être son sens de l'humour n'était-il pas très développé... Mais quelle importance ? Pour sa part, elle n'était ni très amusante ni très spirituelle. Et puis, que pouvait-on juger drôle dans la situation actuelle ?

Oui, ils se convenaient en tout point. Ils étaient très jeunes et une longue vie s'ouvrait à eux. Et il devait la rejoindre d'ici quelques semaines... Ce fut en pensant à cette heureuse perspective qu'elle s'endormit.

Un carillon de vieilles cloches d'église la tira du sommeil, éveillant en elle un bref souvenir des jours qu'elle passait autrefois avec ses parents dans des villages de montagne, du temps où ils pouvaient encore partir en vacances. Des voix lui parvinrent du hall, celles de Lore et de Mme Schmidt. Elles parlaient du temps, qu'elles jugeaient superbe, et de Caroline, qui faisait la grasse matinée. En entendant le ton énergique et familier de Lore, elle retrouva courage et, déterminée à se montrer aussi brave qu'elle, elle se leva, s'habilla, s'attacha les cheveux en catogan avec un ruban, puis descendit.

Le docteur Schmidt était assis à table et prenait ce qu'il appela son second petit déjeuner, luxe qu'il s'offrait le dimanche avant d'aller à la messe. Il devait avoir l'âge du père de Caroline, mais ne lui ressemblait pas, avec son visage rubicond et sa moustache. Pourtant, comme lui, il avait l'air d'un médecin. Si on lui avait demandé d'expliquer ce qu'elle entendait pas là, elle aurait été bien en peine de préciser sa pensée, et cependant on ne pouvait s'y tromper.

— Notre jeune invitée a bien dormi, déclara-t-il, jovial. Je le vois à vos yeux.

Mme Schmidt, aussi différente de la mère de Caroline qu'on pouvait l'être, dénoua son tablier de cuisine. Elle venait de poser sur la table un moka encore chaud, enveloppé dans une serviette.

— Mon mari et moi allons partir à la messe. Je ne sais pas si vous... ou...

— Je suis sûre que Lore sera ravie de vous accompagner, intervint Caroline. Vas-y, Lore, ne te prive pas pour moi.

— Non, je peux bien manquer un dimanche. Ça ne me tuera pas. Je vais boire un autre café avec toi, Caroline. Allez à la messe sans nous, Amalia, ne vous en faites pas.

Dès qu'elles furent seules, Caroline remarqua :

— Tu l'appelles déjà par son prénom ! Vous êtes devenues amies, bravo.

— Oui. Ils m'ont fait visiter la maison pendant que tu dormais. Je me sentais assez gênée, mais ils n'ont pas arrêté de me répéter que nous ne les dérangions pas, que c'était un plaisir de recevoir la fille d'Arthur Hartzinger. Le docteur dit que ça lui rappelle ses années à la faculté de médecine.

C'était bien d'elle ! En moins d'une heure, Lore savait déjà tout de la famille qui les recevait et de la région.

— Il travaille dans un hôpital de rééducation pour les enfants handicapés ou blessés. Amalia est fonctionnaire dans une administration en ville. Ils n'ont pas d'enfant et adorent voyager. Le docteur dit qu'il est content d'avoir déjà presque fait le tour du monde, parce que avec la guerre qui arrive, on ne pourra plus se déplacer d'ici longtemps.

— Encore la guerre ! Si seulement les gens pouvaient arrêter de la prédire, elle n'aurait peut-être pas lieu. Comment peut-on imaginer une chose pareille par une belle matinée comme celle-ci ! Regarde les fleurs de pommier et le bleu paisible du lac !

Lore ne se prononça pas et se contenta de parler du lac qui s'étendait devant elles, au bas d'une pelouse en pente douce.

— On pourrait aller se promener, je crois qu'il y a un chemin qu'on peut suivre assez longtemps. Je me suis levée tôt et j'ai un peu exploré. Ou alors nous attendrons que les Schmidt nous emmènent. Il y a un hameau en haut de la colline. L'église a l'air intéressante. Je dirais qu'elle est du XVIIe. Finis ton petit déjeuner et allons la visiter.

Un concert de chants d'oiseaux montait dans la campagne. Le reflet du soleil dans l'eau éblouissait tant qu'on devait se protéger les yeux avec la main pour regarder le lac. Des maisons le bordaient à droite et à gauche, nichées au fond de longs jardins, en partie camouflées par les arbres. Les Schmidt avaient placé une table et des chaises de jardin à l'ombre. Caroline et Lore allèrent s'y installer, l'une avec un magazine de voyage découvert dans le salon, l'autre avec son tricot car elle aimait s'occuper les mains.

— J'ai trouvé cette laine rose en haut de l'armoire de ta mère quand nous avons vidé la maison. Je ne sais pas ce qu'elle comptait en faire, je ne l'ai jamais vue tricoter. Il y a de quoi fabriquer une couverture, alors je l'ai prise. Ce serait bête de la gâcher.

Caroline regardait une photographie en couleur d'Angkor Vat dans son épaisse jungle verte, se disant qu'un jour elle irait voir ces merveilles avec Walter ; le Cambodge et le Taj Mahal, et...

Lore interrompit sa rêverie.

— La France est juste de l'autre côté du lac. Nous pourrions y faire une excursion en bateau un jour si tu veux, et nous offrir un déjeuner français.

— Nous n'en avons pas les moyens !

— Oh, j'ai quelques petites économies personnelles, assura Lore en riant. Ou nous pourrions vendre les bagues.

Elle leur avait fait passer la frontière, cousues à l'intérieur de la doublure de son sac à main : le rubis de la mère de Caroline, et des diamants, dont l'un blanc bleuté, et presque sans défaut, d'après Eva. Ils étaient très beaux, mais c'était affreux de penser que ces simples pierres valaient l'équivalent de tous les meubles de la maison. Et les tableaux, et le piano à queue, et l'assurance vie de son père par-dessus le marché. Tout avait été sacrifié pour ces quelques cailloux.

— Oui, c'est incroyable, renchérit Lore quand elle lui eut confié son désarroi. Et attends que la maison soit vendue. Elle rapportera sûrement de quoi acheter encore au moins deux bagues, même en gardant un peu d'espèces et de quoi payer la traversée en paquebot.

Elle soupira, sourcils froncés, comme si elle calculait.

— Je vais rester avec toi encore deux ou trois semaines, continua-t-elle. Ensuite je te laisserai les bagues et je repartirai. Si on te pose des questions, tu n'as qu'à dire que j'ai une sœur en Suisse et que c'est pour ça que je viens de temps en temps. Tu ne te souviens pas de son nom.

— Les Schmidt ne poseraient jamais ce genre de question !

— Je ne pensais pas à eux.

Ici aussi il fallait se méfier des autres. Sans épiloguer, elles retournèrent à leur tricot et à leur désir de voyage.

— Vous avez l'air bien remises de votre épreuve d'hier, remarqua le docteur Schmidt en les rejoignant avec Amalia. Je trouve plus épuisant de rester assis des heures et des heures dans le train que de grimper des routes de montagne à vélo.

— J'espère que vous aimez le canard, parce que j'en ai mis un au four pour le déjeuner, intervint Amalia. Je le prépare à la mûre, nous le préférons au canard à l'orange.

C'étaient des hôtes charmants. Et pourtant, ce devait être difficile d'accueillir des gens qu'on ne connaissait pas, pensa Caroline, et de trouver des sujets de conversation anodins pour ne pas parler de la situation. « Ils ne veulent pas nous assommer avec leur pitié, et pourtant, ils en ressentent certainement. »

« Il faut savoir chanter pour son souper », disait toujours sa mère. Cela signifiait qu'un invité devait se rendre agréable en échange de l'hospitalité qu'on lui offrait.

— J'adore le canard, déclara-t-elle avec enthousiasme, mais on est si bien dehors que je pourrais regarder le lac des heures sans penser à passer à table.

— Oui, c'est agréable de se prélasser au soleil quand le printemps arrive. Mon pauvre mari n'en profite pas beaucoup, il passe le plus clair de son temps à l'hôpital.

— Mon père m'a parlé de votre travail avec les enfants, monsieur, et aussi de l'époque de vos études.

— Je suis sûr qu'il ne vous a pas révélé certains de nos canulars, répondit le docteur Schmidt. Étudiant, votre père était une vraie terreur. Je pourrais vous en raconter de bonnes, ajouta-t-il en éclatant de rire, mais motus !

Caroline imaginait mal son père en « terreur » estudiantine, mais peu importait, la conversation était maintenant bien partie, ce qui prouvait que sa mère avait raison. Ils bavardèrent pendant tout le repas de midi, puis encore tout au long de la promenade qui suivit, et la discussion roulait toujours à 4 heures quand ils revinrent s'asseoir dans le jardin pour prendre le café. Ils avaient évoqué les recettes de pâtisserie de Lore, les langues que parlait Caroline, le mariage de ses parents – auquel avait assisté le docteur Schmidt – et les carrières respectives de leurs hôtes. Il avait été décidé, entre autres, que Caroline passerait les quelques semaines qui viendraient à donner des leçons d'anglais intensives à Lore et à offrir des heures de travail bénévoles à l'hôpital pour enfants. Cela acquis, et les sujets de conversation étant épuisés pour l'heure, ils avaient ouvert les journaux du dimanche.

On n'entendit plus que le froissement des pages pendant quelque temps, puis Amalia lança une exclamation indignée.

— Écoutez-moi ça ! Les Suisses se plaignent des réfugiés. « Si nous continuons à laisser entrer ces gens chez nous, nous n'aurons bientôt plus de quoi manger. » Comme s'il s'agissait de millions de gens ! C'est loin d'être le cas ! Quelle réaction honteuse ! Tu te rends compte, Willie ?

— Ça ne m'étonne pas du tout. Je suis même surpris que tu ne t'y sois pas attendue.

Se tournant vers Lore et Caroline, il expliqua :

— Notre nouveau chef de la police de l'émigration – une nouvelle division de la police fédérale – est, c'est malheureux, un homme très violent.

Un frisson de peur trop familier agita Caroline, et son angoisse dut se lire sur son visage car le docteur Schmidt ajouta très vite :

— Ne craignez rien, il ne peut rien vous arriver. Vous n'êtes qu'en transit. Les touristes munis de simples visas de passage ne risquent rien.

Caroline s'efforçait de cacher sa peur de son mieux. Le matin, elle partait à l'hôpital avec le docteur Schmidt et le travail lui permettait d'oublier un peu, tant elle prenait en pitié les enfants qu'elle voyait. Certains naissaient mal formés, avec une main en moins, par exemple, d'autres sortaient d'accidents de la route, parfois même il s'agissait de victimes de violences domestiques. La cruauté de certains parents était inimaginable. L'après-midi, elle se débattait contre l'anglais hésitant de Lore, ou l'aidait dans la cuisine car sa presque sœur, désireuse de payer son écot comme elle le pouvait, s'occupait souvent de préparer les repas.

À la fin de la deuxième semaine, elles avaient acquis un rythme de croisière, trouvant leur place dans la famille comme si elles avaient toujours vécu là. Un solide optimisme – pour Caroline, sans doute hérité de son père – et une bonne dose de courage leur avaient permis de s'adapter de façon remarquable sans sombrer dans le désespoir. Et puis, à la fin du mois, Walter devait venir.

Beaucoup plus tard, Caroline devait conserver de nombreux souvenirs de cette période, des épisodes les plus importants comme des plus triviaux : des sonorités, des sensations, des couleurs. Elle se rappellerait aussi que, curieusement, pendant tout ce temps, elle se disait : « Je n'oublierai pas. »

Il y eut une promenade en bateau autour du lac, non pas avec Lore, comme prévu, mais avec Walter. C'était la première fois qu'ils passaient tant de temps dehors ensemble.

Et puis la musique – avec lui, il y en avait toujours, que ce soit *Le Lac des cygnes* ou du jazz, selon l'humeur – qui s'échappait de la radio de leur voiture de location.

Et ses robes d'été, une lilas, une jaune, une rose, les rescapées de son ancienne garde-robe, avec lesquelles elle se sentait belle et aimée.

Les Schmidt la complimentèrent sur son « charmant fiancé », mais, se sentant sans doute responsables de l'honneur de la fille de leur ami, ils ne l'invitèrent pas à dormir chez eux et lui réservèrent une chambre dans une auberge du voisinage, à quelques minutes de la maison. Il fut invité à un dîner auquel il apporta un petit cadeau, comme il en avait l'habitude à Berlin, en jeune homme bien élevé.

Après le dîner, les Schmidt se retiraient avec tact, mais Caroline n'était jamais longtemps seule avec lui.

— Je n'attends que l'instant où nous nous retrouverons dans une chambre fermée à clé, déclara-t-il.

Et puis, un jour, les Schmidt perdirent une parente, la tante d'Amalia, qui devait être enterrée près de la frontière italienne. Ils devaient partir toute la journée et ne rentrer que très tard le soir. Enfin libres, Caroline et Walter allèrent en voiture à Genève, une ville qu'il connaissait bien. Ils y déjeunèrent, se promenèrent dans les rues, entrèrent à l'ombre dans une église, où ils tombèrent sur un organiste qui répétait. Ils l'écoutèrent, puis ressortirent au soleil. Ils achetèrent des cornets de glace à la pistache, et ces glaces, pour une raison obscure, restèrent à jamais gravées dans la mémoire de Caroline, ainsi que le silence étrange qui s'était emparé d'eux.

Ils revinrent par un crépuscule bleu et chaud.

— Nous ne sommes pas obligés de nous enfermer, restons dehors, suggéra-t-il.

Alors ils s'allongèrent dans l'herbe.

— On sent encore la chaleur du soleil qui monte du sol, remarqua-t-il.

La nuit tomba. Ils se tenaient enlacés comme au temps de leurs soirées berlinoises, la tête de Caroline sur l'épaule de Walter. Elle ouvrit les yeux et vit la lune.

— Regarde ! La lune est verte.

Il murmura un mot presque indistinct... son nom, et ajouta :

— Nous devrions rentrer. Je devrais partir. Oblige-moi à te quitter.

Elle comprit, réalisa qu'elle devait se lever tout de suite, le laisser se sauver. Mais elle en fut incapable, et il n'en eut pas la force. Elle le sentit exhaler un long, profond soupir.

Lorsqu'elle rouvrit les yeux, la lune la regardait toujours. Un oiseau de nuit pépia une fois, puis se tut. Rien ne bougeait plus. Le monde, au-dehors de leur cachette de feuillage, n'existait même plus. Ils se serrèrent, plus fort, toujours plus fort.

— Oblige-moi à te quitter, répéta-t-il en lui ôtant sa robe, détachant ceinture et boutons.

Elle l'entendit murmurer, s'inquiéter de la fragilité du tissu, par peur de le déchirer, et répondit d'une voix basse et pressante :

— Tant pis, ce n'est pas grave.

Longtemps plus tard, avec la nostalgie qui accompagne les souvenirs, Caroline devait souvent penser qu'avec cette première fois leur destinée avait été lancée. Les jours suivants ne furent remplis que par l'attente, l'attente de la nuit. À quelque distance du jardin, Walter avait découvert un endroit, qui, disait-il, semblait prévu pour accueillir les amoureux. C'était là qu'ils allaient se cacher.

Un jour, il lui prit la main gauche et dit doucement :

— Je sais que tu voudrais porter un anneau à ce doigt-là. Tu dois y avoir pensé, comme moi. Mais nous n'y pouvons rien, c'est trop dangereux. Écoute, Caroline, je me sens déjà marié. Nous sommes mariés, maintenant. Dès que nous arriverons en Amérique, nous rendrons notre union officielle.

Et puis un jour, bien trop vite, il n'y eut plus qu'une seule journée.

— J'ai peur de rentrer chez moi, avoua-t-il.

— Tu ne pourrais pas rester ?

— J'ai des dispositions à prendre, je dois préparer le départ, m'occuper de bêtises, d'argent, par exemple.

Elle l'observait ; son front se plissait pendant qu'il parlait. On percevait en lui une tension extrême.

— Après tout, poursuivit-il, je quitte l'Allemagne pour toujours. Et puis je pourrai aider tes parents et Lore. Je suis content qu'elle soit retournée là-bas, avec eux. Avant de venir te rejoindre, je l'ai emmenée au restaurant deux fois, et une fois à un spectacle. Elle se fait un souci monstre pour le visa de ta mère, qui n'arrive pas. Alors, ma chérie, tu vois bien qu'il faut que j'y retourne. Quand je reviendrai, au pire vers la mi-juillet, je ne te quitterai plus jamais.

Lore regagna Genève et apprit à Caroline que ses parents allaient bien et que la maison avait été vendue.

— Un membre du Parti l'a achetée, disons plutôt qu'il l'a volée. Enfin, nous en avons quand même tiré deux diamants de plus, pas aussi beaux que les premiers, mais c'est mieux que rien. J'ai aussi acheté les billets de paquebot pour nous deux.

— Rien que pour nous deux ?

— Oui, Walter s'occupe lui-même du sien et voyagera sur le même bateau, en partance du Havre. Tes parents ne peuvent pas encore arrêter de date précise tant que ta mère n'a pas obtenu son visa.

La voix tremblante, Caroline demanda quand on pouvait espérer qu'elle l'aurait.

— On n'en sait pas plus maintenant qu'en mai, c'est terrible.

— Nous sommes presque en juillet. Et en plus on ne peut même pas leur écrire ! Je ne reçois jamais de lettres, je n'ai de nouvelles de personne depuis que je suis à Genève...

— C'est mieux comme ça, avec la censure. Je t'assure que c'est très risqué de communiquer par lettres, surtout pour ta mère. Il lui faut rester très discrète. Ils renvoient dans leur pays d'origine tous les Allemands nés en Pologne, et comme la Pologne ne veut pas d'eux, les malheureux sont bloqués aux frontières et parqués dans des camps entre les deux pays, dans le no man's land.

— J'ai la bouche sèche et les mains toutes moites, j'ai besoin d'aller m'allonger.

— Non, intervint aussitôt Lore, infirmière jusqu'au bout des ongles. Il vaut mieux que tu ailles te promener, tu as besoin d'air frais. Marche un bon moment pour te fatiguer, tu dormiras mieux après ça.

Les jours passèrent. Elles ne tenaient que grâce à leur travail, Caroline à l'hôpital, et Lore à la maison, où elle se chargeait presque seule de la cuisine.

— Ça me gêne de rester si longtemps ici sans rien faire, répétait Lore.

— Je voudrais que papa, maman et Walter arrivent, je n'en peux plus.

Enfin, alors qu'elle n'osait plus espérer, elle reçut un mot de Walter. Quelques lignes ambiguës, alarmantes, et sans signature.

« Ici, rien de neuf, sauf qu'une certaine affaire risque de me retenir un peu plus longtemps que prévu. »

— Lore ! Je n'y comprends rien. Qu'est-ce que ça veut dire ? Ce n'est pas une lettre, ça !

Sous le coup de l'émotion, elle sentait son cœur marteler ses côtes comme toujours quand elle était prise d'angoisse.

— J'imagine qu'il cherche à faire sortir de l'argent, répondit Lore. Je ne vois pas ce que ça peut être d'autre.

— Si seulement je pouvais lui téléphoner ! Entre mes parents et Walter, je n'en peux plus. Je voudrais faire quelque chose au lieu d'être paralysée ici. Le pire, c'est l'attente.

Un soir, pendant le dîner, elle éclata.

— Je n'en peux plus ! Il faut que je sache ce qui se passe chez moi. Demain, je prends le premier train pour Berlin et j'irai me rendre compte par moi-même.

Autour de la table, trois paires d'yeux se fixèrent sur elle.

— Quoi ? s'écria Lore. Tu es folle.

— Demain, on sera le 1er août, tu te rends compte ? Nous partons dans moins de trois semaines. Tu crois qu'il faut reculer notre départ ? Nous ne pouvons tout de même pas rester ici indéfiniment.

Le docteur Schmidt sembla sur le point d'intervenir, s'arrêta, et finit par se décider :

— Caroline, vous avez malheureusement raison, vous ne pouvez pas demeurer ici. Cela va devenir impossible. Vos visas vont expirer et... C'est triste à dire, et j'ai honte de mon pays, mais les autorités ne vous laisseront pas séjourner en Suisse. On va renvoyer les réfugiés politiques de l'autre côté de la frontière s'ils ne partent pas de leur plein gré. La mesure sera appliquée dès le mois d'août.

Caroline détourna les yeux pour ne pas voir la pitié de son regard. Tout le monde se taisait.

Lore se leva.

— Je monte jeter quelques vêtements dans un sac. Moi, je ne suis pas une réfugiée. Je peux passer la frontière autant que je veux. Je vais aller voir ce qui se passe. Non, Caroline, reste assise, je n'en ai que pour cinq minutes. Je ne ferai que l'aller et retour. Je reviendrai au bout d'un ou deux jours.

— Il vaut mieux que je commence à faire ma malle, dit Caroline, on ne sait jamais...

Sans rien ajouter, elle alla dans sa chambre. La petite pièce, propre et blanche, guère plus grande qu'une cabine de bateau, était devenue un refuge rassurant, avec son tilleul près de la fenêtre. Comment serait la prochaine chambre, le nouveau lit, ailleurs ? Sa fragile stabilité avait volé en éclats. Walter avait dit « un peu plus longtemps que prévu »...

Elle pliait des robes quand Lore entra.

— Je te confie les deux derniers diamants, mets-les avec les autres. Ce sont nos économies. Tiens, tu as taché ta robe rose ?

— Des traces d'herbe, je ne suis pas arrivée à les faire partir. Je ne suis pas très douée.

— Mon Dieu, mais qu'est-ce que tu as fabriqué ?

Parfois, pas trop souvent, Lore lui donnait l'impression qu'elle avait encore dix ans, en la grondant comme une maîtresse d'école.

— Tu vois bien, Lore, je suis tombée dans l'herbe ! Un jour nous sommes montés chercher des gâteaux au village, et en redescendant la colline, j'ai glissé sur l'herbe mouillée.

Il lui sembla que Lore lui lançait un regard suspicieux, mais peu importait. Elle avait trop de soucis pour se préoccuper de ce que Lore pouvait penser.

Lore ne rentra que quatre jours plus tard, dans la soirée, accompagnée du docteur Schmidt, qui était allé la chercher à la gare. Caroline, en descendant de sa chambre, fut arrêtée au milieu de l'escalier par leurs voix dans le salon.

— En deux mois, il peut se passer des quantités de choses, disait le docteur Schmidt.

— Son père a dû lui imposer sa volonté. Et puis la ferveur patriotique se répand comme une traînée de poudre, ou plutôt comme la peste. « Vengeons les Allemands maltraités en Pologne ! » Vous avez lu ça comme moi.

La voix de Lore...

— Ses camarades d'université ont dû aussi le convaincre, reprit le docteur Schmidt. À cet âge, jeune diplômé... Les étudiants sont très politisés. Ce que vous nous apprenez ne m'étonne pas. Même des hommes très intelligents tournent leur veste, ça se voit souvent.

— De toute façon, elle était trop jeune pour se marier, c'est ce que je dis depuis le début. Je ne vois vraiment pas comment lui annoncer la nouvelle.

— La pauvre petite ! s'exclama Amalia.

S'accrochant à la rampe, Caroline courut les rejoindre, le cœur transi d'angoisse :

— Que s'est-il passé ?

— Personne n'est mort, s'empressa de répondre Lore, personne n'est blessé. Il faut que je te parle, Caroline. Viens t'asseoir près de moi.

— Mais vas-y, dis-le, dépêche-toi ! Il est arrivé quelque chose à Walter ?

— Non, il est en bonne santé, mais... il... Je ne sais pas comment t'annoncer ça. Il ne viendra pas. C'est incroyable mais vrai. Il est passé dans l'autre camp. J'ai vérifié, tout concorde.

— L'autre camp ? Quel autre camp ? Je ne vois pas ce que tu veux dire !

Désolés, les Schmidt avaient rapproché leurs fauteuils pour l'entourer, pour la protéger.

— Quel dommage, murmura Amalia, quel gâchis !

Lore poussa un long soupir.

— C'est son père, expliqua-t-elle, je ne vois pas ce que ça peut être d'autre. Je suis allée chez lui. Je ne savais plus comment avoir des nouvelles. Avant, j'avais essayé de le contacter par l'université, j'avais même trouvé des étudiants qui le connaissaient, mais je n'ai pas obtenu grand-chose d'eux. Quand j'ai prétendu être sa cousine, ils ont raconté qu'il était parti à la campagne. Ils n'ont rien pu, ou voulu, me dire d'autre. De toute évidence, il se passait quelque chose de bizarre. Je suis donc allée dans notre ancien quartier. J'ai trouvé leur maison vide, enfin la famille n'y était pas, je n'ai vu que les domestiques. J'ai dit que ma sœur était son amie et qu'elle attendait des nouvelles. Le chauffeur, qui était dehors en train de laver la voiture, m'a entendue. Il a expliqué que Walter était parti. Je lui ai demandé où, mais il ne savait pas. « Ce sont des questions qu'on ne pose pas, m'a-t-il dit. Maintenant, il est SS, secret d'État. Il est entré au Parti, il n'a plus de temps à perdre avec votre sœur. » J'ai fait semblant d'être impressionnée : « Bravo, je ne savais pas qu'il était si politisé. » La soubrette qui m'avait ouvert a complété l'histoire. D'après elle, il a beaucoup changé en quelques semaines. Il avait eu une aventure avec une Juive, et la famille l'a appris. Ça a fait un scandale. Son père a réussi à le faire rentrer dans le droit chemin. Maintenant, tout le monde est content. Ils sont tous très fiers de lui.

Caroline, figée, regardait sans les voir les trois visages qui l'entouraient ; elle baissa les yeux sur ses mains paralysées, puis les releva et vit les murs tanguer devant elle.

— Il est devenu fou, murmura-t-elle très bas. Ou alors c'est moi qui perds la tête.

Galvanisée par le désespoir, elle se leva d'un bond et agrippa le bras de Lore.

— Répète-moi un peu cette histoire ridicule, si tu l'oses ! Tu ne sais pas ce que tu dis. Allez, vas-y !

Doucement, Lore lui rappela qu'il ne s'était pas longtemps caché des opinions de son père.

— Il s'inquiétait souvent de l'avenir, ajouta-t-elle. Le pauvre.

— Non, Lore, sanglota Caroline, tu as dû mal comprendre. Walter n'aurait jamais pu faire une chose pareille. C'est impossible.

— Que veux-tu que je te dise ? C'est ainsi, conclut Lore avec un geste désabusé.

Le docteur Schmidt, toujours raisonnable, crut bon d'intervenir.

— Ma chère petite, je ne vois rien que de très vraisemblable là-dedans. Nous connaissons les activités de sa famille, et par-dessus tout... Walter n'est pas venu vous rejoindre.

— C'était un garçon tellement bien ! protesta Amalia. Un bel esprit, énergique. Je dirais même un idéaliste. Comment a-t-il pu devenir nazi ? Quelle contradiction !

— La contradiction et la tromperie sont l'apanage de l'humanité, commenta son mari. On n'a qu'à regarder autour de soi pour en être persuadé. Cela vaut peut-être mieux ainsi. Il est préférable que notre petite Caroline soit déçue maintenant, plutôt que de subir une déconvenue encore plus cruelle après son mariage.

Les arguments sifflaient à ses oreilles sans l'atteindre. Debout au milieu de la pièce, elle cherchait la sortie, s'imaginait traversant le hall, passant la porte d'entrée, se retrouvant dehors, dans la nuit. Ah ! fuir, courir à en perdre haleine ! Il fallait qu'elle trouve Walter. Elle lui crierait : « Pourquoi ? Pourquoi ? Tu m'aimes, tu ne peux pas m'abandonner. Ce n'est pas possible. »

Elle eut un haut-le-cœur et courut se réfugier dans la salle de bains, où elle se laissa tomber sur le carrelage froid.

« Il m'a quittée. Ce qui s'est passé entre nous ne voulait rien dire pour lui. Rien du tout. »

— Caroline, ouvre ! cria Lore. Tu es là-dedans depuis des heures. Laisse-nous t'aider. Je t'en prie, ouvre ! Tu ne voudrais pas qu'on soit obligés d'enfoncer la porte ?

Lorsqu'elle entrebâilla la porte, Amalia lui tendit une tasse de tisane :

— Ça vous fera du bien.

Le docteur Schmidt l'accompagna dans sa chambre pour lui donner un calmant.

— Si vous pensez en avoir besoin, je vous prescris quelque chose. Mais, à mon avis, vous ne devriez pas. Le mieux, c'est encore de faire face. Vous êtes forte, Caroline, vous prendrez le dessus.

Elle était loin de se sentir forte. Elle eut tout juste assez de courage et de fierté pour retenir ses larmes le temps que la porte se ferme derrière lui. Dès qu'elle se retrouva seule dans le noir, elle laissa éclater son désespoir, le corps secoué de spasmes, étouffant ses sanglots, de peur que Lore ne l'entende.

Elle essaya de se souvenir dans le détail des mois, des semaines, des jours, des heures qui s'étaient écoulés depuis leur rencontre du parc. Avait-elle ignoré des signes, des remarques, même un geste qui auraient pu l'avertir ? Non, elle s'était abandonnée à ses sentiments, elle avait cru en la beauté de l'amour. Mais peut-être, comme son père aimait à le répéter, rien n'était-il simple, pas même l'amour....

Il lui revenait une suite décousue de fragments de conversations : « La paix, à n'importe quel prix... ma chère mère... j'ai peur de rentrer chez moi... la pression terrible... l'harmonie familiale... on ne peut pas tenir tête à mon père. »

Ils avaient dû l'écarteler, le détruire. Une immense pitié l'envahit. Elle avait envie de le voir, de le serrer dans ses bras, de lui parler.

Mais il portait la croix gammée ! Il l'avait trahie. Une grande amertume, une colère intense combattirent sa pitié ; elle pensa à ses parents et aux souffrances qu'ils enduraient à cause des forcenés qui s'étaient emparés du pouvoir, puis la rage et la compassion furent balayées par un vent de panique.

Leur bateau levait l'ancre en France dans douze jours seulement, mais elle ne pouvait partir sans sa mère, sans son père ! La vie n'avait plus aucun sens.

Le neuvième jour, un petit mot arriva au courrier. La missive n'était pas signée, mais Caroline reconnut l'écriture de son père. « Nous nous verrons sous peu », rien d'autre. Les Schmidt et Lore se la passèrent, très étonnés. Cela signifiait, à l'évidence, qu'ils allaient venir en Suisse.

— Sans visa ? demanda Caroline.

Les yeux fixés sur son petit déjeuner, le docteur Schmidt se taisait. Il releva enfin la tête, l'air grave.

— C'est très cruel de ne pas vous laisser d'espoir, mais il serait pire de ne rien dire. Un nouvel arrêté a été pris ce mois-ci. À partir d'août, les étrangers sans visa de transit ne seront pas admis dans le pays. Ils seront refoulés à la frontière, quelles que soient les circonstances.

Horrifiée, Caroline répéta :

— Refoulés... Que va-t-il leur arriver ?

Question de pure forme. Personne ne dit mot. Une affreuse nausée l'envahit, comme si on l'avait poignardée en plein cœur. Contre toute attente, elle avait espéré, en voyant l'enveloppe, que la lettre venait de Walter. Au lieu de quoi, elle avait découvert cette simple ligne mystérieuse et angoissante. Elle comprenait aussi bien que les autres, toujours muets autour de la table, le sort qui leur serait réservé. Non, pour elle la nouvelle était plus dure car les deux fugitifs – l'homme énergique, intelligent et optimiste, et la femme rêveuse, sceptique et douce – étaient son père et sa mère.

Elle les imaginait devant un policier en uniforme qui n'aurait que faire de leur désespoir et resterait indifférent à leurs suppliques. Elle les voyait épuisés, les vêtements poussiéreux... Sentant qu'elle allait être malade, elle se leva avec un mot d'excuse et courut vers l'escalier.

Derrière elle, elle entendit la voix du docteur Schmidt.

— Quelle horreur ! Les pauvres gens, la pauvre petite !

— Elle est malade depuis deux semaines, depuis l'affaire Walter, en fait, remarqua Lore. Et maintenant ce nouveau coup...

— C'est l'angoisse, intervint Amalia. Heureusement que vous êtes avec elle, Lore. Imaginez, si elle devait continuer sa route seule, après tout ce qu'elle a subi...

Pendant les quelques jours qui précédèrent le départ, toute la maisonnée entoura Caroline de prévenances, comme si elle était très malade. Puis les deux époux conduisirent Lore et Caroline au train.

— Je vais essayer d'obtenir des renseignements par des gens que je connais, promit le docteur Schmidt. Si j'ai des nouvelles de vos parents, Caroline, je vous préviendrai tout de suite. En attendant, tâchez de ne penser qu'à l'avenir, et Dieu vous bénisse.

Elle devait se souvenir d'eux jusqu'à sa dernière heure.

Le navire était plein à craquer. Non seulement la saison touristique s'achevait, mais avec la menace de guerre les expatriés rentraient chez eux se mettre à l'abri. Tous disaient adieu à l'Europe et tournaient le dos au passé.

Elle avait beau savoir tout espoir inutile, Caroline alla consulter la liste des passagers dès qu'elle fut à bord. Par quelque miracle, ses parents avaient peut-être réussi... Ou Walter, peut-être... Et, tandis que le rivage français s'éloignait et que le paquebot s'engageait dans la Manche, elle garda aussi longtemps que possible les yeux fixés sur le quai, comme si elle allait les y apercevoir. Puis elle tâcha de se ressaisir, quitta le bastingage et descendit dans sa cabine.

Ayant toujours dormi seule dans sa chambre, elle trouva pénible de se retrouver enfermée dans un si petit espace avec Lore. Impossible d'être malade dans la minuscule salle de douche sans être entendue. Malgré les eaux agitées de l'Atlantique nord, elle passait des heures sur le pont. Quand la force lui manquait, elle se réfugiait en titubant sur une chaise longue où elle s'allongeait, emmitouflée dans des couvertures. Là, elle contemplait les nuages tumultueux qui roulaient au-dessus des énormes vagues vertes de l'océan glacé.

— Ça n'a pas l'air d'aller, constata Lore. Tu ne serais pas mieux dans la cabine ?

— Papa dit toujours que l'on combat mieux le mal de mer en restant sur le pont. Il faut respirer à pleins poumons et regarder l'horizon.

— C'est ça, et manger un sandwich au poulet, je connais. Je trouve que tu devrais quand même aller consulter le médecin de bord.

— Écoute, ce n'est pas étonnant que ça n'aille pas fort. J'ai quelques raisons de me sentir mal, il me semble. Je suis très malheureuse.

Elles ne se mêlaient pas aux autres passagers. Cette traversée, contrairement au croisières dont elles avaient entendu parler, ne donnait lieu à aucune réjouissance. On ne voyait que des visages graves, les conversations dans les salons et la salle à manger restaient discrètes. Les seuls moments d'effervescence entouraient le passage des officiers qu'on assaillait de questions sur la situation.

— Tu n'as pas l'impression d'être au théâtre ? demanda un jour Caroline. Tout a l'air tellement irréel ! Où allons-nous ? Nous ne le savons même pas.

— Nous allons toucher terre un jour. Quand nous arriverons au bout de l'océan, le bateau devra bien s'arrêter.

Cette réponse se voulait énergique. Mais Lore ne put s'empêcher d'aborder le sujet qui la tourmentait :

— Je suis allée voir le médecin de bord pour lui parler de toi, ce matin. Il peut te recevoir après le déjeuner.

— Avec tous les autres passagers qui ont le mal de mer ! Je le plains, ce doit être monotone ! Et puis je ne vois pas pourquoi tu me traites comme une gamine.

— Je sais très bien que tu n'es plus une enfant. Tu es une femme adulte, justement, et tu as besoin qu'on s'occupe de toi. Je ne suis pas infirmière pour rien. Je sais quand même de quoi je parle.

— Bon... J'irai.

— Ah ! Tu verras, c'est un garçon assez jeune et très aimable. Il est français, mais il parle aussi anglais et allemand, tu n'auras que l'embarras du choix.

En effet, elle le trouva gentil car il commença par lui assurer qu'il comprenait l'épreuve qu'elle traversait.

— Votre sœur m'a tout expliqué.

Caroline eut peur qu'il ne se montre trop compatissant. Les gens étaient animés d'excellentes intentions, mais rien de tel qu'une gentillesse excessive pour vous réduire en larmes.

— Puisque je suis au courant, nous ne nous étendrons pas sur les détails, poursuivit-il.

— Non, c'est inutile. D'ailleurs, j'ai simplement le mal de mer.

— Je vais aller droit au but. Votre sœur pense que vous êtes peut-être enceinte.

— C'est ridicule !

— Eh bien... Si vous êtes certaine que cette éventualité est vraiment impossible, cela ne servira à rien que je vous examine.

Vraiment impossible... C'était une façon de lui demander si elle était vierge.

Elle porta une main à ses joues et murmura :

— Ce n'est pas impossible. Mais je ne pense pas que...

— Vous n'avez qu'à répondre à quelques questions.

Sentant qu'il comprenait sa gêne, elle éprouva de la reconnaissance. Un dialogue rapide suivit, composé de phrases qu'ils n'avaient pas besoin d'achever.

— Elles n'ont jamais été régulières, alors je ne m'inquiète pas de...

— Vous avez des nausées matinales, paraît-il ?

— C'est vrai, mais l'angoisse, la tristesse... Je dors mal.

— Ouvrez votre chemisier, si ça ne vous ennuie pas.

Cela l'ennuyait beaucoup, au contraire, mais elle avait peur à tout instant que leur échange ne dérape et qu'une parole malheureuse ne déclenche une crise de larmes.

— Je ne suis pas gynécologue, observa le jeune homme, évitant le regard de Caroline, mais l'apparence de votre poitrine me conduit à penser que vous êtes dans votre deuxième mois de grossesse.

— Mon Dieu ! murmura-t-elle.

— Il faudra que vous subissiez un examen complet quand vous débarquerez mais...

S'interrompant, il la regarda droit dans les yeux.

— Il ne faut surtout pas en souffler mot à quiconque avant l'arrivée. Vous auriez beaucoup d'ennuis à l'immigration si cela se savait. Il paraît qu'aux États-Unis on interdit l'entrée du territoire en cas d'« atteinte aux bonnes mœurs ».

Elle boutonna son chemisier avec maladresse. Son cœur battait à se rompre. Elle se leva, remercia le médecin, sortit du cabinet comme une somnambule. Aussitôt, elle alla prendre dans sa valise la photo de Walter qu'elle avait emportée malgré tout – idiote qu'elle était – et remonta sur le pont pour la jeter par-dessus bord.

Elle s'était attendue que Lore soit scandalisée mais celle-ci resta calme et essaya de la réconforter.

— Je ne veux pas te poser de question. D'ailleurs, ça ne changerait rien. Ce qui est fait est fait. Tu n'es pas la première, Caroline, et tu ne seras pas la dernière. Nous nous en sortirons, mais d'abord il faut que nous arrivions sur la terre ferme.

Elles passèrent la moitié de la nuit à discuter pendant que le bateau tanguait vers l'ouest.

— Je n'en reviens pas, Lore. Je le déteste. C'est drôle comme l'amour se transforme vite en haine !

— Écoute, ce n'était pas l'homme qu'il te fallait. Tes parents avaient raison. Je ne voudrais pas que tu te sentes coupable, mais s'ils ne disaient rien c'était pour te ménager. Ils ne voulaient pas te priver de ce bonheur, mais ils s'inquiétaient beaucoup. Souviens-toi que je n'étais pas emballée non plus.

Caroline essaya de s'imaginer qu'elle entrait chez elle dans la bibliothèque, trouvait ses parents installés dans leur fauteuil près de la baie vitrée, livre en main, et qu'elle leur annonçait qu'elle était enceinte de Walter. Impossible ! Elle se mit à pleurer en silence.

— Je l'aimais tant !

— Je sais. Mais tu t'en remettras. Tu n'es pas seule.

Caroline regarda avec reconnaissance le visage ingrat mais si gentil.

— Je ne sais pas ce que je deviendrais sans toi, Lore.

Le bateau n'était plus qu'à deux jours de la statue de la Liberté quand la nouvelle éclata. On était le 1er septembre 1939. L'Allemagne avait envahi la Pologne, et la guerre venait d'être déclarée. Il ne restait plus aucun espoir de fuir l'Allemagne, pour les parents de Caroline. Et si elle avait eu la moindre chance de faire table rase du passé en Amérique, il n'en était plus question. Son passé vivrait en elle pendant les sept mois à venir et la poursuivrait toute sa vie.

3

— Vous n'êtes que toutes les deux ?

Avec un sourire timide, ses sourcils levés indiquant sa surprise, Jacob Sandler les accueillait à leur sortie de l'immigration ; il avait épinglé à sa poitrine un grand papier carré portant son nom.

Avant de le trouver, il leur avait fallu subir d'interminables formalités et récupérer leurs bagages au milieu de cris lancés dans une langue étrangère, très difficile à comprendre quand on la parlait si vite. La panique s'était saisie de Caroline. Que se passerait-il si, à cause d'un malentendu, personne ne les attendait ? Où iraient-elles ?

Mais il était là, une main amicale tendue vers elles.

— Vous, vous devez être Caroline, et vous Lore. Vous voyez, je vous connais déjà. Votre père vous a décrites en détail. Est-ce qu'il va...

Il s'interrompit, les interrogeant du regard l'une après l'autre. Son sourire s'effaça lorsqu'il vit les yeux de Caroline se remplir de larmes.

— Je ne parle pas bien anglais, avoua aussitôt Lore. J'essaie...

— Mes parents... J'espère qu'ils vont venir plus tard. Nous ne savons pas si...

— Bien, dit aussitôt M. Sandler, chargeons la voiture. J'ai amené mon ami Lew pour qu'il nous donne un coup de main. Il nous prête sa camionnette de livraison. Je n'ai ni camionnette ni voiture. On n'a pas besoin d'être motorisé à New York. On marche ou on prend le métro. Je vais travailler tous les jours en métro.

Caroline se rendait compte qu'il bavardait pour combler le silence. Lui aussi devait souffrir en pensant aux circonstances de leur arrivée, aux raisons probables de l'absence de ses parents. Et pourtant, ce n'était pas naturel de faire comme si de rien n'était. Même au risque de pleurer, elle avait envie d'en parler.

— Je ne sais comment vous remercier, monsieur Sandler.

— Appelez-moi Jake, interrompit-il. Ma femme se nomme Annie. Elle est restée à la maison pour vous préparer un bon dîner. J'espère que vous avez faim. Inutile de nous remercier, votre père s'en est chargé très souvent. Il nous a écrit de très belles lettres.

Lore, qui comprenait presque tout, essaya son anglais.

— Le bateau, avoir mal de mer. Nous ne mangeons pas beaucoup.

— Ah bon ? Moi, je ne suis jamais monté en bateau, mais ma mère, si. Elle est venue du vieux continent bien avant ma naissance. Ça devait être un drôle de rafiot, d'après ce qu'elle m'a dit, pas comme celui-ci.

Derrière eux, se dressait l'immense transatlantique, avec ses drapeaux et ses fanions qui battaient au vent. « Le vieux continent », pensa Caroline. Le paquebot représentait leur ultime lien avec l'Europe. Elle le regarda une dernière fois, puis se tourna vers les deux hommes qui hissaient les malles et les valises dans la camionnette. « Aussi Sec, Nettoyage à Sec », annonçait l'inscription sur le côté.

— Paré ? Tout le monde à bord !

Ils grimpèrent à leur place, les deux jeunes femmes à l'arrière avec les bagages.

Ce fut ainsi qu'elles découvrirent l'immensité de la ville, paysage incroyable malgré les photos qui avaient fait le tour du monde. Les gratte-ciel, fins comme des épingles, semblaient ne tenir debout que par miracle. Sur les trottoirs noirs de monde, la foule se bousculait, pressée. Les gens avaient l'air pauvres et transpiraient dans la chaleur. Puis soudain le décor changea ; ils se retrouvèrent dans de larges avenues bordées de boutiques luxueuses où déambulaient des passants élégants. Enfin, on passa de nouveau à des rues étroites, mais cette fois ombragées, avec des landaus sous les arbres. Caroline et Lore se taisaient, absorbant tout ce qu'elles voyaient.

Jake se tourna vers elles.

— La capitale du monde. Vous en pensez quoi, jusqu'à présent ?

— C'est trop nouveau pour que je puisse en penser grand-chose, avoua Caroline. C'est déconcertant.

— C'est drôle, vous avez l'accent britannique, on dirait...

— J'ai eu pendant des années une gouvernante qui venait d'Angleterre, expliqua-t-elle, gênée.

Un homme comme lui devait à peine savoir ce qu'était une gouvernante, et il risquait de se faire une fausse opinion d'elle. Cependant elle sentit qu'elle devait se montrer telle qu'elle était.

Lui aussi joua la carte de la franchise.

— Nous sommes des gens simples. Je n'ai reconnu votre accent que parce que je l'ai entendu au cinéma. Vous voulez que je vous dise ? Je n'aurais jamais cru que nous verrions une nouvelle guerre de mon vivant.

— Vous n'aurez pas trop à en souffrir, cela se passe loin d'ici.

— Vous voulez rire ! Nous serons bientôt en plein dedans. Pas moi, j'ai quarante-cinq ans, mais les jeunes la feront, c'est sûr.

Walter, songea-t-elle aussitôt en ressentant une douleur fulgurante. « Il mérite la mort », se dit-elle, et la douleur redoubla.

Rien ne pouvait l'apaiser. C'était une torture. Elle se pencha vers la vitre pour regarder la ville défiler, espérant se changer les idées.

Les rues n'en finissaient pas. Ils traversèrent un pont, puis deux, reliés les uns aux autres ; ils virent des baies, des bras de mer, des bateaux. Et ils étaient encore à New York.

— C'est énorme, murmura Lore en allemand. Je ne voudrais pas vivre ici.

— Pourquoi ? Vous préférez les petites villes ? demanda Jake.

Voyant sa surprise, il expliqua :

— Je comprends un peu l'allemand. On parlait yiddish chez moi, et les deux langues sont très proches.

— Je ne voulais pas..., bégaya Lore.

— Aucune importance. C'est à vous de décider où vous voulez vivre. Ce n'est pas la place qui manque dans ce pays, et il y a des associations pour vous aider à trouver l'endroit qui vous convient. Ne vous inquiétez pas.

Lew prit la parole pour la première fois depuis le début du trajet.

— Jake a bien raison, mesdames, vous pouvez avoir confiance en lui. C'est un débrouillard.

La traversée de cette ville étonnante, avec deux inconnus pour guides, sembla étrange à Caroline. L'atmosphère évoquait les livres de Kafka. Les rues se succédaient, la voiture dépassait des pompes à essence, des épiceries, des marchands de chaussures, et des enfilades de maisons identiques qui se répétaient à l'infini. Soudain, ils s'arrêtèrent.

— Nous y sommes, déclara Jake. L'appartement est là. Nous n'arrivons pas beaucoup plus tard que prévu.

Une rangée de boutiques occupait le rez-de-chaussée, et, au-dessus, s'alignaient des fenêtres garnies de rideaux, certaines avec des pots de fleur sur le rebord. Jake en désigna une.

— Vous voyez, là, le géranium rouge, juste au-dessus de l'enseigne d'Aussi Sec, Nettoyage à Sec ? C'est chez nous. Annie adore les fleurs. Venez, on monte. Elle se fait une joie de vous voir.

Ils grimpèrent un escalier étroit, sombre et propre. Des odeurs de cuisine, viande rôtie et oignons, leur parvenaient. Une femme se profilait en haut de l'escalier, Annie sans doute ; dans la pénombre, Caroline distingua un tablier à fleurs et des bras qui se tendaient.

— Mon Dieu, les voilà !

Caroline d'abord, puis Lore, se retrouvèrent dans ses bras. Annie pleurait et riait tout en les serrant sur son cœur.

— Je ne parviens pas à y croire ! Vous voilà vraiment ! Comment allez-vous ? Je finissais par me dire que vous n'arriveriez jamais. Où sont les autres ? M. et Mme Hartzinger ?

— C'est une longue histoire, interrompit Jake. Elles te raconteront ça plus tard, Annie. Laisse-les entrer d'abord et se reposer un peu.

Quelle rencontre unique ! On avait envie de tomber à genoux de gratitude devant ces braves gens, on sentait monter les sanglots, on étouffait d'émotion. Caroline et Lore ne purent prononcer un mot.

— Entrez, entrez, ordonna Jake. Excusez Annie, elle est très sensible.

En effet, elle pleurait à présent sans retenue.

— Annie, ne laisse pas brûler le rôti. Je vais leur montrer leur chambre. Voilà, la salle de bains est au bout du couloir. Cette porte, c'est chez vous, avec des lits jumeaux et une belle lampe de chevet entre les deux. J'ai mis une bonne ampoule pour que vous puissiez lire le soir au lit si vous aimez ça. Enfin, j'imagine que ce soir vous serez trop fatiguées. Vous voulez vous changer ? Lew et moi, nous pouvons vous apporter vos bagages tout de suite, mais je crois que le dîner est prêt, alors peut-être...

— Nous allons nous débarbouiller très vite. Nous ne vous ferons pas attendre.

— Parfait, déclara Jake en se frottant les mains. Ça sent diablement bon. Annie est très bonne cuisinière.

Il les laissa, et elles restèrent plantées au milieu de la chambre. Entre les lits et la grande armoire, il y avait à peine assez de place pour tenir à deux. Les derniers rayons du soleil d'été jetaient de faibles lueurs sur le décor beige et brun ; beige des murs et du tapis, brun du mobilier verni. Caroline, s'approchant de la fenêtre, vit l'arrière d'un immeuble semblable au leur. Un petit garçon l'observait en silence, de l'autre côté de l'escalier de secours, collé à la vitre derrière un rideau déchiré. Le cœur gros, elle se tourna vers Lore.

— Ça me donne envie de pleurer.

— Tu trouves la pièce si horrible que ça ?

— Non, c'est leur gentillesse qui me touche.

Elles rejoignirent leurs hôtes. Quatre couverts étaient dressés sur une petite table parée d'une fine nappe blanche. Au centre, on avait mis quelques branches de géranium rouge dans un bocal à confiture.

— Comme nous sommes tout seuls, Jake et moi, nous mangeons toujours dans la cuisine, expliqua Annie. On ne déplie la table que quand on a des invités. J'avais mis six assiettes, mais je viens d'en enlever deux quand j'ai vu...

— Annie, tais-toi ! Je t'avais demandé..., commença Jake.

Caroline l'interrompit.

— Ce n'est pas grave, il faut bien affronter la vérité. Mes parents n'ont pas pu sortir d'Allemagne. Je ne sais pas où ils sont.

— Je suis désolée, dit Annie. C'est triste, ce qui se passe. Je ne voulais pas en parler. Nous comprenons la situation. Dans le quartier, beaucoup de nos voisins ont des parents ou des amis là-bas. Le monde est devenu fou. Et vous êtes sœurs ? Vous ne vous ressemblez pas du tout.

— Annie ! protesta Jake avec tant d'indignation que Caroline ne put s'empêcher de sourire.

— Ne vous en faites pas, ce n'est pas grave, assura-t-elle une nouvelle fois.

Après leur avoir livré un bref aperçu de l'histoire familiale, elle leur dit que Lore commençait tout juste à apprendre l'anglais mais que, s'ils parlaient yiddish, elle les comprendrait un peu.

— Parlez lentement, recommanda-t-elle.

De cette manière, ils réussirent à converser avec une relative facilité pendant le copieux dîner. À la fin du repas, Lore et Caroline en savaient plus long sur les Sandler. Il était peintre en bâtiment, et elle travaillait en ville dans un grand magasin d'articles ménagers. Ils avaient deux fils qui étaient allés à l'université en Californie grâce à des bourses et s'y étaient installés.

— Encore cinq ans, et Annie va toucher sa prime de vingt-cinq ans de maison. Après, nous partirons peut-être les rejoindre. Moi, je peux peindre n'importe où, expliqua Jake. Et maintenant, parlons un peu de vous. La première chose que vous devriez faire, d'après moi, c'est envoyer un câble à vos amis suisses pour leur annoncer que vous êtes bien arrivées. Mais nous ne pourrons l'expédier que demain matin. Vous devez être très fatiguées. Je vais appeler Lew afin qu'il m'aide à monter vos affaires. Ne sortez que ce dont vous avez besoin et couchez-vous. Nous aurons tout le temps demain pour nous parler.

Ainsi s'acheva leur première journée.

Lore avait dressé une liste.

— D'abord, annonça-t-elle, il faut que nous te trouvions un médecin. Ensuite, nous devons vendre les bagues et, après cela, aller voir les associations dont parlait Jake et leur demander où nous pouvons aller. Nous dépenserons moins dans une petite ville.

— Oui, mais je trouverai moins facilement de cours de langues à donner.

— De toute façon, d'ici quelques mois, Caroline, tu auras beaucoup de mal à te faire embaucher, où que nous soyons.

— Alors comment allons-nous vivre ?

— Je trouverai du travail. Je dénicherai des emplois pour lesquels on ne demande pas le diplôme américain d'infirmière. Par exemple, je peux m'occuper de personnes âgées à domicile. Et puis nous devrions tirer pas mal d'argent des pierres précieuses. Pour commencer, nous n'en vendrons qu'une et nous garderons les trois autres au cas où tes parents...

Elle n'acheva pas.

« Au cas où maman obtiendrait son visa », acheva Caroline en silence. Lore continuait déjà :

— Regarde, voilà l'adresse du médecin. Annie nous conseille de prendre un taxi.

— Tu ne lui as pas dit pourquoi j'y allais, au moins ?

— Mais non, je ne lui ai rien dit du tout, sauf que tu ne te sentais pas très bien. Elle t'a pris un rendez-vous avant de partir travailler ce matin.

Caroline inspecta la petite pièce que les Sandler nommaient le « séjour ». La table avait été repliée après le premier dîner, et depuis deux jours ils prenaient tous les repas dans la cuisine, marquant ainsi qu'elles « faisaient partie de la famille », comme disait Jake. Le décor était déprimant, avec le canapé et les deux fauteuils lie-de-vin pour uniques meubles, le tapis fatigué, et l'horrible et énorme radio.

— Ça me fait de la peine pour eux, déclara-t-elle en se posant la main sur le cœur.

— De la peine ? Pourquoi ?

— Parce qu'ils sont adorables et généreux, et que ce n'est pas juste qu'ils soient si pauvres.

— Pauvres ! Tu ne sais pas de quoi tu parles. Tu n'as pas la moindre idée de ce qu'est la pauvreté, la vraie.

Elle s'était exprimée avec une telle dureté que Caroline en fut décontenancée. Cela arrivait parfois quand elles étaient seules. Jamais elle ne l'avait entendue montrer la moindre impatience devant ses parents.

— Caroline, on est pauvre quand on n'a pas de travail, pas de toit sur sa tête, rien à manger...

Ainsi remise à sa place, elle ne répondit rien, reconnaissant volontiers son ignorance. Ce fut l'angoisse au cœur qu'elle monta dans le taxi avec Lore. Elles firent le trajet en silence, sans doute aussi inquiètes l'une que l'autre.

Tout à coup, Lore prit la parole.

— Tu as l'air terrorisée, mais après tout, c'est peut-être une fausse alerte. Ça arrive souvent, tu sais. À propos, le médecin est une femme. Ce sera peut-être plus facile.

En effet, elle se sentirait moins mal à l'aise dans ces conditions. Mais il ne s'agissait certainement pas d'une fausse alerte. Ses nausées du matin, bien que moins fréquentes, persistaient. D'ailleurs son cœur se soulevait encore dans le taxi, avec les secousses de la circulation et le coup de frein final qui les arrêta devant un immeuble aussi triste qu'un tribunal ou une agence pour l'emploi.

Le médecin était une femme aux cheveux grisonnants, pas vraiment belle mais avec un visage intelligent. Caroline vit que sa peur ne passait pas inaperçue.

— Asseyez-vous, dit aimablement le médecin. Il paraît que vous comprenez bien l'anglais. Cela va nous faciliter la communication. Je ne connais aucune langue étrangère, et pourtant mes grands-parents venaient d'Europe. C'est de là que vous arrivez, m'a-t-on dit.

Ainsi, Annie Sandler avait fourni tous les détails. On ne pouvait pas en vouloir à des gens aussi charitables de faire preuve d'un peu d'indiscrétion ; le grand drame qui agitait l'Europe concernait tout le monde. Cependant, quand on n'était pas directement concerné, on ne pouvait pas deviner l'angoisse que généraient les demandes de description répétées. Pourvu que cette femme ne lui pose pas encore des centaines de questions !

— Je lis tous les jours dans les journaux les rapports qui nous parviennent, je suis donc assez bien informée. Je pense qu'il est inutile que nous revenions sur tout ça, d'autant que pour l'instant, nous ne pouvons rien y changer. Dites-moi plutôt ce qui vous amène. Vous avez des nausées, c'est ça ?

Caroline hocha la tête. Elle vit le regard du médecin se porter sur l'annulaire de sa main gauche. À quoi bon jouer aux devinettes ?

— Je pense que je suis peut-être enceinte, déclara-t-elle, puis elle ajouta aussitôt d'un ton plus spontané : mais j'espère bien que non !

— Eh bien, nous allons nous en assurer. Venez.

Une porte de communication entrouverte révélait la blancheur d'une salle d'examen avec des meubles chromés, des objets brillants derrière des vitrines, un drap sur une table haute et étroite. Le médecin, qui observait toujours Caroline, remarqua son air inquiet.

— On vous a déjà examinée ? Non ? N'ayez pas peur, cela ne fait pas mal. Mais comme malgré tout ce n'est pas très agréable, nous allons nous en débarrasser tout de suite.

Le verdict tomba vite :

— Le printemps prochain, vers le milieu du mois de mars, vous serez mère, Caroline.

« Je serai mère... » Quand on allait faire les courses, on passait devant la maternité. « C'était un beau matin d'été, racontait toujours sa mère. Tu es arrivée à 8 heures, juste à temps pour le petit déjeuner. Nous t'avons ramenée à la maison en robe jaune et avec un petit bonnet. Pas rose. Je voulais quelque chose de plus original. Des quantités d'amis sont venus te voir. La maison était pleine de monde et de cadeaux enveloppés dans du papier de soie. »

Une mère avait une maison, des amis, et le temps de se

préoccuper de la couleur de la layette. Une mère avait une alliance, et puis le mari qui la lui avait passée au doigt.

— Ça ira ? demanda le médecin.

— Il faudra bien.

Elle s'essuya les yeux d'un revers de main rageur.

— J'ai honte de moi. Quelle maladresse de gâcher sa vie comme ça ! C'est horrible ce que j'ai honte.

Le médecin, lui tendant un mouchoir en papier, répondit calmement :

— Je sais bien que dans votre milieu cela n'est pas censé se passer, mais ça arrive souvent.

Pourquoi avait-elle dit « votre milieu » ? se demanda Caroline. Elle avait vu sa robe, la robe d'été sombre et élégante de la citadine de bonne famille. Sans doute jugeait-on les gens de la même façon ici qu'à Berlin. On reconnaissait les classes sociales comme Jake avait reconnu son accent.

— Vous savez, vos parents, s'ils en réchappent, et je le souhaite de tout mon cœur, ne vous rejetteront pas. Ce sera une épreuve pour vous tous, mais vous verrez que tout finira par bien se passer. En attendant, prenez soin de vous. Si vous vous installez dans une autre région, trouvez un médecin et écoutez ses conseils. Vous êtes belle, et la beauté est un atout formidable.

— Alors ? demanda Lore quand elles se retrouvèrent sur le trottoir.

— Alors, tu avais raison.

— C'est bien ce que je pensais.

Caroline baissa la tête. D'ici à quelques mois, elle aurait le ventre si gros qu'elle ne verrait probablement plus ses pieds.

— J'ai fait un beau gâchis.

— Ce sont des choses qui arrivent, et ça ne sert à rien de pleurer sur les pots cassés.

Pendant le trajet du retour, elles restèrent aussi silencieuses qu'à l'aller. Un vent chaud entrait par les vitres, apportant de la suie et une odeur de produit chimique. Les rues étaient lugubres. On ne reconnaissait pas le New York des photos, le New York qu'elles avaient traversé quelques jours plus tôt, avec ses avenues ombragées et ses perspectives.

— Maintenant, la priorité, c'est de récupérer de l'argent, annonça Lore.

— Il faut aussi aller voir l'association d'aide aux réfugiés pour trouver un endroit où nous installer.

Elles ne devaient à aucun prix rester ici. La ville la plus petite, la plus misérable, la cabane de trappeur la plus pauvre – y en avait-il encore en Amérique ? – avec des arbres, de l'herbe et un ciel dégagé au-dessus de leurs têtes, seraient préférables à New York pour supporter cette épreuve.

— Non, d'abord nous avons besoin d'argent. Même si les Sandler prétendent le contraire, nous leur devons un dédommagement. Et ensuite, où que nous allions, il faudra payer un loyer. Peut-être Jake sait-il où nous pouvons vendre nos bagues. Ça ne me surprendrait pas qu'il ait une idée, il a les pieds sur terre.

— Oui, il est comme toi. Je ne sais pas ce que je deviendrais ici sans toi. Je suis une incapable, une parasite, j'ai même du mal à me supporter moi-même.

Au beau milieu du taxi, Caroline ne put retenir ses sanglots.

Sur un oreiller, les quatre bagues reflétaient la chiche lumière de la chambre : un saphir, deux diamants – l'un extraordinaire, même pour l'œil d'un amateur, l'autre moins beau – et un rubis. Lore les caressa du bout du doigt, l'un après l'autre.

— Ta mère a toujours adoré les rubis. Elle les appelle la pierre des amoureux. Une « larme de sang », c'est ce qu'elle disait. Je crois que ton père a beaucoup souffert de ne pouvoir lui laisser celui-ci.

Lorsque Lore voulut le passer à son doigt, il s'arrêta à la première phalange.

— Mes mains sont trop larges. Toi, essaie-la. Donne ta main, que je regarde.

Caroline ne s'intéressait pas aux bijoux. Pour elle, ce n'étaient que des pierres qui brillaient, rien de plus. Elle avait du mal à croire qu'un si petit objet puisse coûter plus qu'une grande maison.

— Quelle bague préfères-tu, Caroline ? Le rubis ou le diamant rond ? Il est presque parfait, il vaut une fortune.

— À vrai dire, je m'en passe très bien. J'accorde beaucoup plus de prix à ma tranquillité d'esprit, par exemple.

Lore rangea les bagues avec un soupir.

— Moi, j'envie celles qui vont bientôt les porter. J'ai demandé conseil à Jake pour les vendre. Un de ses amis va venir les estimer cette semaine. Il travaille dans une des meilleures joailleries de la ville. Avec lui, nous ne risquons pas de nous faire voler.

— Je m'en remets à toi. Pas par paresse, mais parce que j'ai l'impression que mon cerveau ne fonctionne plus. Je suis devenue idiote, gémit-elle en se jetant sur le lit. Oh, Lore, je ne veux pas de ce bébé ! Je ne veux ni de celui-ci ni d'un autre, pour l'instant, mais surtout pas de celui-ci. Qu'est-ce que je vais en faire ? Tu crois que je vais le détester ? J'ai peur de le prendre en grippe à sa naissance ; je l'ai déjà en horreur. Je ne supporte pas de penser à la façon dont il a... dont il a été conçu.

Les grillons et les étoiles, l'herbe tendre. Un coin pour amoureux, avait-il affirmé en profitant d'elle.

— Et plus le temps passe, plus je le hais. Tu comprends ? Jamais plus, jamais plus, de toute ma vie, je ne ferai confiance à un homme.

— Mais non, tu ne peux pas dire ça. Pense à ton père. Au docteur Schmidt. À Jake Sandler. On voit bien en regardant Annie que Jake est un bon mari.

Caroline laissa échapper un rire amer.

— Tu cherches quoi ? Tu veux me pousser à trouver un mari ?

— Tu peux rire... En fait, c'est ce que te conseille Annie.

— Comment ça ? Annie est au courant ?

Caroline sauta du lit en hurlant :

— Qui t'a autorisée à lui parler ? Je t'interdis de te mêler de mes affaires, ça ne regarde ni Annie ni personne d'autre. C'était pour me faire honte ? Tu n'as pas le droit !

La colère l'étouffait presque.

— Écoute, interrompit Lore, très calme, ça me regarde quand même un peu. Pense à ce que tu deviendrais si je n'étais pas là. Tes parents t'ont confiée à moi, et ils ne se doutaient pas à quel point tu aurais besoin qu'on te protège. Nous ne nous en sortirons pas seules, Caroline. Nous avons besoin des autres. L'indépendance est un luxe que nous ne pouvons nous payer. C'est grand, l'Amérique. Au-delà des murs de cette maison, c'est l'inconnu.

Penaude, Caroline bredouilla :

— Mais... que va-t-elle penser de moi ?

— Annie ne voit qu'une seule chose : tu as besoin d'aide. Tu sais bien que ces gens sont la bonté même.

— Je ne vois pas ce qu'ils pourraient faire de plus pour nous.

— On ne sait jamais. Allez, va te rincer les yeux et tâche de cacher que tu as pleuré, si possible. Sois naturelle. Personne n'en parlera. Je vais aller préparer le dîner. Quand une femme travaille toute la journée, elle est bien contente de se mettre les pieds sous la table. C'est le moins que je puisse faire.

— Tu disais la même chose en Suisse.

— C'est important, tu sais. Et puis je vais demander à Jake si son ami joaillier peut venir très vite.

Le soir suivant, une fois la table débarrassée, Lore sortit les bagues et les disposa sur une serviette.

Annie en resta bouche bée.

— Vous vous voyez porter un diamant comme ça ? Je n'en ai jamais vu que des faux, de cette taille.

— Si tu te contentes d'un faux, je t'en achète un demain, plaisanta Jake. De toute façon, personne ne voit la différence. Il faut être spécialiste pour s'y reconnaître, hein, Vinnie ?

Œil vissé à sa loupe, son ami joaillier examinait une des pierres.

— Des spécialistes, il y en a plein la Cinquième Avenue, et je t'assure qu'ils font la différence, remarqua-t-il.

— Qu'est-ce qu'il dit ? souffla Lore à Caroline, anxieuse. Je n'ai pas compris.

— Il n'a pas encore donné de prix, je t'avertirai tout de suite.

Caroline, à la différence de Lore, ne se préoccupait pas beaucoup des bagues, car le câble qu'elles avaient envoyé aux Smith restait sans réponse. Leur silence signifiait sans doute qu'ils n'avaient pas de nouvelles de ses parents à leur communiquer. Cette pensée la glaçait, mais l'instant suivant, à l'idée que les Sandler connaissaient son état, une honte brûlante la submergea. Elle avait l'impression d'être nue.

— Arrête de te mordre les lèvres, murmura Lore.

Vinnie ôta la loupe de son œil.

— Je voudrais bien savoir combien on vous a vendu ces pierres.

Lore lui tendit une feuille de papier.

— Tout est là. Mme Hartzinger a noté le détail ici.

Tout le monde admirait l'écriture de la mère de Caroline, avec ses pleins et ses déliés, ses arabesques élégantes. Caroline se fit la réflexion qu'elle n'en possédait aucun autre échantillon. Les livres, avec leurs dédicaces affectueuses, étaient restés à Berlin, et elle n'avait emporté aucune lettre, ni n'en avait reçu. Peut-être n'en aurait-elle jamais plus... Non, il fallait qu'elle se reprenne. C'était dangereux de s'autoriser ce genre de pensée, et pire encore de broyer du noir. Son père et sa mère survivraient. Le courage paternel et la prudence maternelle leur permettraient de surmonter tous les obstacles. Il fallait y croire. Tout irait bien.

Vinnie examinait les chiffres.

— En quelle devise les prix sont-ils indiqués ? En marks ou en dollars ?

— En marks, répondit Lore. Ils n'auraient pas pu se procurer de dollars.

Vinnie fronça les sourcils.

— Enfin, peu importe. La vérité, mesdames, c'est que vous avez payé le prix fort pour pas grand-chose.

— Maman a donné trop d'argent ?

— Votre mère s'est fait rouler. Les diamants ne valent pas beaucoup plus que de beaux bijoux en toc. La seule pierre qui ait la moindre valeur, c'est votre rubis, qui n'est pas de première qualité, et de loin.

— C'est impossible, murmura Caroline. Comment les gens peuvent-ils être aussi cruels ?

Les autres se taisaient, indignés, et à leur expression Lore n'eut besoin d'aucune explication complémentaire. Elle plongea le visage entre ses mains.

— Mais si, c'est possible, répondit Vinnie, très possible. Vous devriez le savoir mieux que tout le monde. On vous a menti et on vous a dépouillées. Quand les gens sont acculés..., ajouta-t-il en secouant la tête. C'est honteux, d'autant qu'ils savaient pourquoi votre mère avait besoin de cet argent.

Jake intervint prudemment :

— Ne le prends pas mal, mais elles devraient peut-être demander une deuxième opinion. Je ne doute pas de...

— C'est tout à fait normal ! Elles devraient aussi faire estimer le rubis avec plus de précision. Au moins, cette pierre-là n'est pas fausse. Je vais leur indiquer le nom d'un type que je connais dans la profession, et qui est assez honnête. C'est un ami. Notez qu'il ne vous fera pas de cadeau, les affaires sont les affaires.

Tout se compliquait, et pour faire face à la catastrophe Lore et Caroline allaient devoir prendre leur destin en main. On leur donna à chacune une feuille à emporter partout avec elles, avec le numéro de téléphone d'Annie à son travail et celui de la maison, les trajets de métro, un plan indiquant la rue des joailliers. Les sorties en ville leur semblaient aussi hasardeuses que des expéditions dans la jungle.

Le soleil brûlait les rues. Jamais Lore et Caroline n'avaient connu une telle humidité ; on suffoquait, il n'y avait pas un brin d'air. Elles n'avaient jamais vu non plus une telle foule. Les gens couraient en tous sens, se bousculaient, se ruaient sur la chaussée dès que les feux tournaient au vert, et parfois n'attendaient même pas, ce qui provoquait des grincements de freins stridents quand les voitures pilaient, à quelques centimètres d'eux, juste à temps.

— On dirait une maison de fous, commenta Lore.

Le premier jour, elles allèrent dans six joailleries différentes, où, chaque fois, on leur confirma le verdict de Vinnie. Le rubis n'était pas mal, pas mal du tout, mais il avait un défaut. Pas grand-chose en ce bas monde atteignait la perfection, mais cette pierre, quand on s'y connaissait... et ainsi de suite.

— Le meilleur prix nous a été proposé par l'ami de Vinnie, rapporta Caroline aux Sandler, cachant son découragement comme son père aurait si bien su le faire. Il nous a offert quatre cents dollars de plus que les autres. Je pense qu'il a eu pitié de nous parce que Jake lui a raconté notre histoire.

En achevant sa phrase, elle se demanda si ce récit incluait le détail de sa vie privée.

— Alors, on vous offre combien, au total ? demanda Jake.

— Douze cents dollars.

Le rubis était posé sur la table devant eux, au milieu des tasses à café. Pour Caroline, la bague n'avait aucune valeur sentimentale, mais sa mère l'avait baptisée la larme de sang, la pierre des amoureux. Elle la glissa à son doigt et leva la main vers la lumière.

— Tous ont dit que celle-ci avait de la valeur. Pour admettre ça, il faut qu'elle soit vraiment précieuse... Je ne sais pas ce qu'il faut faire.

— Moi, je suis sûr que si, rétorqua Jake, un sourire aux lèvres. Vous avez de la jugeote... Personnellement, je vous conseille de la garder. La crise va bien finir par passer, et les prix vont de nouveau grimper.

— Lore peut vous dire que je ne me suis jamais intéressée aux bijoux.

— Tu parles de moi ?

— Je dis que tu me connais, que je n'aime pas les bijoux.

Peu de choses l'intéressaient désormais. Tous les matins, en s'éveillant, elle ressentait une angoisse diffuse, comme si un danger indéterminé planait sur elle. Il ne lui fallait pas plus de deux secondes pour se souvenir de quoi il s'agissait.

— Heureusement que tu t'en moques, ce sera plus facile de la vendre. Nous avons besoin d'argent.

— Vous feriez mieux de garder une poire pour la soif, insista Jake. Et si vous n'en avez jamais besoin, eh bien, vous serez contentes de l'avoir.

— Il a raison, renchérit Annie. N'agissez pas trop vite, surtout maintenant.

Elle caressa la tête inclinée de Caroline.

— Elle vous va très bien. Cachez-la. Gardez-la. Je vous le conseille vraiment.

Tout l'épuisait, la lumière crue du plafonnier, les voix trop fortes, la chaleur étouffante de l'appartement. Quel oiseau de mauvais augure, quel prophète de malheur aurait pu prédire cette soirée étrange ? Comme il lui semblait loin, le temps où elle avait dormi dans le lit blanc face à la roseraie, Peter couché sur ses pieds ! Et loin aussi le lac de Genève, la dernière étreinte, le dernier baiser, le dernier serment trahi !

— Regardez-la, lança Annie, elle n'en peut plus. Allez vous coucher, Caroline. La journée a été trop fatigante pour vous.

Elle se leva, leur souhaita bonne nuit. Déjà, on la traitait comme une femme enceinte qu'il fallait ménager.

Il était encore si tôt que Lore avait dû allumer pour écrire. Caroline l'observa quelques minutes, ramassée sur son lit, le stylo volant sur la page de son cahier.

Le père de Caroline disait souvent :

— Lore, ton autobiographie va se vendre comme des petits pains, un jour. Quand aurons-nous le droit d'y jeter un coup d'œil ?

— Quand je serai morte. Ou alors je brûlerai tout, pour qu'on ne puisse pas voir ce que j'écris.

Ce à quoi il répondait qu'elle était vraiment une drôle de petite bonne femme, mais que cela n'empêchait personne de l'aimer.

— Lore, demanda soudain Caroline, comment la soirée s'est-elle terminée hier soir, après mon départ ?

— Nous avons décidé qu'il fallait t'acheter une chaîne bien solide pour que tu portes le rubis autour du cou sous tes vêtements, jusqu'à ce que nous soyons installées quelque part. Ensuite, nous garderons la bague à la banque.

— Tu es fâchée qu'on la garde ?

— Non, ils ont peut-être raison. Mais écoute, Caroline, nous sommes déjà ici depuis deux semaines. Nous allons bientôt les déranger, si ce n'est déjà fait. J'ai décidé qu'après la visite au joaillier, aujourd'hui, nous irions voir l'association d'aide aux réfugiés. Jake m'a donné l'adresse. Ils nous trouveront bien un endroit où aller, d'autant plus que nous avons un peu d'argent.

La canicule sévissait encore, les rues grouillaient toujours de monde, et la salle d'attente de l'association était bondée. Détail étrange, tous ces gens attendaient en silence. Caroline sentait leur angoisse collective. Ils se retiraient en eux-mêmes, paralysés par l'inquiétude. Le public était varié : les Américains, certains visiblement assez à l'aise financièrement, venaient sans doute chercher des nouvelles de parents ; les étrangers de tous les pays d'Europe cherchaient à se rassurer sur le sort de leur famille restée au pays.

Caroline se demanda si elle était la seule dans sa situation. Cette jeune fille sérieuse, assise là-bas près de ses parents et qui avait à peu près son âge... En tout cas pas celle-ci, qui était enceinte de plusieurs mois : son mari la tenait par les épaules. Caroline ne pouvait détacher les yeux de ce bras protecteur.

— Lore, je t'en prie, ne leur dis rien, pour moi.

— Bien sûr que non, pourquoi voudrais-tu que je fasse ça ?

— Tu as bien parlé à Annie.

— C'est différent. Annie, c'est une amie.

Amie ou pas, la honte restait la même. « Atteinte aux bonnes mœurs », avait dit le médecin du paquebot. Quelle humiliation !

Après une longue attente, on les appela dans un bureau, un simple box, avec une table derrière laquelle siégeait une femme au visage fatigué. Devant elle, une pancarte à moitié cachée par des papiers portait son nom : « Hilda ».

— Vous parlez anglais ? demanda-t-elle.

— Oui, je sais l'anglais, répondit Caroline. Lore seulement un peu, je lui donne des cours.

C'était déroutant pour Caroline de s'exprimer avec tant d'autorité pour elles deux, alors que en réalité elle dépendait entièrement de Lore.

— Nous n'avons qu'à parler allemand, proposa Hilda.

Elle se révéla efficace et attentive, ce qui impressionna Caroline. Après tout, elle avait déjà dû entendre des centaines de fois la même triste histoire.

Pendant la seconde demi-heure de l'entretien, un plan d'action prit forme. Leur nouvelle vie s'esquissa, se fixa sur un point de la carte. Ce point, c'était une ville de la région des Grands Lacs, du joli nom de « Ivy », petite bourgade au centre d'une vaste étendue d'exploitations agricoles. Quelques familles d'émigrants s'y étaient déjà installées et avaient formé une communauté peu de temps après la prise du pouvoir par Hitler.

« Des gens intelligents qui ont réagi à temps », se dit Caroline, pleine de regrets. Puis elle se souvint qu'on n'avait pas accordé son visa à sa mère. Soudain, une autre pensée lui traversa l'esprit.

— Mon père n'est pas juif, annonça-t-elle.

— Aucune importance. Nous ne jugeons pas comment les gens choisissent d'honorer Dieu, ni même s'ils sont croyants. Où sont vos parents, à l'heure actuelle ?

La question lui sembla si brutale qu'elle ne sut que répondre. Lore vola à son secours.

— Nous l'ignorons.

— Je vois, fit leur conseillère avec sollicitude. Je ne vous interrogeais que parce qu'il y a un assez grand hôpital dans le chef-lieu du comté, à une demi-heure de Ivy environ. Je me dis qu'un médecin pourrait y trouver du travail. Une infirmière aussi, bien sûr, ajouta-t-elle.

Caroline, toujours inquiète, voulut être rassurée avant que l'entretien ne s'achève :

— Vous pensez que nous avons assez d'argent pour nous en sortir ? Nous ne connaissons pas bien la valeur du dollar, et nous voudrions pouvoir subvenir à nos besoins.

— Comme partout, c'est une question de point de vue. Certains diraient que vous êtes riches, et d'autres trouveraient vos économies un peu maigres. Cela dépend de votre manière de vivre. Je vous conseille de vous contenter de peu et de dépenser le moins possible. Essayez de n'utiliser que l'argent que vous gagnerez. Vous êtes toutes les deux jeunes et en bonne santé, vous devriez très bien y arriver.

« Toutes les deux..., pensa Caroline en quittant le bureau avec Lore. Non, nous ne sommes pas deux... nous sommes trois. »

Il leur faudrait attendre encore deux semaines avant de partir, car la petite communauté projetait de leur préparer un appartement qui n'avait pas encore été libéré par les anciens locataires.

— Nous ne sommes pas pressés de vous perdre, confia Annie à Caroline le samedi matin, profitant d'un moment de solitude.

Lore s'achetait une paire de chaussures, et Jake était parti à la synagogue.

— Vous êtes trop généreuse, Annie... Nous vous sommes à jamais redevables, je ne sais comment vous remercier.

— C'est à double sens. Vous nous avez fait vivre une expérience que nous n'oublierons jamais. Nous avons beaucoup appris.

Annie se tut un instant, les yeux fixés sur les géraniums rouges qui penchaient la tête sous une averse. Lentement, elle reprit :

— Je ne sais pas trop comment aborder le sujet... Je sais que vous avez honte que je sache ce qui vous est arrivé. Mais il ne faut pas. J'en ai parlé avec Jake... Non, je vous en prie, ne regrettez rien. C'est un homme très bon, très croyant. Il ne juge pas les gens, et surtout pas une pauvre fille comme vous qui s'est fait violer !

Ce mensonge, qui pourtant ne venait pas d'elle, donna à Caroline l'impression d'être souillée. Lore avait eu tort d'inventer cela. Néanmoins, elle ne protesta pas.

— C'est horrible de se faire violer par un nazi ! Quand elle m'a dit ça, mon sang n'a fait qu'un tour. Je n'ai pas pensé à autre chose de toute la semaine.

Comme Caroline se taisait toujours, Annie continua :

— Je voulais vous proposer de venir demain avec nous chez la tante de Jake. Vous n'avez quasiment pas mis le nez dehors depuis que vous êtes arrivées, toutes les deux. Elle nous a invités à dîner, et vous avec. Tante Tessie a très envie de vous rencontrer.

S'il n'avait tenu qu'à elle, Caroline aurait de loin préféré manger un sandwich en lisant un magazine et se serait couchée tôt. Elle ne doutait pas que sa fatigue avait surtout des causes psychologiques, mais elle n'en souffrait pas moins. Cependant, comme Annie avait l'air d'y tenir, elle accepta.

Plus tard, elle accabla Lore de reproches.

— Je ne vois pas pourquoi tu as inventé une histoire pareille !

— Ça éveille la sympathie.

— Tu veux plutôt dire que ça éveille la pitié ! Je ne veux pas de ça.

— La vie est dure, Caroline, les gens sont méchants. Tu ne sais pas encore ça ? Nous allons devoir nous battre et nous attirer la bienveillance des autres. Rends-toi compte que nous sommes deux femmes seules, avec un bébé, dans un pays que nous ne connaissons pas, et sans homme pour nous défendre.

Cette nuit-là, elles ne dormirent que quelques heures d'un sommeil agité. L'humidité rendait les draps moites, des voix stridentes résonnaient dans la cour, et leurs pensées s'égaraient dans le désespoir.

— Fais-toi belle, conseilla Lore le lendemain matin. Dommage que tu n'aies pas pu ôter les traces d'herbe de ta robe de lin rose.

— De toute façon, je ne l'aurais pas mise. Ce n'est pas une robe pour dîner en ville.

— Mais si, ils t'auraient trouvée très chic. Et puis ce n'est pas un dîner, comme tu crois. C'est à l'heure du déjeuner, à 1 heure. Si tu mettais la robe qui est blanc et noir, le motif est très joli, et elle est sobre, ce sera plus adapté.

Voilà que cela recommençait... Lore la traitait de nouveau comme une gamine. Et puis pourquoi diable fallait-il que sa robe soit sobre ? Enfin, peu importait. Caroline n'avait aucune intention de se quereller pour si peu. Elle passa donc la robe et fut prête à l'heure.

La tante de Jake habitait assez près pour que l'on fasse le trajet à pied. Marchant à côté de Lore et de Caroline, Jake leur raconta l'histoire du quartier.

— Là, c'est le terrain où je jouais au base-ball. Mon collège est au bout de cette rue, le bâtiment en brique rouge, là-bas. Je suis né ici. Il y a tout ce qu'il faut. On a rarement besoin de traverser le fleuve, d'ailleurs presque toute ma famille vit encore dans le quartier. Vous rencontrerez des cousins chez ma tante. C'est un personnage, vous verrez. Elle a son franc-parler. Ça ne plaît pas toujours.

Mais elle a le cœur sur la main. Elle ferait n'importe quoi pour aider les autres, n'importe quoi.

Mis à part l'absence de géraniums rouges, l'immeuble ressemblait comme un frère à celui des Sandler. Ils gravirent un escalier étroit et débouchèrent dans un salon identique à celui qu'ils venaient de quitter. La radio avait été déplacée pour laisser la place à une grande table dressée pour dix personnes.

En plus d'eux quatre, il y avait six autres convives : la tante Tessie, qui était une femme d'un certain âge, deux couples mariés, de sa génération, et un jeune homme mal à l'aise. Les présentations suivirent. Les deux couples étaient des cousins, et le jeune homme, du nom de Joël Hirsch, un parent éloigné du défunt époux de Tessie. À la façon formelle des Européens, il les salua avec une brève inclinaison du buste.

— Joël vient d'arriver, comme vous, Caroline. Il y a deux mois. Tu comprends ce que je dis, Joël ?

— Un peu. J'apprends, oncle Jake.

On passa à table presque aussitôt. Annie et les trois vieilles dames servirent les hommes ainsi que Lore et Caroline, apportant une succession de saladiers, de plats et de pichets de café chaud, de café glacé et de thé glacé. Le repas, fort appétissant au demeurant, était bien trop copieux.

« La pauvre vieille dame a dû trimer pendant au moins deux jours pour préparer un tel banquet », pensa Caroline, qui se sentait gênée.

Jake rompit le silence.

— Eh bien, ma parole, tante Tessie nous a gâtés, c'est une cuisinière comme on n'en fait plus.

— Un vrai délice, approuva Caroline.

L'un des cousins remarqua que Caroline savait l'anglais à la perfection et désigna Lore.

— Votre sœur ne le parle pas du tout ?

— Un peu, je lui donne des leçons.

— Elle est bon professeur, intervint Lore avec un sourire.

Pendant ce temps, Caroline s'affolait. Ces gens devaient déjà tout savoir d'elles. Sinon, comment auraient-ils deviné qu'elles étaient sœurs ? Aucune ressemblance physique ne pouvait le laisser soupçonner.

— Je voudrais bien trouver un bon professeur pour Joël,

remarqua la tante Tessie. Avec son intelligence et son ambition, dès qu'il saura l'anglais, il ira loin, ce garçon.

Avec un bel ensemble, toutes les têtes se tournèrent vers Joël, que cette attention collective sembla rendre plus mal à l'aise que jamais. Sa peau de blond devint cramoisie. Sans être gros, il était un peu joufflu et clignait des paupières comme s'il avait mal aux yeux ; et puis il passait sans cesse la main dans ses boucles châtain clair pour les aplatir là où l'eau et le peigne avaient échoué. Il ressemblait un peu à... à un chien, un bon toutou perdu et maladroit.

Cette pensée évoqua aussitôt Peter, puis le jardin, la maison et ses parents...

Où pouvaient-ils être, à présent que la guerre les retenait prisonniers, sans moyen de communication possible ? Comment trouver la force de continuer, de rester optimiste comme elle se l'était juré ? Que fabriquait-elle dans ce pays ?

Quand elle reprit pied dans le présent, la conversation tournait autour de Joël. Le visage de Lore reflétait une profonde horreur tandis qu'elle écoutait la tante Tessie raconter l'histoire de son protégé.

— Mais oui, bien avant l'invasion du pays, les fanatiques d'extrême droite faisaient déjà la loi en Pologne. Ils ont rassemblé tout un groupe de Juifs sur la place du village et ils ont tiré.

— Joël n'a peut-être pas très envie qu'on parle de ça, interrompit Jake.

— Il trouve important que ça se sache, au contraire. On a assassiné ses parents sous ses yeux juste avant sa fuite.

Un des deux cousins y alla de son opinion :

— Vous verrez, Hitler fera des millions de victimes. Des Juifs, des catholiques, des Anglais... des gens de toutes sortes.

— Et l'Amérique entrera en guerre aussi, intervint l'autre.

— Tu crois ?

La conversation allait bon train, à présent. Tous se renvoyaient la balle, sauf Joël et Caroline, qui restaient muets. Personne n'avait encore mentionné la famille Hartzinger, preuve supplémentaire qu'ils étaient au courant de tout. Caroline en était maintenant persuadée : Lore, puis Annie, avaient disséqué son histoire, y compris le fameux viol. Elle eut peur que même le nom de Walter ne leur ait été livré en pâture... mais quelle importance, après tout ? Il avait changé de camp, était passé du côté des tueurs. Et elle avait été sa première victime. Sentant ses yeux se remplir de larmes, elle dut se moucher.

— Vous avez beaucoup de choses en commun tous les trois, remarqua une cousine d'un ton encourageant. L'Europe n'est plus qu'un mauvais souvenir. Vous allez voir, la vie vous réserve beaucoup de bonheur.

Malgré ses bonnes intentions, son commentaire tomba à plat, ce qui n'empêcha pas Tessie de poursuivre dans la même veine :

— Vous devriez aller vous promener tous les trois ensemble, pour faire connaissance. Allez dans le parc, vous exercerez votre anglais. Et puis si vous en avez assez, vous pourrez parler allemand.

— Je reste là, intervint aussitôt Lore. Mes chaussures neuves me font mal aux pieds.

— Dans ce cas, Joël et Caroline n'ont qu'à aller prendre l'air seuls. Tiens, Joël, tu devrais faire goûter une vraie glace au soda à Caroline.

C'était ridicule ! Elles essayaient de les envoyer se promener ensemble alors que ce pauvre garçon n'en avait sans doute pas plus envie qu'elle. Et puis quel intérêt de nouer de nouvelles amitiés alors qu'elle devait repartir dans deux semaines ? Elle cherchait une excuse polie quand il se leva.

— Ça me plairait beaucoup, déclara-t-il.

Cette fois, ce fut elle qui rougit. Elle était victime d'un traquenard. Lore aurait tout de même pu l'accompagner pour rendre l'expédition moins pénible. « Elle n'a pas plus mal aux pieds que moi », songea-t-elle.

Joël la précéda dans l'escalier, comme l'exigeait la galanterie. En bas, il ouvrit la porte afin de la laisser passer. Elle n'aurait pas cru qu'il avait de si bonnes manières. Aussitôt, elle eut honte de le juger avec tant de snobisme, mais la situation la mettait dans une colère noire !

Ils descendirent la rue côte à côte. En allemand, il lui demanda si elle voulait une glace. Elle n'en avait pas la moindre envie, mais, comme la perspective de s'asseoir à une table en dégustant une glace était plus agréable que celle de déambuler sans but, elle répondit par l'affirmative.

Il la mena par un dédale de rues jusqu'à un glacier, avec un comptoir de marbre et des petites tables intimes. Les chaises de fer forgé lui rappelèrent celles qu'elle avait vues longtemps auparavant dans les jardins publics parisiens.

Cherchant quelque chose à dire, elle remarqua qu'il avait l'air de bien connaître le quartier. Il lui apprit que depuis son arrivée il avait passé le plus clair de son temps à explorer la ville. Il était monté en haut de l'Empire State Building, avait visité la statue de la Liberté et le Metropolitan Museum of Art.

— J'avais toujours rêvé d'entrer dans un musée, expliqua-t-il. Je viens d'une petite ville qui n'en a pas. C'est fou, ces statues, ces vases, ces cercueils qui ont mille ans... Non, au moins deux mille, je crois, ça vient de la Grèce antique. C'est ça ?

— Oui, de la Grèce antique, et de l'Égypte pharaonique.

— Ah, c'est bien ce que je pensais, mais je n'en étais pas sûr. Vous devez avoir de grands musées à Berlin. J'imagine que vous y alliez souvent.

— Avant, oui... Mais tout a changé... enfin, pour nous, je veux dire.

— Je sais. C'est terrible partout, pour nous.

Ils se turent et posèrent leurs cuillères, les yeux perdus dans le vague. Soudain, Joël brisa le silence.

— Je me dis que c'est plus facile pour moi que pour vous. Quand les gens sont morts, on n'a plus à s'en faire pour eux. On n'a plus peur de ce qui risque de leur arriver.

Comme toujours, elle se laissa atteindre par cette marque de compassion. Ses yeux se remplirent de larmes.

— Pardon ! Je suis désolé. Nous ferions peut-être mieux de ne pas parler de tout ça. Il reste la prière. Je vais prier à la synagogue tous les jours, ça me soulage. Et vous ?

— Ça va sans doute vous choquer mais je ne crois pas en Dieu.

— Vous n'y croyez pas du tout ? Ou vous ne pratiquez pas ?

Une question d'innocent, songea-t-elle. Il a un bon visage naïf, peut-être un peu bête, même, ou alors il cache bien son jeu.

— Je crois en la nature, déclara-t-elle simplement. Je veux dire en la beauté du monde, en tout ce qui nous relie les uns aux autres. Les arbres, nous, toutes les créatures vivantes.

— Moi, ça ne me suffit pas. Mais nous devons faire ce qui nous convient le mieux à chacun.

Elle apprécia ce commentaire, et ne put s'empêcher de poursuivre, s'exprimant autant pour elle que pour lui :

— Je pense souvent à quelque chose que j'ai lu sur les Indiens d'Amérique. Ils disent : « Ma mère la terre, mon père le ciel. » Ça, je comprends. Le ciel, l'inconnu, pour moi c'est là que se trouve Dieu. Je n'ai qu'à lever les yeux.

— Je ne m'y connais pas du tout en Indiens, mais il faut dire que je ne lis pas beaucoup.

Caroline n'en revenait pas. Quelle vie étroite ! Et pourtant, il avait eu envie d'aller au musée et il avait été impressionné par ce qu'il y avait vu.

— Et où avez-vous si bien appris l'allemand ? demanda-t-elle.

— Nous habitions près de la frontière. Quand on entend une langue tous les jours, on l'apprend sans s'en apercevoir. Et vous ? Vous savez l'anglais, et aussi le français, d'après ce que j'ai entendu dire.

Une fois de plus, elle eut l'impression qu'on avait violé sa vie privée, et elle sentit la colère revenir. Dieu savait ce qu'il avait appris d'autre sur elle.

Pourtant elle ne pouvait pas lui en vouloir, même si on l'avait mis au courant. Après tout, il n'y était pour rien. Elle lui expliqua donc sans s'énerver :

— J'ai appris en classe.

À quoi bon lui parler de ses gouvernantes ? Il n'aurait pas compris.

— Nous avons mené des vies très différentes, vous et moi, constata-t-il. Votre père est médecin, il vient d'un bon milieu. Mon père à moi était propriétaire d'une boulangerie... une grande, précisa-t-il fièrement. Nous avions six boulangers qui travaillaient pour nous. En une matinée, nous pouvions fournir en pain la moitié de la ville. Enfin presque... mais c'était une bonne entreprise. Moi, j'apprenais à la gérer, à tenir les comptes pour que mon père puisse travailler un peu moins dur. Et maintenant...

Il écarta les mains, la prenant à témoin.

La chape de tristesse redescendit sur leur table. La glace avait fondu dans les coupes. Peu importait, ni l'un ni l'autre n'en avaient eu envie.

— Si on rentrait ? suggéra Caroline.

— Oui, ils doivent nous attendre.

Il sortit un porte-monnaie vieillot, chercha quelques pièces, paya, puis recompta sa monnaie sous les yeux admiratifs de Caroline.

— Vous vous y retrouvez déjà avec l'argent américain, remarqua-t-elle. Ça ne vous semble pas compliqué ?

— Non, comme je vous l'ai dit, j'ai l'habitude. Je suis un homme d'affaires, moi.

Il avait prononcé ces mots comme s'il s'agissait d'un titre ronflant : « homme d'affaires ». Il ne devait pas avoir plus de vingt-deux ou vingt-trois ans, et pourtant, malgré son corps de jeune homme, son innocence et sa grande ignorance, il donnait une triste impression de vieux célibataire esseulé. Elle l'observa discrètement sur le chemin du retour pendant qu'il lui décrivait par politesse la vue du haut de la statue de la Liberté.

Elle eut soudain l'intuition qu'il pouvait ne pas être aussi naïf qu'il en avait l'air. Quand on avait vu fusiller ses propres parents, et tous les gens que l'on connaissait, il n'y avait plus place pour l'innocence.

Avant de monter, Joël s'arrêta en bas de l'escalier pour lui poser une question timide.

— Je me demandais si vous pourriez m'aider à perfectionner mon anglais. J'ai acheté un livre de grammaire, mais ça ne suffit pas. Tante Tessie a bien essayé... mais elle n'est pas très bon prof. Je vous en demande trop, peut-être ? J'espère que vous me direz si j'abuse.

Elle ne pouvait pas lui refuser cela, d'autant qu'elle aidait déjà Lore tous les jours.

— Avec plaisir, dit-elle, mais rappelez-vous que nous partons dans deux semaines.

Le soir, elle fit des reproches à Lore.

— Tu savais qu'il serait invité, ne me dis pas le contraire !

— Je ne dis rien du tout. Je ne vois pas ce qu'il y a de si terrible. Pas la peine d'en faire une montagne.

— J'en fais une montagne parce que ce n'est pas agréable de savoir que des inconnus ont parlé de vous derrière votre dos. J'imagine que, même lui, il sait que je suis enceinte, acheva-t-elle avec amertume.

Dans sa fureur, elle s'était mise à marcher de long en large dans l'espace étroit qui séparait leurs lits.

— Annie a un cœur d'or, continua-t-elle, je serais mal placée pour dire le contraire, mais elle a la langue un peu trop bien pendue. Tu n'aurais jamais dû raconter cette histoire, surtout à elle.

— Nous n'allons pas revenir là-dessus ! Je t'ai déjà expliqué pourquoi je lui ai dit ça, et je pense que j'ai bien fait, vu les circonstances. Mais si ça t'a blessée, je suis désolée et je te présente de nouveau mes excuses.

Au frémissement de ses narines, Caroline devina qu'elle était sur le point de pleurer, ce qui lui inspira aussitôt du remords. Car Lore continuait à l'aimer fidèlement et elle n'avait plus qu'elle.

— Excuse-moi. Tu voulais m'aider... Mais, tu comprends, la plupart du temps, je ne sais plus du tout où j'en suis. Parfois j'arrive à faire abstraction pendant quelques minutes, j'arrive à oublier. Par exemple en lisant le journal. Dans ces moments-là, je me sens bien, je ne sais plus ni qui je suis, ni où je me trouve, et puis tout revient en un éclair.

La panique lui étreignit le cœur. Elle eut envie de hurler « Lore, Lore, qu'est-ce que je vais devenir ? » mais elle se maîtrisa.

— Il va venir demain, pour le cours d'anglais, annonça-t-elle.

Joël se joignit à elles tous les après-midi de la semaine. Lui et Lore voulaient à tout prix progresser le plus vite possible.

— Je ne comprends pas qu'on puisse passer toute sa vie ici sans apprendre la langue, remarqua-t-il.

Lore renchérit, expliquant à quel point c'était important pour elle, car elle devait passer dès que possible le diplôme américain d'infirmière.

— Moi, je n'ai pas d'examen, répondit Joël, mais j'ai un métier, sans parler de mes capacités d'homme d'affaires. Je suis boulanger. Je n'ai suivi aucun cours, mais j'ai grandi dans une boulangerie et j'ai bien regardé. Je peux vous faire tous les pains que vous voudrez : des petits pains, des pains au lait, du campagne, du seigle... D'ailleurs, jusqu'à ce que je me débrouille correctement en anglais, je pense, c'est de cette façon qu'il faudra que je gagne mon pain !

Il leur jeta un coup d'œil ravi, enchanté par son jeu de mots.

— Il est charmant, ce garçon, observa Lore après son départ. Il a du cran, en plus. Avec son histoire, il y aurait eu de quoi devenir fou. Tu te rends compte ? Il a vu tous les gens qu'il connaissait se faire abattre et il n'a plus un ami sur terre. Quand je pense qu'il arrive encore à penser à l'avenir... Ce n'est pas n'importe qui.

Caroline le reconnut volontiers.

Un soir, Annie invita Joël à rester dîner. Comme le jour de l'arrivée de Caroline et de Lore, elle déplia la table dans le séjour, sortit une nappe blanche et plaça des géraniums au centre, dans un pot de confiture.

C'était sa façon de mettre les petits plats dans les grands. « C'est pour Joël », songea Caroline, envahie par la même gêne que chez Tessie.

En rentrant, Jake remarqua qu'on sentait la tarte aux pommes d'Annie depuis le rez-de-chaussée.

— Quel parfum ! commenta-t-il. Tous les voisins doivent se douter que tu as préparé un banquet.

— Un banquet ? Mais pas du tout, ce n'est qu'un repas de famille tout simple.

Ce disant, elle jeta un coup d'œil à Lore et à Caroline, déjà installées à la table avec Joël.

— Oui, poursuivit-elle, vous faites partie de la famille. Je vous ai déjà dit que vous alliez beaucoup nous manquer, et toi aussi, Joël.

Lore lui demanda où il allait.

— Je ne sais pas encore, mais je dois trouver un point de chute. Je ne peux pas rester trop longtemps chez tante Tessie. Même si elle prétendait que je ne la dérange pas, je ne la croirais pas. Je ne veux pas abuser de sa générosité. Elle a déjà fait plus que son devoir en signant mes papiers et en m'accueillant chez elle.

— Où que tu ailles, tu réussiras, Joël ! s'exclama Jake. Tessie a eu vite fait de te juger, et il faut se lever de bonne heure pour la berner. Elle pense beaucoup de bien de toi, et elle dit que tu as de l'avenir.

Ce compliment, livré à moitié en anglais et dans un bizarre mélange de yiddish et d'allemand, fit rougir Joël de plaisir. Caroline trouva qu'il avait changé. En quelques jours, il avait pris de l'assurance.

Entrant dans la conversation, il se tourna vers elle et Lore.

— Vous avez de la chance d'être deux. Quand on est seul au monde, qu'on n'a personne du tout, on se sent affreusement mal. C'est comme une maladie.

Aucune complaisance dans cette constatation. Il ne demandait pas qu'on s'apitoie sur son sort, mais il exposait ce qui semblait être pour lui une vérité absolue.

— Dis-moi ce que tu penses de la guerre, Joël, intervint Jake. Tu crois que Hitler pourrait gagner ?

— Qu'est-ce que j'en sais ? répondit-il avec un haussement d'épaules. Je viens d'une toute petite ville et je ne m'y connais pas en politique. Il peut gagner, c'est sûr, mais si tous les pays du monde s'y mettaient, on le battrait.

Jake, qui partageait cette opinion, le poussa à donner ses raisons, et la conversation roula entre eux jusqu'à ce que Annie les interrompe avec une suggestion.

— Vous n'avez pas envie d'aller au cinéma, tous les trois ? On joue un bon film dans le quartier.

— Je suis trop fatiguée, se hâta de dire Caroline.

Joël finit par leur souhaiter bonne nuit, et dès qu'il fut parti Jake commenta :

— C'est un bon parti, ce garçon. La fille qui l'épousera aura bien de la chance, c'est moi qui vous le dis.

— Tout à fait, approuva Annie.

Lore garda le silence, et les soupçons de Caroline se confirmèrent. La soirée avait achevé de lui mettre la puce à l'oreille. On essayait de la jeter dans les bras de Joël Hirsch ! Mais pourquoi ? C'était ridicule !

Plus tard, dans leur chambre, elle questionna Lore :

— Tu te rends compte de ce qui se trame ? Pourquoi Annie l'a-t-elle invité à dîner ce soir ? Et toutes ces remarques sur l'heureuse fille qui l'épousera... Ils s'imaginent sérieusement que je pourrais vouloir de lui ? Je n'ai jamais rien entendu d'aussi insultant. Ça me met en rage.

— Ça part d'une bonne intention, et après tout, l'idée n'est peut-être pas si mauvaise.

— Quoi ? Toi aussi tu te ligues contre moi ? Dis-moi que j'ai mal entendu !

— Ça va, je n'ai rien dit, coupa Lore en riant. Ne te monte pas la tête comme ça. Il ne t'a pas encore fait de déclaration, que je sache. Attends qu'il se traîne à tes pieds pour te demander ta main, et après on verra.

— Ha ! Ha ! Très drôle.

Comme à l'accoutumée, elle dormit mal. Vers le matin, elle se rendit compte que Lore s'agitait dans l'autre lit.

— Ça ne va pas ? lui demanda-t-elle.

— J'ai mal, encore mes sales dents pourries. Je dois avoir un abcès.

— Tu veux que j'aille te chercher un médicament ?

— Non. Dès qu'ils seront levés, je leur demanderai l'adresse de leur dentiste.

— Je vais me préparer vite, et je t'accompagnerai.

Un peu plus tard, Jake proposa :

— J'ai un petit chantier tout près de chez le dentiste aujourd'hui. Nous n'avons qu'à prendre le métro ensemble. Lore, je monterai vous aider à lui parler.

Le séjour, où Caroline s'installa pour passer la matinée seule, donnait sur l'ouest. Elle but un café tout en écoutant les informations à la radio. Il n'y avait pas grand-chose de neuf. Les Français, derrière la ligne Maginot, ne faisaient toujours rien, et les Allemands, dont on n'entendait pas parler non plus, devaient à coup sûr préparer d'horribles méfaits. L'humeur n'était pas à l'optimisme.

Et ses parents, où étaient-ils ? Et Walter, ce nouvel homme qu'elle ne connaissait pas, dans son uniforme, sous le drapeau frappé de la croix gammée ? Elle éteignit la radio et resta assise sans lire, le journal sur les genoux.

La sonnerie de la porte la fit sursauter.

— Qui est-ce ? cria-t-elle.

— Joël.

— Nous n'avons rendez-vous que cet après-midi pour le cours d'anglais, commença-t-elle en ouvrant. Et Lore est...

— Chez le dentiste. Tessie me l'a dit.

Quelle bande de pipelettes ! Si elle avait voulu faire de l'esprit, elle lui aurait demandé s'il ne connaissait pas aussi la marque de céréales qu'elle avait choisie pour son petit déjeuner.

— Venez vous asseoir, dit-elle, car il restait debout au milieu de la pièce, son chapeau à la main.

Tout de même, il avait de belles manières.

Il ne lâcha pas son chapeau en s'asseyant, et se mit à le faire tourner sur ses genoux. Enfin il déclara après une hésitation :

— J'espère que Lore n'a pas trop mal.

— Elle a toujours eu des problèmes de dents.

Il fit un signe entendu, poussa un soupir compatissant, puis retomba dans le silence.

Caroline se demandait ce qui l'avait poussé à venir si tôt si c'était pour se taire. Drôle de conversation. Ah ! S'il pouvait partir... Le silence gêné qui s'éternisait l'agaçait tant qu'elle prit la parole elle-même.

— C'est à cause de la guerre, la dernière, je veux dire. Ils n'avaient pas assez à manger, ça affaiblit les os.

— Ah bon, murmura-t-il en clignant les yeux.

« Il a besoin de lunettes », songea-t-elle.

— Vos parents ont fait une bonne action en la recueillant quand elle avait douze ans, remarqua-t-il. C'est généreux de prendre chez soi une orpheline.

— Je vois que vous connaissez toute notre histoire, commenta-t-elle, camouflant mal son exaspération.

Il ne s'aperçut de rien, ou ne voulut pas comprendre, car il répondit naïvement :

— Oui, elle en a parlé à tante Tessie, qui m'a tout raconté.

Elle garda le silence, sentant croître sa fureur sous le regard qui la dévisageait avec de plus en plus d'insistance. Il n'avait d'abord osé lui contempler que les pieds, puis il était passé au bras qui reposait sur l'accoudoir du fauteuil, était remonté à la fine chaîne d'or qu'elle portait autour du cou, puis s'était arrêté sur son visage.

— Bien, jeta-t-elle brusquement, si nous passions à la grammaire ? Nous en sommes au chapitre trois, les temps du passé.

— Attendez... Je ne suis pas venu pour prendre mon cours d'anglais. Je voulais vous trouver seule. J'ai à vous parler.

— Ah ? De quoi ?

— D'abord... eh bien, comme vous venez de le remarquer, je sais tout de vous... Je veux dire vraiment tout. C'est terrible, ce qui vous est arrivé. Ce nazi, qu'il ait osé poser la main sur vous... C'est abominable.

— Qui vous a dit ça ? C'est mon affaire !

— Les Sandler ont mis Tessie au courant. Ne vous fâchez pas. C'est pour vous aider.

Comme cela lui arrivait souvent depuis quelque temps, Caroline eut l'impression qu'elle jouait une pièce de théâtre sans connaître son rôle. Joël attendait sa réplique et elle ne savait que dire.

— J'ai pensé, déclara-t-il en rougissant violemment, que votre enfant devrait avoir un nom. Un nom et la protection d'un homme honnête. Je serais heureux de vous épouser pour vous rendre ce service.

Caroline fut frappée de stupeur. Quoi ? Il pensait lui rendre service, lui rendre service à elle, en l'épousant ? Des larmes de mortification lui montèrent aux yeux. Elle brûlait d'envie de le bombarder avec tout ce qui lui tomberait sous la main, de le jeter dehors.

Mais il ne bougeait pas, humble sur sa chaise, le chapeau entre les doigts, avec son regard de brave homme et ses paupières clignotantes. C'était un simple d'esprit.

— Je dois dire que c'est original, comme demande en mariage, répliqua-t-elle vertement. En général, on se connaît depuis un peu plus de dix jours, et je crois me souvenir qu'il est question d'amour, aussi.

Il réfléchit comme s'il n'avait pas perçu l'ironie du commentaire.

— Il faut reconnaître que la situation n'a rien de banal, remarqua-t-il. Je préférerais que ce soit plus simple. Je voudrais pouvoir vous dire que je vous aime. Mais vous protesteriez comme vous venez de le faire. Vous avez raison, on ne tombe pas amoureux aussi vite... enfin, peut-être pas. Si je vous disais que vous êtes si belle que... mais je suis sûr que vous le savez déjà. Alors je n'ai rien de plus à ajouter, sauf que ça vous rendrait service, et que j'en retirerais aussi quelque chose. J'ai besoin d'une famille.

Il avait repris une couleur normale, mais il transpirait, sous l'empire d'une intense émotion.

— Ce ne serait pas forcément un vrai mariage, au sens habituel, ajouta-t-il avec délicatesse. Je parle d'une famille au sens large, d'un compagnonnage. Je pense que nous y trouverions tous notre compte.

À cet instant, la porte s'ouvrit et Lore, qui avait la clé, entra. Elle avait une joue très enflée.

— Ah, vous êtes là, Joël. Vous avez déjà commencé la leçon ?

Il se leva.

— Non, je ne peux pas rester, aujourd'hui. Je dois partir. J'espère que vous vous rétablirez vite, Lore.

À la porte, il se tourna vers Caroline et dit avant de sortir :

— Réfléchissez, à bientôt.

Ébahie, elle regarda le battant se refermer sur lui.

— Tu te rends compte ? s'exclama-t-elle. Il vient de me demander en mariage ! Il est complètement fou. Ou alors, il a un culot incroyable ! Mais pour qui me prend-il ?

— Il n'y a pas de quoi te vexer.

S'approchant de la fenêtre, Caroline l'observa tandis qu'il descendait la rue. Il n'était pas beaucoup plus grand qu'elle. « Il est petit et gros », pensa-t-elle avec dégoût. Puis soudain, elle eut envie de rire. Quelle idiote de se mettre en colère... C'était trop ridicule ! « Une famille »... et il avait eu l'air d'y croire ! D'imaginer que...

— C'est pour ça qu'il t'a demandé de réfléchir ? hasarda Lore.

— Oui. Mais je m'intéresse beaucoup plus à ce qu'a dit le dentiste. Tu as un abcès ?

— J'en avais même deux. Il a dû m'arracher deux dents, elles étaient perdues. Il va devoir me poser des couronnes. Il a promis que ce serait terminé pour notre départ. Et, ajouta-t-elle avec un soupir, j'ai d'autres dents en très mauvais état. J'ai les dents pourries. C'est un gouffre financier. Nous allons y perdre toutes nos économies. J'ai déjà fait un bon trou dans notre fortune. Enfin... je vais me chercher une serviette et des glaçons.

— Ne bouge pas, j'y vais.

Lorsqu'elle revint, Lore voulut savoir ce que lui avait dit Joël, exactement.

— Ça n'a aucun intérêt, des bêtises, une vraie folie.

— Raconte quand même.

Caroline lui livra tous les détails.

— C'est étonnant, en effet, commenta Lore à la fin, mais je ne trouve pas ça bête.

— Quoi ? Tu plaisantes ! Tu ne penses tout de même pas que je devrais...

— Non, non, bien sûr. Je te parle simplement de lui. C'est sensé. Son idée tient la route ; des mariages de raison, il s'en conclut tout le temps...

— Lore, tais-toi ! C'est ça que tu veux pour moi ? C'est ça ?

— Tu n'écoutes pas ! Je ne dis pas que c'est ce que je te souhaite, je dis juste que ça arrive souvent. Tiens, l'autre jour, Annie me racontait l'histoire d'une jeune femme médecin qui est venue aux États-Unis avec un visa touristique l'année dernière, au moment de l'invasion de l'Autriche. Elle aurait été tuée si elle était rentrée chez elle, alors elle a épousé un médecin, et elle a pu rester.

— Ce n'est pas mon cas, je n'ai pas besoin de ça !

— Je te racontais juste cette histoire parce que c'est intéressant. Parlons d'autre chose.

Caroline s'efforça de ne plus y penser, mais après le dîner, une fois que Lore fut allée se coucher, car elle souffrait beaucoup, les Sandler abordèrent le sujet.

— Il paraît que Joël est venu vous voir, aujourd'hui, remarqua Annie.

— Oui, il est passé, mais pas longtemps.

Caroline attendit la suite, sentant que Joël était tout allé raconter à Tessie. Certains hommes ne savaient pas tenir leur langue. Son père l'aurait traité de vieille commère.

Les soirées des Sandler se ressemblaient toutes plus ou moins. Jake, qui travaillait d'arrache-pied toute la journée, allait souvent se coucher tôt, tandis que Annie aimait traîner en buvant du café et en fumant à la table de la cuisine. Ce soir-là, une tasse à la main et exhalant un mince filet de fumée, elle hésita un peu.

— Je suis pour la franchise, déclara-t-elle. À quoi ça sert, les cachotteries ? Vous lui plaisez. Plus, même, il vous admire beaucoup, Caroline. Vous savez comme moi que vous êtes très belle.

— Merci, mais je ne me sens pas belle du tout.

— Je comprends. Vous êtes trop angoissée pour ça, dans votre situation...

— Vous aimez la franchise ? Eh bien, laissez-moi vous dire que sa proposition m'a choquée ! À l'entendre, le mariage n'est pas plus compliqué que de choisir des vêtements dans une boutique.

— Joël ne vous plaît pas ?

— Je ne le connais même pas, Annie !

— Restez encore chez nous quelques semaines et apprenez à le connaître.

— Non, nous avons déjà assez abusé de votre hospitalité. Il est temps que nous volions de nos propres ailes. Et puis, pour être honnête, je n'ai aucune envie de le connaître mieux.

— Beaucoup de jeunes filles seraient heureuses de lui donner sa chance. C'est un garçon très bien.

— Je n'en doute pas, mais je ne veux plus rien avoir à faire avec les hommes.

Ce n'était que trop vrai. Elle ne pourrait plus jamais avoir confiance.

— N'en parlons plus pour l'instant, conclut Annie. Vous êtes très fatiguée, et moi aussi. Il est 10 heures.

Caroline était à bout de nerfs ; elle remâchait les mêmes inquiétudes depuis trop longtemps. Cette conversation pénible avec Annie

Sandler, qui, bien que généreuse et pleine de bonnes intentions, se montrait beaucoup trop indiscrète, n'avait servi qu'à exacerber ses angoisses. Elle ne se coucha que pour passer encore une longue nuit d'insomnie.

On était à la fin du mois de septembre, mais la chaleur tenait encore la ville et rendait la petite chambre étouffante. Lore, qui ne voulait sans doute pas la déranger, faisait semblant de dormir. Elle bougeait doucement, comme quelqu'un qui souffre. Elles attendaient toutes deux qu'il fasse jour.

Cette fois, Caroline l'accompagna chez le dentiste pour lui servir d'interprète.

— Il va te mettre tes couronnes, mais la radio montre encore un problème de l'autre côté. On doit t'opérer, mais il n'est pas chirurgien. Il ne faut pas s'inquiéter, ce n'est pas grave, mais on doit s'en occuper. Dès que nous serons arrivées à destination – je lui ai expliqué que nous déménagions –, il te conseille de consulter un spécialiste.

Une fois de plus, il fallut tirer des billets du portefeuille, et un rendez-vous fut fixé pour le surlendemain. Quand elles se retrouvèrent dans le taxi du retour, Lore poussa un gémissement.

— On dépense tout ! Tu as vu comme ça file ?

C'était vrai. Et la perspective de retourner dans le triste appartement étriqué pour parler encore et toujours de leurs difficultés financières sembla intolérable à Caroline, surtout par cette magnifique matinée ensoleillée. Afin de retarder ce moment, elle proposa une promenade dans le parc.

— Non, merci, mais vas-y, répondit Lore. Je n'ai envie que de me mettre de la glace sur la joue. J'ai la clé.

Le parc, proche de l'appartement, n'était pas plus vaste qu'un grand terrain de sport, uniquement occupé par des mères avec leurs poussettes. Les enfants jouaient dans les tas de sable ou pédalaient sur leurs tricycles. Caroline s'assit et les observa, essayant de réaliser que d'ici quelques mois – comme le temps passait vite ! – elle aussi aurait un bébé. Cette perspective la remplissait de peur et de colère.

Que se passerait-il si, à sa naissance, elle se prenait de haine pour l'enfant ? Elle ne se sentait pas prête pour la maternité, ne saurait que faire de ce bébé sans père dont elle ne pourrait jamais révéler l'origine à personne sous peine de mourir de honte.

Un petit garçon, qui tirait un jouet à roulettes derrière lui, s'arrêta devant elle pour la regarder. Il avait l'air très curieux.

— Bonjour, dit-il.

— Bonjour.

En voyant son sourire qui découvrait de toutes petites dents blanches, un élan de pitié lui étreignit la gorge. Cet innocent ne savait rien, rien des événements qui l'avaient conduit ici, sous le soleil, avec sa petite veste bleue et sa casquette vissée sur la tête. Il ne pouvait pas savoir s'il avait été désiré. Tous les enfants auraient dû l'être.

Le vide se fit dans son esprit, et elle resta immobile sur son banc, sous le soleil éclatant de cette ville étrangère, avec le vent qui bruissait dans les arbres et venait lui caresser le visage.

Quelqu'un lui demanda l'heure, ce qui l'obligea à regarder sa montre. Il était 2 heures et demie, l'heure du cours d'anglais. Elle se leva, espérant, contre tout espoir, que Joël ne viendrait pas.

Mais il l'attendait avec Lore, qui tenait une poche de glace contre sa joue. Impeccable comme d'habitude, il portait chemise et cravate.

— Lore a de la fièvre, annonça-t-il. Elle est brûlante. Maintenant que vous êtes rentrée, je vais pouvoir descendre lui acheter un médicament.

— On devrait appeler le médecin, répondit Caroline.

— Pas la peine, je sais ce qu'il faut prendre. Nous n'avons pas besoin d'ordonnance.

— Tu devrais quand même aller te coucher, Lore.

— Oui, tu as raison.

Lore n'était jamais malade. C'était la plus forte de la famille, une créature indestructible. Caroline trouva particulièrement inquiétant de la voir s'effondrer ainsi. Elle resta au pied du lit jusqu'à ce que Joël rapporte l'analgésique. Après l'avoir avalé, Lore déclara :

— Joël soigne ses malades aussi bien que moi.

Ensuite, ils sortirent de la chambre en fermant la porte derrière eux pour que le bruit ne la dérange pas.

— J'ai vraiment hâte que nous vivions dans un endroit à nous ! remarqua-t-elle. Quand Lore a besoin de se lever la nuit, j'ai toujours peur qu'elle réveille nos hôtes. Ils en font déjà assez pour nous comme ça. Nous les dérangeons certainement. Je n'aime pas m'imposer.

— Je suis comme vous. C'est en partie pour cette raison que je me promène toute la journée, pour ne pas déranger Tessie. J'ai même fait du baby-sitting, c'est une façon d'être ailleurs qui, en plus, me rapporte un peu d'argent.

— Ça ne doit pas être facile quand on ne connaît pas la langue.

— Je ne garde que des bébés, expliqua-t-il avec un sourire.

Il attrapa son chapeau, s'apprêtant à partir.

— Je reviendrai demain matin prendre de ses nouvelles. Si vous avez besoin de quoi que ce soit, n'hésitez pas. Vous aurez moins l'impression de peser sur vos hôtes.

— D'accord, répondit-elle presque humblement. Et merci, merci de tout mon cœur.

Il comprenait son angoisse. C'était normal, après tout, ils étaient tous deux des réfugiés, ils vivaient les mêmes inquiétudes, ressentaient la même fragilité. Après son départ, elle resta immobile dans l'entrée, tandis que les préoccupations s'entrechoquaient dans sa tête. Opération de la mâchoire. Vêtements pour le bébé. On n'était admis à l'émigration qu'en s'engageant à ne pas devenir une charge pour la nation. Si on ne gagnait pas assez pour subvenir à ses besoins, on devait demander de l'aide à des œuvres charitables privées, ou à des individus. Cela n'avait rien de dégradant en soi, non, rien du tout. Et pourtant, si cela lui arrivait un jour, elle ne s'en remettrait pas. À tort ou à raison, elle ne pourrait pas.

La maladie de Lore s'aggravait. Avant de partir au travail, Annie téléphona à son médecin pour lui demander de passer.

Joël arriva presque en même temps que le médecin, qui prescrivit à Lore un tout nouveau médicament, un antibiotique. Joël se proposa pour descendre le chercher à la pharmacie, et lorsqu'il en annonça le prix, Caroline tira les billets verts de la « cagnotte », comme Lore et elle appelaient leur petit capital. Elle n'en revenait pas qu'un médicament puisse coûter aussi cher. Les réserves diminuaient...

— Vous n'allez pas pouvoir partir à la date prévue, remarqua Joël le lundi suivant.

— Non, en effet, il va falloir remettre le départ. C'était une infection très grave, et le médecin dit qu'elle doit se reposer encore une semaine avant de voyager.

Lore pouvait à présent s'asseoir dans son lit, et Joël lui rendait visite tous les jours. Il faisait des courses pour les deux sœurs, et restait avec Lore afin de permettre à Caroline d'aller prendre l'air de temps en temps. Pas une seule fois il n'avait reparlé de mariage, ce qui soulageait beaucoup Caroline.

Mais cela ne dura pas.

— Annie pense que vous devriez accepter de m'épouser, Caroline.

— Je me moque bien de ce que pense Annie, commenta-t-elle, sourcils froncés.

— Je sais que vous ne m'aimez pas, mais...

— Ce n'est pas vrai ! Je vous aime beaucoup. Vous avez été très gentil avec nous, et même si vous ne nous aviez pas aidées, cela ne m'empêcherait pas de trouver que vous êtes un garçon très bien.

— Alors vous pourriez me prendre tel que je suis... Cela n'aurait que des avantages pour nous tous. L'idée d'aller dans une petite ville me plaît, et c'est dans une petite ville que vous avez choisi de vivre. Je trouverai du travail. Lore ne sera pas très forte après son opération, et même quand elle se sera rétablie, elle ne gagnera pas grand-chose en attendant de repasser son diplôme d'infirmière. Et vous...

— Je sais.

— Donc, vous voyez. En mettant en commun toutes nos ressources, nous nous en sortirons mieux à trois.

— Non, Joël, je suis désolée... À vous entendre, c'est si simple... beaucoup trop simple.

— Je ne me découragerai pas comme ça. Je tenterai encore ma chance.

Cette insistance ennuyait Caroline, mais elle ne pouvait guère le remettre à sa place. Il avait le droit de s'exprimer. Elle ne pouvait pas non plus se permettre de s'emporter contre ceux qui auraient mieux fait de se taire. Elle vivait chez les Sandler, recevait d'eux la charité, acceptait leur incroyable générosité... Elle se devait d'écouter poliment leurs conseils.

Ce soir-là, Jake se joignit au concert général.

— Je n'ai rien dit jusqu'à présent parce que Annie ne voulait pas que je m'en mêle, mais je veux que vous sachiez ce que j'en pense. Écoutez-moi, Caroline, votre père n'est pas là. J'espère qu'il va arriver bientôt, mais entre-temps, vous avez besoin des conseils d'un homme. Si j'avais une fille et que Joël Hirsch s'intéresse à elle, j'en serais très heureux. Oui, heureux. C'est un garçon formidable.

Dans votre situation, combien d'hommes accepteraient de... Enfin, vous me comprenez.

— Vous avez raison, mais je ne suis pas amoureuse de lui, répondit fermement Caroline.

— C'est très joli, tout ça, mais l'amour, ça ne tombe pas du ciel. C'est comme une plante, ça se développe. Les histoires d'amour à l'eau de rose, c'est bon pour le cinéma. Vous devez faire preuve d'esprit pratique, Caroline, surtout dans votre état. Je pense à vos parents. Vous imaginez leur douleur s'ils vous voyaient, violée, mère célibataire, portant l'enfant d'un nazi ? Comme s'ils n'avaient pas assez souffert ! Vous pensez à ce que ça leur ferait ? Vous avez besoin qu'on vous protège, et votre enfant encore plus.

— Lore est là, elle m'aidera.

Jake baissa la voix.

— Soyez raisonnable. Lore ne pourra pas gagner autant qu'un homme tant qu'elle n'aura pas repassé son diplôme d'infirmière, et cela prendra au moins deux ans. Elle ne peut pas non plus remplacer un père absent. Ce qu'il vous faut, à vous et à votre bébé, c'est le respect que vous apportera une alliance.

Emprisonnée dans cette pièce, face à cet homme responsable, assez âgé pour être son père, Caroline ne parvint pas à trouver de réponse, mais elle bouillait à l'intérieur.

Annie ajouta d'un ton raisonnable :

— Un mariage de convenance, c'est un engagement moral, rien d'autre. Il paraît que ça se fait souvent.

— Vous avez parlé longtemps, ce soir, remarqua Lore, qui l'attendait en lisant au lit.

— Ils tiennent absolument à ce que j'épouse Joël. C'est à se demander pourquoi ils insistent à ce point, je trouve ça suspect.

— Je suis sûre qu'ils n'ont aucun motif caché. Ce sont des gens bien et ils pensent sincèrement te donner de bons conseils. Et c'est humain de vouloir jouer au bon Dieu. Ça vous donne de l'importance. On se sent utile. Sage.

— N'empêche, il n'est pas question que je l'épouse.

— Comme tu voudras.

Quelques jours passèrent. Joël ne revint pas. Lore put quitter son lit, elle alla même faire une promenade et au retour elle s'attaqua aux bagages.

— Plus que six jours et nous voilà reparties.

Un nouveau compte à rebours commençait. Elles s'apprêtaient une nouvelle fois à quitter un refuge temporaire.

— Tiens, annonça Lore, j'ai croisé Tessie dans la rue. J'ai cru comprendre que tu allais bientôt avoir de ses nouvelles.

— J'espère bien que tu t'es trompée ! J'en ai assez des sermons. Plus qu'assez.

Elles pliaient leurs vêtements lorsqu'on sonna.

— Si c'est elle, ne nous laisse pas seules, supplia Caroline avant d'aller ouvrir.

Elles s'installèrent dans le salon où Tessie s'assit toute droite au milieu du canapé, son grand sac noir serré sur les genoux.

— Je vais droit au but, déclara-t-elle. Inutile de perdre du temps à parler de la pluie et du beau temps. Je viens pour Joël. Il est amoureux de vous, Caroline, vous êtes au courant, j'imagine.

— Oui, soupira cette dernière, c'est désolant, parce que moi, je ne suis pas amoureuse de lui.

— Mais vous l'appréciez, vous l'admirez ?

— Oui, c'est vrai.

— C'est à espérer ! Joël est un garçon travailleur et honnête qui vient d'une famille respectable, la famille de mon mari. Il n'y a pas de criminels chez nous, pas de mendiants, aucun scandale, nous avons des mœurs irréprochables.

« Des mœurs irréprochables », ces derniers mots semblaient calculés pour blesser Caroline, qui se redressa pour protester, le cœur serré :

— Moi aussi, je viens d'une bonne famille.

— Raison de plus pour préserver le bébé que vous allez mettre au monde.

Caroline jeta un coup d'œil à Lore, qui examinait le bout de ses ongles. Ainsi, elle aussi se sentait humiliée par les commentaires de Tessie. Elle se tourna vers la vieille femme, dont Jake avait dit qu'il fallait « se lever de bonne heure pour la berner ». Le visage parcheminé au regard inquisiteur ne laissait aucun doute sur son intelligence. À en croire Jake, elle avait aussi un cœur d'or.

— Vous avez beaucoup souffert toutes les deux en Europe, à cause de ces criminels. Joël a vécu la même horreur, il sait ce qu'on vous a fait. En général, ce ne sera pas le cas des hommes que vous rencontrerez ici.

Tessie en appela à Lore :

— Parlez-lui, vous. Vous êtes plus âgée qu'elle, et dans votre travail vous avez sans doute acquis beaucoup d'expérience. Essayez de la convaincre.

— C'est ma sœur, et je l'aime trop pour rester objective. Les raisonnements, c'est très bien, mais je veux la laisser libre de ses actes.

Cette réaction déçut Caroline. Elle aurait cru que Lore prendrait sa défense avec plus de conviction, au lieu de jouer sur les mots. L'ambiguïté de sa réponse montrait trop où allaient ses préférences.

— Alors ? demanda Tessie en se tournant une nouvelle fois vers Caroline.

— Les mariages de convenance...

— Ça se fait depuis des lustres, interrompit Tessie : dans le monde entier, des familles royales jusqu'à mes propres parents. Ils se connaissaient à peine le jour de leurs noces, mais ils ont vécu ensemble pendant quarante-sept ans, et je vous assure qu'ils ont été heureux. C'était un couple plus solide que nombre de ceux qu'on voit de nos jour.

Elle insistait, assenait ses arguments avec une conviction qui sapait les forces de Caroline. « Mais qu'est-ce qui m'arrive ? Je devrais lui répondre. »

— Vous ne serez pas obligée de coucher dans son lit, à moins d'en avoir envie. Il accepte de vous épouser même à cette condition. Ne faites pas votre innocente, nous sommes entre femmes, et nous avons toutes l'âge de savoir de quoi il retourne. Vous êtes bien assez grande pour tomber enceinte...

Cette fois, Lore réagit. Elle se leva.

— Je crois que vous en avez assez dit. Caroline a traversé bien des épreuves ces derniers mois, c'est très dur pour elle. Il vaut mieux que nous en restions là.

— Très bien, déclara dignement la vieille dame, avec son air de grande sagacité. Quelle que soit votre décision, ma petite, je vous souhaite beaucoup de bonheur. Souvenez-vous seulement que Joël Hirsch est un garçon solide et qu'il vous aime.

La porte se referma sur elle. Et soudain, à l'immense surprise de Caroline, Lore éclata en sanglots.

— Lore ! Mais que se passe-t-il ? Ce n'est pas si terrible !

— Ça n'a rien à voir... ou plutôt si, parce que tout est relié, ça s'emmêle et je ne m'y retrouve plus !

— Je ne comprends pas..., commença Caroline.

— C'est moi. Je suis malade. Je ne t'ai pas dit toute la vérité. L'assistante du dentiste parle allemand, et c'est elle qui m'a expliqué. Ma mâchoire, là où on doit m'opérer, est peut-être cancéreuse. Mais j'ai moins peur pour moi que pour toi, Caroline. Je ne sais pas ce que tu vas devenir, si ça se confirme ! Nous sommes seules, toutes seules.

— Quoi ? Mais tu en es sûre ?

— C'est ce que pense le dentiste. Il est presque certain de ne pas se tromper.

— Mais dans ce cas il faut te soigner tout de suite ! Je ne vois pas ce que nous attendons !

— Non, je ne veux pas me faire opérer tant que tu n'es pas installée quelque part.

— C'est de la folie !

— Au contraire, c'est la meilleure solution.

— Lore, ma chérie ! Mais qu'avons-nous fait pour mériter tout ce qui nous arrive ?

— Ne dis pas de bêtises. Tu es trop intelligente pour devenir superstitieuse.

Caroline avait reçu la nouvelle en pleine poitrine, elle avait l'impression qu'on lui avait transpercé le cœur. Elle restait figée au milieu de la pièce, tremblant de tous ses membres.

— Va prendre l'air, conseilla Lore. Tu as besoin de respirer. Il faut que tu tiennes le coup.

— Tu en as parlé à Annie et à Jake ?

— Oui, il fallait bien que je me confie à quelqu'un. Je n'aurais sans doute pas dû, mais c'était trop lourd à porter seule... Allez, sors, conseilla Lore. Pendant ce temps, je finirai le repassage et les valises.

Dehors il faisait frais et beau. C'était une magnifique journée qui aurait dû la rendre heureuse de vivre. Les oiseaux volaient vers le sud pour retrouver l'été, les chiens tiraient sur leur laisse, des adolescents couraient après un ballon. Elle longea le parc, toujours occupé par des mères assises près des poussettes, passa devant le glacier où elle était allée avec Joël, puis devant l'immeuble où Tessie, peut-être à cet instant, racontait leur conversation à son neveu... Il n'y avait même pas un an qu'elle avait rencontré Walter dans un tout autre parc, à des milliers de kilomètres de là. Et maintenant elle était en Amérique, elle attendait un bébé et Lore allait peut-être mourir. Pauvre Lore, qui ne rêvait que de rencontrer un homme qui l'aimerait, et à qui cela n'arriverait probablement jamais. « Alors que moi qui ne demande rien, songea Caroline, je... »

D'une côte à l'autre, le pays s'étendait sur près de cinq mille kilomètres. Si elle avait pu partir tout droit à l'aventure sans s'inquiéter du temps qui passe, et traverser les plaines, les villes, franchir les montagnes jusqu'au Pacifique, en laissant tout derrière elle, tout le monde, et aller seule, sans pensées, sans souvenirs, libre...

Ah ! Ne plus jamais aimer avec cette confiance absolue, parfaite, qui n'apporte que la douleur...

Elle rebroussa chemin et, arrivée en bas de l'immeuble, monta l'escalier obscur, puis alla embrasser Lore, qui était penchée sur la planche à repasser.

— Je veux que tu guérisses, déclara-t-elle, et quoi qu'il arrive, je prendrai soin de toi. Ce soir, j'annoncerai à tout le monde ma décision. J'épouse Joël Hirsch. J'accepterai tout ce qu'on voudra. Maintenant, je vais m'allonger. Je suis épuisée.

Une fois la porte de la chambre fermée, elle sanglota longtemps. Puis, lorsqu'elle n'eut plus de forces, elle resta couchée sans bouger.

Annie et Lore se chargèrent de la cérémonie. Annie trouva un rabbin qui acceptait de les marier dans son bureau, et elle s'occupa des plats qu'elle préparerait pour le repas de noces. Lore choisit la robe de Caroline et ses chaussures, puisant dans les vêtements de la malle. Elle contacta aussi l'association des réfugiés pour qu'on leur trouve un logement plus spacieux à Ivy. Caroline se laissait emporter comme sur un manège, les yeux fermés, seulement consciente de la vitesse.

Et soudain elle se retrouva à côté de Joël Hirsch dans une petite pièce sombre remplie de vieux livres, qui sentait le renfermé, avec en fond sonore le bruit de la circulation et un discours onctueux qui parlait de Dieu et d'amour. Sous la soie bordeaux de sa robe, sa peau picotait, torturée par la chaleur. Transpirait-elle de terreur, de désespoir, de honte ? Impossible à dire.

Puis elle se retrouva à la table des Sandler, hypnotisée par des géraniums piqués dans un vase d'argent qu'elle avait acheté malgré les objections de Lore.

— C'est beaucoup trop cher et bien trop beau pour leur appartement.

— Non. C'est un cadeau de politesse. Maman ne voudrait pas qu'on accepte tellement d'eux sans leur offrir quelque chose.

— Maman n'a jamais été pauvre. Nous ne pouvons pas nous le permettre.

— Nous nous passerons d'autre chose.

— Au rythme où notre argent s'évapore, nous allons déjà devoir faire de grands sacrifices... À moins que tu ne veuilles vendre le rubis.

— Pas question. C'est notre seule sécurité, en cas d'urgence.

« Et puis maman l'aimait trop. Je le garde pour elle. »

Le repas de noces fut bref et se déroula presque en silence, comme si les convives avaient conscience de l'étrangeté de la situation. Seul Joël était exubérant. Il avait le regard brillant, ne quittait pas Caroline des yeux. Elle le voyait à peine, perdue dans un rêve. Elle se promenait dans le jardin d'une maison, avec un cadran solaire au milieu d'une roseraie, et le son léger d'un piano descendait de hautes et belles fenêtres. Si loin d'ici, il y a si longtemps, songea-t-elle, et, relevant les yeux, elle vit les particules de nourriture coincées entre les dents de Joël. Aussitôt, elle eut honte de l'avoir remarqué et d'en avoir souffert.

À la fin du repas, Joël repartit dormir chez Tessie. Puis, le lendemain matin, Caroline, Joël et Lore, munis de leurs bagages, retraversèrent la ville pour aller à la gare. À Grand Central Station, ils montèrent dans le train qui devait les emporter vers le nord.

4

— *Adelbert* a une sonorité trop allemande pour l'Amérique, alors maintenant, je m'appelle *Alfred*, mais le plus souvent, on dit *Al.* Il n'y a que ma femme, Emmy, qui m'appelle encore *Bert.*

Le docteur Schulman était venu les attendre à Buffalo. Manifestement aussi mal à l'aise que les nouveaux arrivants, il s'efforçait de détendre l'atmosphère et n'avait cessé de bavarder depuis la gare.

— Je prends autant de temps que je peux, hors de mes consultations, pour aider les réfugiés à s'installer. Je suis venu avec Emmy en 1932 quand nous avons compris que la montée au pouvoir de Hitler était inévitable.

— Vous avez compris ça si tôt ? s'étonna Joël.

— Oui, pour nous ça n'a fait aucun doute, alors nous sommes venus ici. Ivy est une ville très agréable. Disons que c'est une grande petite ville. Vous vous y plairez. Regardez-moi ces couleurs, splendide, non ? Nous sommes assez au nord pour que les feuilles jaunissent tôt dans la saison.

Caroline, aveuglée par la succession rapide de l'ombre et du soleil, sentait son cœur se soulever dans les virages pris un peu trop vite par la voiture qui s'enfonçait sous des voûtes rougeoyantes, puis dévalait des collines dorées. Ou peut-être était-ce plutôt la panique qui lui donnait la nausée, la terreur de craquer.

Ses mains se crispaient sur ses genoux ; ses épaules, tendues à l'extrême, la torturaient. Elle ne quittait pas des yeux la nuque de Joël, assis à l'avant. Il regardait défiler le paysage, les champs qui fuyaient en longs traits jaunes, une ferme en bois avec des vaches placides regroupées près d'une barrière, comme si ce trajet, sa place dans la voiture, étaient tout naturels, comme s'il s'agissait d'une sortie ordinaire, en famille. Une envie folle de s'enfuir la tenaillait ; elle se retenait d'ouvrir la portière pour sauter en marche.

— On pourrait m'accuser d'immodestie, remarqua le docteur

Schulman, mais nous, les réfugiés, nous avons apporté de grands bienfaits à cette ville. Le collège a maintenant un professeur qui enseignait l'anthropologie à Heidelberg. Nous avons monté un excellent orchestre de chambre. Et puis l'hôpital s'est enrichi d'un spécialiste du cancer, de Vienne, qui rentre tous les soirs à Ivy ; pour la première fois depuis sa fondation, la ville a son dermatologue, et puis, si j'ose me citer, j'étais cardiologue en Allemagne et maintenant je travaille aussi à l'hôpital. J'ai appris que vous étiez infirmière, mademoiselle, ajouta-t-il en s'adressant à Lore. Vous voulez bien que je vous appelle par votre prénom ? Appelez-moi Alfred, ou Al. En Amérique, on ne s'embarrasse pas de manières et il faut faire comme les Américains.

— J'ai mon diplôme allemand, Alfred, mais il me faut l'équivalent américain pour exercer.

— Vous l'obtiendrez, et nous vous trouverons une place dans notre hôpital. En attendant, nous ne vous laisserons pas mourir de faim, c'est promis.

Dans le rétroviseur, Caroline aperçut son sourire rassurant. On voyait qu'il était gentil. Peut-être devait-elle lui parler, lui confier son désespoir. Il ne ressemblait pas aux braves gens de Brooklyn, cela se remarquait au premier coup d'œil. Il venait du même pays qu'elle, du même milieu, il la comprendrait.

Mais il poursuivait déjà :

— Comme c'est charmant de voir un jeune couple amoureux qui attend un enfant ! C'est ça, la nature. Une nouvelle vie, c'est l'espoir.

Ayant aperçu l'expression de Caroline dans le rétroviseur, il se reprit :

— Pardon, je n'aurais peut-être pas dû dire ça. C'est un secret ? Vous ne vouliez pas que je le sache ?

Joël s'était aussitôt tourné vers elle.

— C'est moi qui ai annoncé la nouvelle à Alfred. Je voulais lui demander de ne pas conduire trop vite, c'est ma faute.

Quel maladroit, quel imbécile ! Pourquoi fallait-il qu'il soit si... possessif ? Cela ne lui allait pas de jouer les maris attentionnés.

— Ça ne fait rien, répondit-elle calmement. Tôt ou tard, il faudra bien que ça se sache.

Lore posa une main chaude et rassurante sur la sienne. C'était son seul point d'attache, sa seule famille. Mais si Lore venait à mourir...

En silence, reliées par leurs mains, elles regardèrent ensemble passer les fermes, les vignes, quelques boutiques en bord de route. Puis une usine de conserves, un négociant en machines agricoles. Enfin, ils arrivèrent aux premières maisons des alentours de la ville.

Joël lut la pancarte tout haut :

— Bienvenue à Ivy.

Le docteur Schulman, jovial et chaleureux, répéta ces trois mots, puis continua par quelques commentaires en traversant la ville.

— Nous sommes dans la Grande Rue. Vous y trouverez presque tout ce dont vous aurez besoin. Il y a le grand magasin, Berman, qui vend des vêtements, des articles de maison, et même quelques meubles. Le père de Fred tenait un magasin du même genre en Autriche, alors il s'y connaît. Il ne s'en tire pas trop mal, vu que nous sortons à peine de la crise et que beaucoup de gens sont encore au chômage. Là, le monument aux morts de la Grande Guerre. C'est bizarre de se dire que mon père s'est battu dans le camp adverse. Voilà la bibliothèque. L'Amérique est extraordinaire. Même les plus petites villes ont leur bibliothèque. Ah ! Quel pays !

Caroline était loin de s'émerveiller. Elle ne voyait que des rues monotones et miteuses, avec des maisons de bois qui semblaient fragiles comme celles d'un village de carton-pâte. Même pas. Dans un village de carton-pâte, il y aurait au moins un arrière-plan de montagnes enneigées, ou vertes, une mare avec des canards et des jardinières débordant de fleurs chatoyantes.

— Et nous y voilà ! Sycamore Street, numéro 17. Vous êtes chez vous. Le comité d'accueil doit vous attendre au grand complet.

Plusieurs voitures étaient garées devant une maison étroite et grise qui aurait eu besoin d'un coup de peinture. La véranda bancale, et le carré de gazon rare contrastaient tristement avec les rideaux de dentelle neufs qui ornaient les fenêtres de l'étage.

— Ah ! Je vois qu'Emmy a accroché les rideaux, commenta le docteur Schulman. Elle s'était juré qu'elle les aurait terminés et installés pour votre arrivée.

Il se tourna sur son siège pour regarder Lore et Caroline.

— La maison appartient à Gertrude Fredericks. Friedrich, à l'origine, mais elle a anglicisé son nom. C'est une veuve. D'après Emmy, elle est sympathique et sa maison est propre. Le second étage a été transformé en un bel appartement. Vous aurez de la place et vous pourrez aller dans le jardin, ce sera bon pour le bébé. Vous vous entendrez bien avec Gertrude et avec Vicky. Vicky, c'est Victorine, la nièce de Gertrude, elle a douze ans. Voilà, vous vous y retrouverez vite, ne vous en faites pas.

Joël, impatient, était déjà descendu de voiture et sortait les bagages du coffre.

— Tu as vu comme il s'occupe de tout ? murmura Lore à Caroline. Il prend bien les choses en main.

Oui, Caroline s'en était aperçue, mais elle n'y attachait pas beaucoup d'importance. Elle suivit la petite procession dans la maison et gravit un escalier étroit... encore un. Tout en montant, elle garda les yeux fixés sur sa main qui glissait le long de la rampe, sur le pâle reflet d'or, le mince anneau qui rendait légitime la nouvelle vie dans son ventre. Le piège s'était refermé.

Dans le salon, quatre femmes les attendaient ainsi qu'une jeune adolescente, mais, plus tard, Caroline garda le souvenir d'avoir été accueillie par une foule. Un concert de voix assourdissant, tantôt en allemand, tantôt en anglais, puis de nouveau en allemand, avec Lore. Des rires, des embrassades, des larmes et des questions.

Les femmes leur firent visiter la maison, désignant avec fierté le fruit de leur labeur : les rideaux, le tapis neuf, le papier peint de la cuisine, rouge et blanc avec la théière rouge assortie, la radio, les trois fauteuils, le placard avec les étagères pour faire bibliothèque, et même quelques livres. Tout ce qui n'était pas neuf avait été astiqué avec amour. La petite chambre, destinée à Lore, était meublée d'un lit couvert d'un tissu à fleurs, et d'un miroir dont le cadre avait été peint en bleu avec soin. La visite s'acheva par la « grande chambre », qui n'était guère plus vaste que l'autre, et que remplissait un énorme lit en noyer sculpté.

— Nous l'avons apporté d'Allemagne, expliqua Alfred Schulman. Il vient de la famille d'Emmy et nous ne voulions pas le laisser là-bas. Comme nous avions déjà notre lit, c'est un plaisir de lui redonner une utilité.

Il souriait jusqu'aux oreilles.

— Vous voilà avec un vrai lit nuptial de chez nous, avec sa grosse couette en duvet, continua-t-il. La plume a été changée, bien sûr.

Empourprée par son humiliation secrète, Caroline le scruta.

Non, cela ne servirait à rien de se confier à lui. Il avait beau être médecin, ce n'était qu'un brave homme qui n'aurait que de bêtes platitudes à lui offrir.

Il reprit à la cantonade :

— Des jeunes mariés de quelques mois, c'est presque leur lune de miel ! Leur maison de noces.

Joël s'était détourné et contemplait le jardin. Les femmes lancèrent des sourires gênés à Caroline pour lui signifier qu'elles comprenaient son embarras.

Ces femmes extraordinaires, chaleureuses, avaient donné tout leur temps pour accueillir des étrangers et leur préparer un logis. Caroline leur en était très reconnaissante, mais elle commençait à en avoir assez de devoir éprouver sans cesse de la reconnaissance. Un vieil adage disait à juste titre qu'il est plus facile de donner que de recevoir !

De retour dans le salon, Emmy, la meneuse du groupe, prit congé pour les autres.

— Nous allons vous laisser vous installer. Vous venez de faire un long trajet et vous devez avoir hâte de vous reposer. Si vous avez besoin de quoi que ce soit, vous n'avez qu'à appeler Gertrude, elle montera tout de suite.

Gertrude, femme massive, portait ses cheveux d'un blond terne serrés en un chignon sévère. La fillette, Vicky, s'épaissirait aussi, avec le temps, une fois passé le bel âge des formes rondes et voluptueuses. Toutes deux avaient des yeux globuleux, d'un gris glauque, et des lèvres pincées, toujours humides. On aurait dit des poissons, songea Caroline. Les trois autres, Emmy, Fanny et Mae, ressemblaient plutôt à de bonnes grosses vaches placides. C'était bizarre, ces pensées épouvantables qui l'assaillaient sans cesse !

Après leur départ, elle resta plantée au milieu de la pièce, hébétée.

— Je n'arrive pas à y croire !

Joël quitta la fenêtre en répondant à voix basse :

— C'est parce que tu es fatiguée.

— C'est ça, approuva Lore, tu n'en peux plus. Pourquoi n'irais-tu pas te coucher ? Je vais préparer de la soupe et te l'apporter au lit. J'ai vu qu'elles avaient rempli le garde-manger.

— Je vais dormir ici, sur le canapé, déclara Joël. Lore n'a qu'à prendre la chambre qui lui était destinée, et toi tu auras l'autre pour toi, Caroline.

— Non, ce ne serait pas juste. Je ne veux pas.

— Mais si, rétorqua-t-il d'un ton léger. Ça n'a aucune importance, je serai très bien. J'ai dormi dans des lits bien pires que ce canapé !

Quand Caroline s'éveilla, la chambre était plongée dans l'obscurité. Par la porte entrouverte, filtrait un rai de lumière. Les draps doux et fins fleuraient bon le pot-pourri. On avait posé un petit vase de chrysanthèmes pompon sur la table de chevet. Dehors, un chien aboyait plaintivement, comme si on l'avait laissé dehors. Il fallait faire rentrer Peter, elle allait se lever. Tout près, son père et sa mère bavardaient dans leur chambre. Ils ne devaient pas l'avoir entendu.

Mais non. Ces voix, c'étaient seulement celles de Lore et de Joël. Mon Dieu, ce n'étaient qu'eux. « Referme les yeux, remonte le temps, Caroline. Tu es dans ton ancienne chambre. Tu sors des bras de Walter. Vous allez partir ensemble, vous êtes follement heureux. Souviens-toi de ton bonheur, de l'amour, des rires... »

Dans le salon, les voix se turent. Le parquet grinça. Lore allait se coucher. La lumière s'éteignit. Joël s'était mis au lit. Ainsi, ils étaient trois, à présent. Tout allait par trois. Quel drôle de chiffre ! Les trois petits cochons, les trois rois mages... Mlle Fawcett, la gouvernante anglaise, chantait un petit air pour se souvenir de la règle de trois. « À présent, nous sommes trois, si mal assortis : un homme au chômage, une femme désespérée et enceinte, et une autre avec un cancer de la mâchoire.

« Ma pauvre Caroline, c'est ça, ta vie ? »

— Si j'ai mal ? répéta Lore, dont la joue était très légèrement enflée. Oui, assez, mais c'est tout à fait supportable.

Cela lui ressemblait bien de ne pas se plaindre. Solide comme un roc, à son habitude, elle était assise à la table du petit déjeuner, l'une de ses inévitables listes sous les yeux.

— Défaire les bagages, c'est fini. Heureusement, il y a beaucoup de placards. D'ailleurs nous sommes loin de tout remplir puisque nos affaires tiennent à l'aise dans deux malles. Demander où se trouve le marché, c'est fait. Gertrude m'a dit qu'il était à deux pas d'ici, de l'autre côté de la Grande Rue. Nous n'avons pas encore besoin de faire de courses, nos amies nous ont laissé assez de denrées, du lait, des œufs, pour une semaine. Écrire aux Sandler et aux Schmidt, c'est fait. Je me suis réveillée à 6 heures ce matin et je m'en suis occupée.

— J'espère que tu n'as pas appris aux Schmidt ce qui... était arrivé avec Joël...

— Ton mariage, tu veux dire ?

Le mot « mariage » la fit tressaillir. On aurait cru que Lore insistait par provocation, alors qu'elle n'y songeait sûrement pas. N'empêche, Caroline aurait préféré qu'elle utilise ce mot un peu moins souvent.

— Si, par chance, les Schmidt parvenaient à retrouver papa et maman... je ne voudrais pas qu'ils apprennent ce qui s'est passé par quelqu'un d'autre.

— Je n'ai rien dit, et je ne dirai pas un mot.

— Il faut que ce soit moi qui le leur explique.

Comme si cette grotesque mascarade pouvait jamais s'expliquer à des gens comme son père et sa mère !

Mais quelle importance, si elle avait la chance de les revoir un jour ?

— Bien, c'est tout pour l'instant, déclara Lore en se levant. Il est 8 h 10, je ferais mieux de me dépêcher. Le docteur Schulman – pardon, Alfred, je n'arrive pas à m'y faire –, Alfred a remué ciel et terre pour moi. Il a pris un jour entier de congé pour me conduire à Buffalo. Et il est arrivé à me décrocher un rendez-vous d'urgence chez un spécialiste. Gratuitement, en plus. Ce sont des anges, ces gens.

Caroline, qui d'ordinaire osait à peine aborder le sujet, ne put s'empêcher de demander dans combien de temps le verdict allait tomber.

— Les résultats de la biopsie peuvent aller très vite si on active la procédure. Je suis sûre que nous serons fixés ce soir, quand je rentrerai.

Courageuse, Lore se prépara pour cette visite, mettant calmement son chapeau, ses gants. Ses vêtements, offerts par la mère de Caroline, ne manquaient pas d'élégance, et pourtant elle se débrouillait pour avoir l'air mal fagotée avec son rouge à lèvres trop vif, ses bas de la mauvaise teinte, sa gaucherie. Une fois de plus, Caroline songea que Lore n'avait pas mérité ce qui lui avait été donné en partage par la nature, ou, plutôt, ce qui lui avait été refusé. Et elle ne méritait certainement pas non plus la maladie qu'on allait peut-être dépister.

Sentant ses yeux s'emplir de larmes, elle se détourna.

— J'aurais préféré que tu me laisses t'accompagner, murmura-t-elle.

— Ce n'est pas la peine. Reste ici, repose-toi si tu peux. Tiens, à propos, Joël est sorti tôt pour voir le boulanger italien qui lui propose un emploi. S'il rentre, il y a de quoi faire un sandwich dans le compartiment à viande. Bien, j'y vais, je vais attendre devant la maison.

« Un sandwich... Elle me parle comme si je devais remplir des devoirs d'épouse. Mais je ne suis pas sa femme. Nous ne formons pas une famille. Quel cauchemar ! »

Maintenant, elle avait toute une journée à attendre sans rien à faire, et aucun sujet de réflexion heureux pour s'occuper l'esprit. Elle resta postée à la fenêtre jusqu'au départ de Lore dans la voiture du docteur Schulman. Ensuite, elle alla choisir un livre sur l'étagère ; n'y trouvant aucun intérêt, elle le rangea. Elle n'était pas d'humeur à lire. Elle se sentait comme une horloge qu'on aurait oublié de remonter. Ou plutôt, ses rouages s'étaient affolés et elle sonnait les heures sans s'arrêter.

Elle prit un chapeau dans la penderie. Mais, se rappelant qu'on était en automne et qu'on ne pouvait porter un canotier en toute saison, elle le remit en place. Après l'avoir remplacé par un chapeau de feutre brun – pas le bleu, car en automne on ne portait jamais de bleu marine –, elle descendit puis sortit.

La rue était déserte, hormis la voiture à cheval du laitier, au coin. Les femmes faisaient leur ménage, les enfants étaient à l'école et les hommes à leur travail. Elle devait trouver un emploi, mais elle ne savait pas ce qu'elle pourrait faire ni ce que la ville offrait. La meilleure façon de le découvrir était de commencer sa recherche tout de suite.

Il ne lui fallut qu'un seul tour de la Grande Rue, un trottoir à l'aller, l'autre au retour, pour se rendre compte qu'Ivy manquait d'animation. À l'épicerie, où elle acheta un peigne de poche et du dentifrice, elle engagea la conversation avec le caissier. Non, il n'y avait pas beaucoup d'emplois pour les femmes à Ivy, sauf par exception, parfois, dans les boutiques pour dames. Et celles qui les décrochaient ne les lâchaient pas souvent. Naturellement, les emplois de la fabrique de machines agricoles et de l'usine d'engrais, à la sortie de la ville, étaient réservés aux hommes.

Caroline continua sa promenade dans les rues tristes, passa devant la banque, les trois églises, les deux écoles. Au monument aux morts, elle s'arrêta, lut tous les noms, la peine au cœur, se sentant proche de ces garçons qui avaient grandi dans des fermes, dans une petite ville, qui n'étaient peut-être même pas allés jusqu'à Buffalo, mais qu'on avait envoyés de l'autre côté de l'océan dans des pays inconnus pour qu'ils y meurent. N'arrivant pas à partir, elle lut et relut ces noms dans une sorte de transe.

Au bout d'un moment, elle finit par repartir vers la maison où elle vivait à présent. L'horrible vague de panique qui l'avait submergée la veille revint d'un coup, avec l'affreuse sensation que rien n'était réel. Elle fut saisie par la peur de s'évanouir, ou de se mettre à appeler au secours comme une folle, en pleine rue.

Elle s'assit sur un banc, devant la quincaillerie, pour tâcher de se reprendre et de contrôler sa terreur. Des gens défilèrent devant elle, des passants ordinaires qui se ressemblaient tous. Puis une femme enceinte avec un gros ventre entra dans son champ de vision, portant une nouvelle vie, un nouveau citoyen pour Ivy, USA. « L'enfant que j'apporte à cette ville, songea Caroline, a été conçu en Suisse, par le fils d'un Berlinois brutal et arrogant, au crâne rasé. » Elle eut un petit sourire amer en imaginant l'indignation de cet homme s'il savait où s'étaient enracinés ses gènes.

À son retour à Sycamore Street, Gertrude l'appela de la véranda.

— Venez vous asseoir avec moi ! J'ai fait un gâteau et je vais chercher le café. Je n'arrive pas à me priver de sucreries. Ça fait grossir, mais je ne peux pas m'en empêcher. À quoi ça me servirait de suivre un régime ? Je n'ai pas de soupirant...

Elle s'interrompit pour rire, puis reprit :

— Allez, prenez le fauteuil à bascule. Profitez des derniers jours de beau temps. Après, vous n'aurez plus l'occasion de vous asseoir dehors d'ici mai, et encore. Et vous avez beaucoup de choses à me raconter, je meurs de curiosité.

Caroline n'en doutait pas un seul instant. C'était normal.

D'ailleurs sa logeuse avait l'air d'une vraie pipelette. Il fallait se préparer à un assaut de questions.

— Ah ! que je vous dise, d'abord. Pendant votre absence, votre mari est revenu pour enlever son costume et passer des vêtements de travail. Il a été pris à la boulangerie Ricci. Je m'en doutais. Anthony n'est plus tout jeune et son fils est à l'armée. De toute façon, il n'aimait pas la boulangerie. Votre mari est arrivé au bon moment.

— Tant mieux, répondit Caroline.

Un tel manque d'enthousiasme ne pouvait passer inaperçu.

— Mais c'est qu'il a de la chance, vous savez ! Avec la crise, quelqu'un qui vient de descendre du bateau et qui sait à peine l'anglais...

— Oui, mais il fait des progrès très vite. Je leur donne des cours, à lui et à Lore.

— Et où avez-vous appris si bien l'anglais ? On dirait que vous venez d'Angleterre. Vous parlez comme Churchill à la radio.

Aux Sandler, il n'avait pas été trop difficile de dire la vérité, mais l'intense curiosité qu'elle lisait sur ce visage de poisson la poussa à la prudence.

— J'ai appris à l'école. Notre professeur d'anglais était britannique.

— Alors Joël – j'espère que ça ne vous ennuie pas que j'appelle votre mari par son prénom –, alors, dans ce cas, Joël n'a pas dû aller dans la même école.

— Nous n'étions pas dans la même ville. Votre gâteau est délicieux.

— Merci. Reprenez-en. Vous vous êtes rencontrés en Europe ?

— Non, ici.

L'association d'aide aux réfugiés avait dû fournir quelques détails sur eux. Mais la date du mariage ? Il ne s'agissait pas d'en dire trop, au cas où Lore et Joël auraient déjà répondu à des questions. Dès ce soir, il faudrait à tout prix mettre au point en commun un mensonge plausible. En attendant, elle était coincée. Elle avait intérêt à terminer son café le plus vite possible et à remonter chez elle.

— Il a quitté l'Europe un peu avant moi. Nous nous sommes rencontrés ici, c'est tout simple.

— Alors ç'a été le coup de foudre ?

Caroline ne répliqua que par un sourire faussement pudique.

— Et vous allez avoir un bébé américain. C'est drôle, les derniers locataires attendaient aussi un enfant. Enfin, leur fille était enceinte. Elle n'était pas mariée... une traînée. Les pauvres parents, je les plains. Ils étaient bien, eux. Le gens d'ici prétendaient que c'était leur faute, mais pas moi, c'est ridicule. C'est la faute de la fille, de personne d'autre. Vous ne croyez pas ?

— Si.

Le fauteuil à bascule de Gertrude se balançait d'avant en arrière, grinçant au rythme de ses remarques.

— Oui, c'est bien agréable de voir un gentil petit couple comme ça, avec la vie devant soi, et un bon emploi qui leur tombe tout cuit dans la bouche.

— Oui, ça tombe bien, en effet.

— Joël m'a dit qu'Anthony lui avait montré comment faire un pain italien, et qu'il était arrivé à le refaire tout de suite sans aucun mal. Les gens d'ici se sont mis à la cuisine italienne, ça change.

Caroline reconnut que cela permettait, en effet, de varier les plaisirs.

Malheureusement, Gertrude embraya sur un nouveau sujet de conversation.

— Emmy nous a dit que vos parents étaient encore là-bas. J'ai des cousins éloignés en Allemagne, moi aussi. Je ne ferme jamais l'œil sans penser à eux. Mais je ne me laisse pas démoraliser. Je suis sûre qu'ils vont réussir à sortir. Vous aussi, vous devez garder espoir.

— J'essaie.

Pour éviter le regard inquisiteur, elle tourna la tête vers le gazon mal entretenu où se poursuivaient deux écureuils.

— Il paraît que votre père est médecin... ?

Pourquoi ce ton interrogateur, alors qu'elle connaissait déjà la réponse ?

— Oui, c'est ça.

— Comme vos parents seront heureux, en arrivant, de vous trouver avec un bon mari, un garçon sérieux et travailleur comme Joël !

« Mais qu'elle le dise directement, elle n'a qu'à me demander tout de suite pourquoi j'ai épousé un boulanger ! Comme si je ne comprenais pas ce qu'elle veut dire, comme si nous n'avions pas tous conscience de l'importance des classes sociales ! »

— Lore et moi, nous essayons de ne pas nous faire trop de souci, mais c'est dur.

— Lore est très sympathique. Il paraît que ce n'est pas votre vraie sœur.

— Mais si, c'est ma sœur.

— Elle est adoptée, je veux dire. Et ce qui est bien, c'est que même si elle n'est pas juive, elle n'est pas du tout antisémite. C'est important, de nos jours, si vous voyez ce que je veux dire.

Caroline, qui sentait poindre une migraine, ne fit aucun commentaire.

— Enfin, comme vous dites, c'est votre sœur. Mais les adoptions ne marchent pas toujours aussi bien. Prenez ma Victorine. Je l'ai depuis qu'elle a trois ans. Je l'ai recueillie parce qu'il n'y avait personne d'autre qui voulait d'elle. Je ne pouvais pas avoir d'enfant. On m'a tout enlevé juste après mes trente ans. Ça n'a pas été facile, je vous prie de me croire. C'est une gamine qui a ses humeurs, une vraie bourrique. La gratitude, c'est un mot qu'elle ne connaît pas. Et en plus elle ne s'applique pas du tout à l'école.

Gertrude poussa un soupir auquel le fauteuil à bascule répondit par un gémissement inquiétant, comme s'il allait s'effondrer sous elle.

— Tiens, ça me donne une idée, vous savez le français ?

— Mais oui, je le parle bien.

— Alors peut-être que vous pourriez l'aider pour qu'elle ne redouble pas cette année. Je vous déduirai le montant des cours de votre loyer.

Pas étonnant que cette pauvre Victorine soit souvent de mauvaise humeur, avec une telle harpie pour mère adoptive ! La première impulsion de Caroline fut de refuser tout paiement, elle se dit ensuite que ce serait un moyen pour elle de contribuer aux frais.

— Je donnerai des cours à Vicky avec plaisir.

Gertrude eut l'air satisfaite, puis elle pensa à autre chose.

— Est-ce que Lore est malade ? Vicky a entendu Emmy Schulman dire qu'elle allait voir un médecin à Buffalo.

— Ce n'est peut-être qu'une fausse alerte.

Caroline se rendit compte qu'elle masquait de plus en plus mal son impatience. Par chance, le bruit de grosses gouttes de pluie qui s'écrasaient sur l'auvent lui fournit une bonne excuse pour rentrer.

— Je crois que j'ai laissé les fenêtres ouvertes, je me sauve. Merci pour le café.

Elle essaya de reprendre un livre, mais, une fois de plus, elle fut incapable de se concentrer sur des sujets qui ne la concernaient pas. Épuisée, elle s'allongea. « Ce n'est pas une fatigue physique, songea-t-elle, c'est dans ma tête. » Mais on ne pouvait guère séparer corps et esprit.

Le crépitement monotone de la pluie, de plus en plus rapide, la berçait. Fermant les yeux, elle tenta de s'échapper du temps présent, s'obligeant à retrouver les années heureuses de son enfance, avant la malédiction qui s'était abattue sur son pays. Elle revit un village de montagne où des traîneaux tirés par des chevaux parcouraient les rues enneigées, au son de leurs clochettes, un jardin italien perché sur une falaise au bord de la mer, ou...

Un bruit de pas dans l'escalier la réveilla en sursaut. Son cœur bondit dans sa poitrine. Il faisait nuit, il devait déjà être tard. Dans un instant, la porte de sa chambre allait s'ouvrir et Lore entrerait pour lui annoncer le verdict : mauvais... très mauvais... ou peut-être même trop mauvais pour en parler. Son cœur battait à se rompre.

Mais non, ce n'était que Joël qui entrait à pas lourds dans la cuisine. Si elle était gentille, elle se lèverait pour lui parler de son nouveau travail, ce serait la moindre des choses. Ils ne s'étaient pas trouvés seuls une seule fois depuis la cérémonie monstrueuse, malhonnête, qui les avait « unis ». Il faudrait bien qu'ils se retrouvent un jour en tête à tête ; après tout, Lore ne pouvait pas toujours rester entre eux. Le plus bizarre, c'était qu'elle n'avait éprouvé aucune difficulté à converser tout naturellement avec lui avant la cérémonie, et qu'à présent elle parvenait à peine à le regarder en face.

Se pouvait-il que Joël éprouve les mêmes difficultés qu'elle ? Avec Lore, il bavardait souvent. Dans le train, en venant de New York, ils avaient discuté avec animation pendant une partie du trajet, assis l'un près de l'autre, comme si c'étaient eux les jeunes mariés. Il y aurait presque eu de quoi rire si la situation n'avait été aussi tragique.

Et puis, soudain, elle entendit de nouveaux pas, des voix, celle de Lore et celle d'un homme qui l'accompagnait, sans doute le docteur Schulman. Il était monté avec elle pour expliquer le diagnostic, pour atténuer le choc en noyant la nouvelle dans des généralités, à la manière de tous les médecins ; elle se souvenait encore de la réaction du docteur Schmidt, ce soir terrible, en Suisse, à des années lumière d'ici.

Elle se leva d'un bond et ouvrit sa porte juste au moment où ils arrivaient dans l'entrée.

— Quels ânes ! s'exclama le docteur Schulman. Le crétin de New York qui a fait ce diagnostic mérite des claques. Un cancer ! On n'a pas idée ! Nous avons attendu le résultat de la biopsie, c'est pourquoi nous sommes en retard. Ce n'était qu'une attaque virale de la parotide, les glandes salivaires.

— C'est dangereux ? demanda Caroline.

— Mais non, on ne peut plus bénin. Ça enfle, mais ce n'est rien. Le docteur Wolf n'en revenait pas qu'on ait pu croire à un cancer. Il était formel, même avant la biopsie. Même un étudiant de première année n'aurait pas commis cette erreur, d'après lui.

Le soulagement déferla sur Caroline comme une vague, de sa tête jusqu'à ses pieds. Elle regarda Lore qui rayonnait.

— Alors tu n'es pas malade, c'est vrai ? Tu n'as rien du tout ?

— Rien du tout. C'est fou, non ?

— Ce que je suis heureuse ! Tu ne peux pas savoir !

Elles se jetèrent dans les bras l'une de l'autre en riant et en pleurant à la fois, pendant que Joël et le docteur Schulman s'indignaient de la terreur qu'elles avaient éprouvée pour rien.

— Je ne comprends pas comment on a pu leur dire ça.

Le médecin haussa les épaules.

— Heureusement, ça n'arrive pas trop souvent. En tout cas, mademoiselle Lore, vous êtes tirée d'affaire. Maintenant, vous pouvez vous installer comme il faut et vous reposer. Vous avez grand besoin de souffler un peu.

Dans la grande chambre à coucher, Lore s'était installée à un petit bureau pour écrire son interminable journal pendant que Caroline, appuyée contre ses oreillers, réfléchissait. La douce averse était devenue un vrai déluge dont le bruit mélancolique étreignait le cœur. À présent que la grande joie de la nouvelle s'estompait, l'angoisse revenait.

« Lore est beaucoup plus en forme que moi », se dit-elle. Caroline en était à son troisième mois de grossesse, et sa taille commençait tout juste à s'épaissir. De l'extérieur, la transformation restait invisible, mais elle la percevait. Et, allongée sur son lit, une main sur son ventre en mutation, elle sentit une grande et étrange colère l'envahir.

C'était par peur et par pitié pour Lore qu'elle se retrouvait dans cet appartement déprimant, et qu'elle vivait cette situation insupportable. Devant elle, elle voyait la penderie étroite où était pendue la robe qu'elle avait portée à son mariage d'opérette. Dès demain, elle la jetterait, ou elle la donnerait, elle ne voulait plus la voir, plus y penser. Comment avait-elle pu prendre cette décision ? Et tout ça pour rien, parce qu'un dentiste imbécile s'était trompé ! Sans avoir rien prémédité, elle éclata :

— Pourquoi m'as-tu forcée à faire ça, Lore ?

Celle-ci posa son stylo et pivota sur sa chaise.

— Comment ça, je t'ai forcée ?

Caroline désigna son alliance.

— Pourtant, tu savais que je n'en voulais pas !

— Je ne vois pas ce que tu me reproches. Je n'y suis pour rien.

— Mais si ! Maintenant que nous sommes là et que tu vas bien, nous pourrions très bien nous débrouiller sans... sans lui. Après la naissance du bébé, j'aurais pu prendre du travail quelque part. J'aurais bien fini par trouver. À nous deux, nous y serions arrivées. Le seul obstacle, c'était ta santé.

— Tu crois ça, toi ? Tu penses vraiment qu'on voudrait de nous ici sans Joël ? Mlle Caroline Hartzinger, fille mère ! Tu imagines la tête des gens ?

Cet argument fit taire Caroline. Elle ne se souvenait que trop bien de Gertrude, cet après-midi même.

— Sois juste, reprit Lore, je n'étais pas si emballée que ça par ce faux mariage, je te jure. Mais sur le moment, et même maintenant, ça me semble quand même une solution, et pas si idiote que ça.

Caroline éclata en sanglots, vaincue, sa brève colère évanouie.

— Tu comprends, je ne sais pas combien de temps je vais tenir, dit-elle entre ses larmes. Je fais de mon mieux, mais je me sens mal. Tu ne vois pas que je suis malade ? J'ai peur de ne jamais revoir papa et maman, ajouta-t-elle, éperdue. Je n'aurais jamais cru qu'on atterrirait un jour dans un endroit comme ça ! Tu ne trouves pas ça horrible, toi ?

Lore posa les mains sur la tête de Caroline. Elle se mit à la masser doucement, régulièrement, pour lui détendre le cou, le dos. Sa voix, comme toujours, avait un effet apaisant.

— Tu as pris la bonne décision, Caroline, pour toi et pour le bébé. Il n'a pas demandé à naître, ma chérie. Et qui peut prévoir l'avenir ? On ne sait jamais ce qui peut se passer, comme avec Hitler, ou Walter. Nous devons réagir, nous faire une vie, et nous verrons bien ce qui arrivera. Je suis là. Je te protège. Je me charge de tout.

L'automne fut précoce, offrant un avant-goût d'hiver. Un jour, une neige fine apportée par le vent du nord recouvrit les dernières feuilles brunes et parcheminées. Puis elle fondit, laissant derrière elle la promesse d'un prompt retour. De grandes vagues agitaient la surface glaciale du lac, spectacle mélancolique pour Caroline, qui se tenait immobile, silhouette solitaire à cette heure matinale. Elle avait pris l'habitude de se promener jusqu'au bord du lac où se dressaient, de l'autre côté de la route, les demeures des citoyens importants d'Ivy. Le docteur Schulman faisait partie de ces heureux élus.

— Je savais bien que je vous avais reconnue l'autre matin sur la berge, remarqua-t-il. C'était bien vous, avec le manteau rouge ?

Son manteau avait été acheté en Suisse avec Walter, en prévision de leur départ pour l'Amérique. Il aimait beaucoup le rouge.

— C'est excellent de prendre de l'exercice. Vous vous promenez souvent toute seule ?

— J'aime la solitude.

Il l'observait. Habituée aux questions de son père, elle se dit qu'il avait compris sa mélancolie. Enfin, le mot « désespoir » aurait peut-être mieux décrit son état d'esprit.

— Je sais que vous vous faites beaucoup de souci pour votre famille, continua-t-il. Vous traversez une période très difficile, et c'est d'autant plus dur que vous devriez pouvoir profiter pleinement du bonheur d'attendre un enfant.

Il n'en reviendrait pas, ce brave homme, si elle lui disait à quel point elle n'avait pas envie de ce bébé, à quel point elle redoutait sa naissance.

— Le meilleur antidote à l'angoisse, comme vous le savez probablement, c'est de s'occuper et de voir du monde.

— C'est ce que je fais. L'après-midi, je donne des cours de français.

Vicky avait trouvé deux amies qui voulaient aussi des cours particuliers. Caroline adorait ces quelques heures qui lui permettaient de s'échapper pour retourner dans une France qui, dans son imagination, restait éternellement fleurie.

— Ce doit être beau, j'adore quand vous en parlez ! s'était écriée Vicky, qui n'avait rien d'une enfant difficile, mais était simplement très malheureuse.

Le docteur Schulman sembla satisfait par sa réaction.

— C'est bien. Très bientôt, vous n'aurez plus à chercher d'occupations ! Vous préférez une fille ou un garçon ?

Il essayait de lui arracher un sourire, mais il n'y parviendrait jamais, pas plus qu'elle n'arrivait à changer les idées de la petite Vicky. Enfin, cela partait d'une bonne intention. Elle donna la réponse qu'il attendait d'elle.

— Ça m'est égal, du moment que c'est un beau bébé en bonne santé.

— Parfait !

Pour certains, la vie était toute simple. Le docteur Schulman menait une existence tranquille, dans une belle maison. Sur son bureau était posée une photo de ses enfants et de sa jolie femme. Il y avait fort à parier qu'ils étaient amoureux.

Elle prit le chemin du retour. La maison des Schulman était la dernière d'une rue qui faisait face au lac. Des gens charitables, gentils. Emmy et les amies qui l'avaient aidée à installer l'appartement les avaient accueillis chaleureusement. Elles avaient invité le nouveau couple, sans jamais oublier Lore, à dîner et à déjeuner.

« Nous devons les décevoir, songea-t-elle, parce que nous n'acceptons pas toujours, même si Joël et Lore ont de bonnes excuses. » En effet, grâce à Alfred Schulman, Lore travaillait cinq après-midi par semaine chez un invalide ; quant à Joël, il était employé à plein temps à la boulangerie et commençait à 5 heures tous les matins. Caroline, de son côté, donnait ses cours de langues tous les après-midi, mais elle était libre à l'heure du déjeuner, et Emmy le savait parfaitement.

— Si tu refuses chaque fois, avertissait Lore, elles finiront par ne plus t'inviter.

— J'y vais quand même de temps à autre.

— On sent que ça ne t'enchante pas. Elles risquent de croire que tu n'apprécies pas tout ce qu'elles ont fait pour nous.

Lore avait raison. Au cours des généreux déjeuners organisés par Emmy, elle prenait peu part à la conversation et ne faisait pas attention à ce qui se disait. Un jour, elle se rendit compte qu'une des convives s'était mise à lui parler en haussant la voix, supposant qu'elle entendait mal. Elle avait beau essayer d'être sociable, elle jouait le rôle de la jeune épouse avec la plus grande difficulté. L'une des amies d'Emmy lui avait présenté sa fille, une jeune femme au joyeux caractère, à peine plus âgée qu'elle, dans l'espoir évident qu'elles se lieraient d'amitié. Elles étaient mariées, l'une avait un bébé et l'autre en attendait un : toutes les conditions semblaient réunies.

Ces pensées occupèrent Caroline pendant sa promenade quotidienne de cinq kilomètres. Elle tenait à prendre de l'exercice pour le bébé, car, même si elle ne le désirait pas, elle ne se sentait pas le droit de mettre sa santé en danger. Il fallait savoir dissocier le corps et l'esprit.

En passant devant la boulangerie de M. Ricci, elle vit les clients qui prenaient leur numéro au comptoir pour se faire servir. Mme Ricci, Angela, servait dans la boutique. Sa corpulence et sa joie de vivre lui donnaient l'air maternel, et ce n'était pas qu'une apparence. La semaine précédente, elle leur avait apporté un vrai dîner italien, tout chaud. Elle aimait bien Joël. Anthony aussi, d'ailleurs. Alfred Schulman l'appréciait beaucoup, également. En fait, tout le monde aimait toujours Joël...

Elle remarquait qu'il devenait plus proche de Lore. Ils avaient l'air de se connaître depuis longtemps, parfois même d'être parents, comme des cousins lointains d'une famille dispersée qui se retrouvent après une longue absence et essaient de vivre ensemble. C'était ridicule.

Pourtant, parfois, en les observant, malgré l'absurdité de la situation, elle les admirait malgré elle. Par exemple le soir, quand Lore tricotait l'un de ses éternels pull-overs, la radio réglée sur la station classique, suivant doucement le rythme d'une musique romantique comme elle les aimait, valses de Chopin ou rhapsodies de Liszt, tandis que Joël ajoutait une étagère dans la minuscule cuisine. Au moins, ils essayaient de tirer le meilleur parti de la situation. Et ce trio mal assorti subvenait à ses propres besoins sans rien demander à personne.

Mais ils joignaient à peine les deux bouts, et Lore, en cela aussi, avait eu raison. Sans Joël, elles auraient dû avoir recours à la charité d'autrui. Lore lui répétait sans cesse qu'elle devait être un peu plus reconnaissante envers lui.

— Surtout étant donné les circonstances. Et en plus il ne t'embête pas. Il ne t'adresse même quasiment jamais la parole. C'est à peine s'il te voit.

— Je sais, mais ce n'est pas agréable de vivre dans un petit appartement avec quelqu'un qu'on ne connaît pas, comme si nous hébergions un pensionnaire. C'est déplaisant de partager son intimité, d'être obligée de sortir de la salle de bains en peignoir.

— Il ne s'en rend même pas compte, je te jure.

— Eh bien moi, si ! D'ailleurs qu'est-ce qui te dit que ça ne le gêne pas aussi ?

Souvent, malgré le bruit du marteau, elle l'entendait fredonner sans fin le même couplet mélancolique d'une chanson qu'elle ne connaissait pas. Lore avait raison, elle devait être un peu plus aimable avec lui. Elle s'étonnait d'avoir pitié de lui tout en jugeant difficile de se lever et de traverser la pièce pour lui adresser quelques mots.

Prenant le prétexte d'un verre d'eau qu'elle allait se verser, elle s'était approchée de lui.

— Tu es vraiment gentil de te donner tout ce mal.

— C'est normal, nous avions besoin d'étagères.

Il avait l'air mal à l'aise, comme elle. Verre en main, elle était retournée dans le salon, se sentant coupable, exaspérée par tout ce qui l'entourait, y compris par elle-même.

De temps à autre, elle l'avait surpris les yeux fixés sur elle, et il s'était hâté de détourner la tête. Elle se demandait comment il satisfaisait ses désirs. Les hommes pratiquaient rarement le célibat. Une pensée répugnante l'assaillit : après la naissance du bébé, voudrait-il l'obliger à... ? Après tout, ils étaient mariés. Le certificat se trouvait là, dans le premier tiroir de la commode, parfaitement légal, on ne pouvait plus explicite.

Après avoir ôté son manteau, elle alla le relire et Lore ouvrit la porte pendant qu'elle le tenait encore.

— Je suis allée faire quelques courses avant de m'occuper de mon vieux patient. Pourquoi lis-tu ça ?

— Je ne sais pas. Peut-être pour me torturer encore un peu plus.

— Je ne sais pas si tu te tortures, mais ça ne se voit pas du tout. Tu es même resplendissante, comme beaucoup de femmes enceintes.

— J'ai les joues roses parce que je viens de sortir et qu'il y a du vent, Lore, je ne suis pas resplendissante. J'ai l'impression d'être à moitié morte à l'intérieur, mais tu t'en fiches.

— C'est faux. Nous le savons très bien, Joël et moi, et nous voulons t'aider tous les deux. Ne t'en fais pas, nous sommes là.

— Alors comme ça, vous parlez de moi derrière mon dos ?

— C'est un garçon très bien, Caroline, et il est plus intelligent que tu n'as l'air de le croire.

Tournant le dos à Lore, elle regarda en bas, dans le jardin. D'ici à quelques mois, elle serait assise là, à surveiller le bébé de Walter. Elle laissa échapper un cri involontaire :

— Je n'en veux pas, je le déteste ! Je vous déteste tous !

— Je sais, répondit Lore doucement, mais c'est Walter que tu détestes. Ne te venge pas sur le bébé ni sur Joël.

— J'essaie, mais ce n'est pas facile.

— Écoute, viens passer un peu de temps avec nous dans le séjour après le dîner. Tu t'es isolée toute la semaine, à préparer tes cours dans ta chambre. Ce n'est pas bon de te tenir à l'écart comme ça.

Caroline lui jeta un coup d'œil reconnaissant. Comme Lore était attentive ! Elle lui devait tant... et pourtant elle ne lui rendait pas la tâche facile.

— C'est bon, je viendrai, dit-elle.

Une délicieuse odeur de gâteau au chocolat en train de cuire flottait dans le séjour. Lore huma l'air.

— Que ça sent bon ! J'ai donné des recettes à Joël, Caroline, tes préférées. La tarte au chocolat, et le strudel aux prunes. Il ne s'y connaît pas du tout en pâtisserie, mais il a suivi mes instructions à la lettre et M. Ricci l'a beaucoup félicité. Ils ont vendu tout ce qu'il a préparé aujourd'hui. C'est bien, non ?

La lampe éclairait le visage satisfait de Joël, avec ses bonnes joues roses, mais la fatigue laissait ses traces. Comme s'il n'était pas là, Lore continua, racontant l'histoire à sa place.

— Joël a suggéré à M. Ricci d'essayer plus de variété, au lieu de se cantonner aux produits italiens. Il voudrait se lancer dans la pâtisserie française qui pourtant est plus difficile. C'est même très compliqué, mais il pense que le marché pourrait se développer. C'est bien ça, Joël ?

Il fit un signe d'assentiment. Caroline eut l'impression qu'il était soit sur le point de s'endormir, soit plongé dans des pensées très lointaines. Il devait être hanté par ses souvenirs.

C'était leur cas à tous les trois, réfugiés ici, dans cette pièce exiguë. Contre un mur, là où chez elle se dressait une grande bibliothèque d'acajou, le gros canapé sur lequel dormait Joël occupait toute la place. Il était neuf et propre, mais laid. Dans le coin, près de la fenêtre, là où elle aurait dû voir le piano à queue, elle apercevait une commode massive. Sur le dessus se côtoyaient deux photos dans des cadres d'argent : son père la regardait avec un léger sourire, et sa mère, sereine, portait une robe de velours noir. Caroline poussa un soupir.

Joël dut l'entendre, car il se tourna vers elle.

— Tu devrais arrêter de penser autant au passé.

Elle fut surprise par ce commentaire. C'était la première fois depuis des semaines qu'il s'adressait directement à elle.

— Je suis désolée d'être de si mauvaise compagnie, répondit-elle à voix basse. Ce n'est sans doute pas facile à comprendre, mais... tout me paraît gris. Ça doit sembler bizarre si on n'a jamais ressenti ça.

Comme il ne disait mot, elle continua, toujours très calme :

— Tu es le seul à gagner un vrai salaire, dans cette maison. Nous sommes une charge pour toi. C'est dommage, tu t'en sortirais beaucoup mieux sans nous.

— Je ne me plaignais pas, et je n'ai aucune intention de le faire. Mais si ça ne vous ennuie pas, je vais me coucher. Je dois me lever très tôt et je suis fatigué.

Elles se levèrent aussitôt et quittèrent la pièce.

Son charme, pensait-il, comment lui faire retrouver son charme ? Dès le premier instant, il avait été saisi par sa beauté, par sa voix, par tous les mots qui avaient franchi ses lèvres. Il se souvenait exactement de tout ce qu'elle avait dit. Et sa blancheur de marbre, de lait, de lilas blanc. Et puis ses yeux, si grands, si mystérieux. Mais son regard ne lui communiquait rien, ne renvoyait que de l'indifférence, ou même du dégoût. Quel idiot il avait été de croire que lui, Joël Hirsch, il pourrait avoir quelque chose à offrir à une femme comme elle ! Il n'avait pu que la sauver du déshonneur en lui donnant son nom. Mais jamais elle n'avait joué la comédie, jamais elle ne lui avait menti. Non, c'était sa faute à lui, et il aurait eu tort de se mettre en colère maintenant.

Un jour, il avait demandé à Lore de la lui décrire avant, dans sa vie passée, avant la tragédie. « Charmante », avait-elle répondu. Caroline avait été charmante, vive, affectueuse, curieuse de tout, aimant apprendre et entreprendre.

Parfait, mais cela ne lui servait pas à grand-chose. Au contraire, c'était pire de le savoir car, en plongeant dans le désespoir, elle s'était métamorphosée. Le malheur l'avait détruite, comme un tableau qu'on ne peut plus restaurer, un livre aux pages arrachées, un violon brisé.

« J'ai commis une erreur, je dois accepter de le reconnaître, se dit-il, allongé sur le canapé inconfortable. Je la voulais pour moi, je la désire toujours, mais ce n'était qu'un rêve d'imbécile, un espoir impossible.

« Je l'aiderai jusqu'à la naissance de l'enfant, pauvre bébé dont personne ne veut, et jusqu'à ce qu'elles puissent subvenir à leurs besoins. Cela ne devrait pas prendre trop longtemps. Et ensuite nous mettrons fin à la mascarade. »

Par les fenêtres du second étage de l'hôpital, on voyait le sommet des arbres encore nus qu'agitait un vent de printemps.

— Un jour magnifique pour rentrer chez soi, remarqua Lore, mais il fait très froid. Je t'ai apporté ton gros manteau rouge et trois couvertures pour emmailloter le bébé.

Un vague sourire jouait sur les lèvres de Caroline, comme si elle était en transe, ou encore mal réveillée. Elle se sentait soulagée maintenant que son gros ventre – car, comme Lore l'avait prédit, elle était devenue énorme – avait repris sa taille habituelle. Pour la première fois depuis des lustres, elle avait bien dormi.

— C'est beau, la jeunesse, avait déclaré le médecin. Plus les femmes sont jeunes et mieux ça se passe.

— Pas toujours, protesta Lore.

Elle aimait contredire les médecins, car elle se méfiait à présent des erreurs médicales. « Ça existe, j'en suis un exemple vivant. »

Peu importait. C'était fini, et l'effondrement moral que Caroline avait tant redouté ne s'était toujours pas produit. Tout du moins, pas encore...

— Tu as l'air à moitié endormie, remarqua Lore.

— L'inaction doit me réussir.

— J'espère que tu en as profité, parce que c'est fini, la belle vie. Regarde-la. Elle se réveille.

Sur le lit, le bébé attendait qu'on l'habille pour sa première expédition dehors, les yeux grands ouverts, ses petits poings serrés.

— L'infirmière voulait me montrer comment m'y prendre, déclara Caroline, mais je lui ai dit que tu le ferais à sa place.

— C'est tout simple. Le plus important, c'est de bien lui soutenir la tête quand on la porte. Joël va arriver d'une minute à l'autre. Les Ricci nous ont prêté leur voiture pour venir te chercher. Tiens, le voilà.

Il s'arrêta sur le seuil, hésitant.

— Les Ricci m'ont donné la journée entière, annonça-t-il, emprunté.

— Viens la regarder, proposa Caroline en prenant le bébé dans ses bras, attentive à lui appuyer la tête contre son épaule.

— Mais elle est blonde ! s'exclama Joël.

Il voulait sans doute dire que son géniteur devait être blond.

— Mon père a les cheveux clairs.

— Oui, renchérit Lore. Notre père est très bel homme. Elle va peut-être ressembler à son grand-père.

— Elle me regarde ! s'exclama Caroline.

— Pas vraiment, les nouveau-nés ne voient pas encore net, intervint Joël.

Lore opina :

— Tu as raison. En général, les gens ne savent pas ça.

— Tu sais, je suis l'aîné d'une vaste famille. Chez moi, il y avait toujours un bébé.

Caroline, elle, n'avait jamais tenu de nourrisson de sa vie. Son bébé ne pesait que 3,2 kilos, mais elle le sentait bien compact dans ses bras, et il était tout chaud. Les petites lèvres humides se collaient dans son cou, comme pour l'embrasser.

— Elle a faim, expliqua Lore.

La gorge de Caroline s'était nouée ; elle avait envie de pleurer mais elle refusait de se laisser aller. Des pensées fusaient : « Je croyais que je le... la détesterais ; ses petits doigts s'accrochent à mon col ; si papa la voyait, il en aurait les larmes aux yeux ; il s'émeut si facilement. Et maman lui aurait déjà acheté un manteau en velours, taille deux. Maman et son amour du velours... C'est fou, moi qui étais persuadée que je ne le... la supporterais pas.

« Elle est à moi, tout à moi. C'est moi qui l'ai faite. Son sang vient de papa et maman, de ma famille, à travers moi. Elle n'appartient qu'à moi, à moi seule. »

— Écoutez-moi, tous les deux, déclara-t-elle, soudain véhémente. Je veux que vous me fassiez une promesse : jurez que vous ne lui direz jamais rien. Jamais, vous m'entendez ? Je ne veux pas qu'elle sache qui... comment elle est venue au monde.

Les deux autres échangèrent un regard surpris.

— Mais bien sûr, répliqua Lore, c'est évident.

— Quelle drôle d'idée ! s'exclama Joël. Personne ne voudrait faire du chagrin à un enfant.

Comme c'était étrange ! Sa petite fille avait sept jours tout juste, et elle rentrait chez elle, avec sa drôle de famille mal assortie, pour commencer sa vie. Oui, c'était vraiment bizarre.

— Tu lui as trouvé un prénom ? demanda Joël.

— Ève.

— Non, Eva, corrigea Lore. Eva, comme ta mère.

— En Amérique, on dit Ève. Nous sommes en Amérique, et ce sera Ève.

5

Depuis sa naissance, les gens s'étaient extasiés devant la beauté d'Ève, se souvenait Caroline. Le duvet clair s'était bientôt transformé en soie noire, et deux grands yeux sombres brillaient dans le petit visage de sa fille. Elle avait les yeux de sa grand-mère.

— Une bambina italienne ! s'exclamait toujours Mme Ricci, qui apportait des gâteries et du vin, et la dévorait de baisers.

Emmy Schulman était venue la voir, suivie de ses amies, et avait empilé de jolies boîtes enrubannées de rose sur la table.

Les Sandler envoyèrent une combinaison de neige, avec une gentille carte qui se distinguait des autres parce qu'elle ne mentionnait pas les « heureux parents ».

Gertrude, avare de compliments, s'était contentée de remarquer que le bébé avait l'air en bonne santé. Par un regrettable hasard, le matin où elle était montée, Joël avait oublié de retirer la literie du canapé.

— Ève a pleuré toute la nuit, s'était empressée d'expliquer Caroline en suivant son regard. Joël a dû dormir ici.

Lore avait tricoté une couverture de bébé jaune. Souvent, après avoir posé son livre pour donner la dernière tétée, Caroline s'arrêtait et contemplait la petite bosse ronde endormie sous cette couverture. Une angoisse terrible lui montait au cœur : la vie pourrait lui faire tant de mal... sa fille avait un héritage très lourd. Alors, doucement, elle tendait le bras pour balancer le berceau.

Joël avait construit le berceau d'Ève de ses propres mains. Il avait choisi un beau bois, soigné les assemblages, et passé la cire avec amour. Lorsque Caroline, en le remerciant, s'était étonnée d'un talent qu'elle n'avait pas soupçonné, il avait répondu avec modestie :

— Ce qu'on ne sait pas, on peut toujours l'apprendre. Les berceaux, avait-il ensuite expliqué, c'est ce qu'il y a de mieux pour les nourrissons. Il paraît que le balancement leur rappelle les mouvements du ventre de leur mère.

— Ce garçon ne cesse de me surprendre, avait confié Lore un peu plus tard. C'est la gentillesse même. Il s'occupe de la petite comme un père.

Elle le répétait un peu trop souvent ; Caroline n'avait aucun besoin qu'on le lui rappelle.

Un jour, il ramena un chiot du chenil, bâtard indéfinissable, au pelage gris et rêche et aux yeux suppliants.

— Les enfants, ça doit grandir avec des chiens, affirma-t-il. Et puis il avait l'air tout triste, dans sa cage. Il m'a demandé de le prendre.

Joël n'aurait pas dû adopter un chien sans leur en parler, pensa Caroline. Ce qui ne l'empêcha pas de laisser dormir l'animal sur ses pieds et de l'appeler Peter.

Dans le petit appartement, la vie commune avait beaucoup changé. Il y avait encore moins de place qu'avant, moins d'intimité, avec les couches qui séchaient, les biberons de minuit, et l'inévitable désordre qu'entraîne la présence d'un bébé, sans parler du chien avec ses écuelles et ses os en caoutchouc. Mais ils cohabitaient dans une indifférence toute fraternelle, comme des étudiants dans les chambres d'université. C'était du moins ce qu'imaginait Caroline...

Elle ne ressentait plus aucune gêne à l'idée qu'ils partageaient la salle de bains ou qu'elle devait passer devant le salon où il dormait. Lui, de son côté, ne semblait pas faire attention à elle. Et s'il lui lançait encore parfois des coups d'œil furtifs, elle ne s'en apercevait pas.

Lore l'accablait de reproches.

— Tu ne fais jamais attention à Joël.

— Pourquoi ? Que voudrais-tu que je fasse ? Je suis trop occupée pour bavarder des heures avec lui.

— À moi, tu as toujours le temps de parler.

— Tu n'es pas Joël.

— Tu pourrais faire un petit effort. Tu n'as pas pitié de lui, parfois ?

— Je suis toujours très aimable. Il ne me dérange pas, il me laisse indifférente. Admets qu'il y a du progrès par rapport au début.

Au fil des mois, Caroline sentit en effet qu'elle faisait des progrès. Un matin, en ouvrant les yeux, elle s'aperçut qu'elle n'éprouvait plus la terreur mêlée de désespoir qui présidait à ses réveils depuis longtemps. On aurait dit qu'un épais brouillard s'était soudain levé. Se regardant dans le miroir, elle murmura :

— Avant, je pensais être forte. Le docteur Schmidt me l'a dit le jour où tout s'est écroulé autour de moi, mais je ne l'ai pas cru. Je ne me sentais pas forte du tout, ce jour-là. Maintenant j'ai l'impression que, peut-être, je vais reprendre courage. Je le dois, pour Ève.

La situation commença à s'améliorer pour tous. D'abord, M. Ricci octroya une généreuse augmentation à Joël. Et puis, avec l'aide d'Al Schulman, Lore se prépara à repasser son diplôme d'infirmière. Enfin, grâce à Vicky qui ne demandait pas mieux que de garder le bébé, Caroline put épingler une annonce au panneau d'affichage de la poste pour proposer des cours de français et d'allemand à deux dollars de l'heure. L'afflux de demandes l'étonna. Elle fut ravie de pouvoir enfin participer à part égale aux dépenses générales. Ils sortaient du tunnel. Tout avait changé depuis la naissance d'Ève. C'était comme si le bébé avait donné une raison de vivre aux trois réfugiés qui étaient montés ensemble dans le train à New York.

Caroline tâchait de ne pas trop penser à l'avenir. Sans doute avaient-ils besoin tous les trois de cette période de répit pour respirer un peu. La suite viendrait bien assez vite.

— Il s'est passé beaucoup de choses, depuis notre arrivée, il y a deux ans, observa Joël un soir.

Cet instant resta longtemps gravé dans la mémoire de Caroline. Joël lisait le journal du soir. Lore ourlait des couches, car le service de blanchisserie à domicile coûtait trop cher. Quant à elle, elle corrigeait des devoirs de français.

Joël posa son journal.

— Oui, il s'est passé beaucoup de choses, répéta-t-il.

Dans l'atmosphère sereine de cette soirée banale, sa remarque avait rompu le silence de façon un peu inquiétante.

— Beaucoup de choses ont changé, mais d'autres n'ont pas changé du tout. Je ne sais pas... c'est trop compliqué à expliquer.

Caroline et Lore interrompirent leur travail pour se tourner vers lui, attendant qu'il poursuive. Évitant leur regard, il continua, les yeux dans le vide :

— Je voulais vous dire que je vais vous quitter. Il est temps pour moi de partir.

Il marqua une pause. On sentait que le petit discours qu'il avait préparé lui coûtait beaucoup.

— Ma vocation, ce sont les affaires. Maintenant, je parle bien anglais, grâce à toi, Caroline, et je suis prêt à me lancer. Je ne peux pas m'enterrer toute ma vie dans la boulangerie d'une petite ville de province. Ça n'a rien de dégradant, s'empressa-t-il d'ajouter, je ne juge personne. Anthony Ricci se plaît ici, je ne le critique pas, mais moi, ça ne me suffit pas. J'ai beaucoup changé depuis que nous nous sommes rencontrés. Au départ, tu as dû croire que j'étais un vrai crétin, Caroline, un bon imbécile qui s'imaginait qu'il suffisait de te passer la bague au doigt pour que tu l'aimes. Et tu avais raison. J'étais ridicule. Quand je pense à notre rencontre, je me demande comment j'ai pu ne pas remarquer à quel point tu me détestais. Tu ne m'aimes toujours pas, d'ailleurs. Ces mariages qu'on appelle mariages de convenance sont des tromperies. Non, reste, Lore...

Lore avait posé ses couches par terre et s'apprêtait à se lever.

— Je n'ai pas de secrets pour toi, reprit-il. Tu es mêlée à tout ça autant que nous.

Caroline s'était mise à trembler. On ne pouvait guère réfuter ce qu'il venait de dire, mais elle essaya quand même de protester.

— Mais je t'aime beaucoup, Joël ! Comment veux-tu que je ne t'aime pas ? Le plus attentif des frères ne se serait pas mieux occupé de moi. Et quand je pense à Ève, et à la façon dont tu...

Il leva la main pour lui imposer silence.

— J'avais une petite sœur. Le bébé de la famille. Elle s'appelait Anya. Elle avait trois ans quand on l'a abattue dans la cour de chez nous. Elle tenait sa poupée de chiffon dans les bras.

Caroline et Lore se turent, rendues muettes par cette épouvantable tragédie.

— Nous avons tous les deux traversé une période terrible, Caroline, et tu penses encore beaucoup à tes parents. Je t'en ai trop demandé. Tu ne peux pas te forcer. Je comprends. Si, crois-moi, je comprends. C'est pour cette raison que je m'en vais. Je partirai d'ici peu, ça vaut mieux.

Puis il éleva la voix ; son ton se fit plus dur. De la colère transparaissait sous son chagrin.

— Enfin, ce mariage manqué aura tout de même eu du bon : Ève a un nom.

Lore toussota en se tournant vers Caroline. On attendait d'elle une réaction, mais elle était trop saisie pour ouvrir la bouche.

— Tu vas nous manquer, Joël ! s'écria Lore. Ça va nous faire tout drôle...

— Nous serons toujours amis. Mais nous saurons à quoi nous en tenir, ajouta-t-il en se tournant vers Caroline. Nous serons de simples amis, sans faux espoirs. Pardon. Je ne sais pas bien m'exprimer.

« Au contraire, se dit Caroline, il ne s'exprime que trop bien. Et il a raison de penser qu'il a changé. Depuis deux ans, il a travaillé dur, il a minci et un peu vieilli, il a plus de caractère. Le gentil garçon aux bonnes joues rouges a disparu. Maintenant qu'il a fini ce qu'il avait à dire, il reste songeur comme un homme fatigué. Peut-être se demande-t-il ce qu'il fabrique ici, avec deux femmes si différentes des gens qu'il aimait, dans ce contexte tellement imprévu. »

Profondément émue, Caroline se leva, s'approcha de lui et lui prit la main.

— Je ne t'oublierai jamais, déclara-t-elle. Même si un jour tu vivais en Australie et nous au pôle Nord, jamais je...

— Non, tais-toi, ce n'est pas la peine, répondit-il en se dégageant doucement. Je m'en tirerai très bien, et toi aussi, tu verras.

Le dimanche suivant, elle alla jusqu'au lac avec la poussette. Ève, bien couverte pour lutter contre le froid glacial, regardait tout autour d'elle avec intérêt : un homme déblayait la neige, des mouettes planaient en poussant leurs cris stridents, et Peter, dans son manteau écossais, trottait à côté d'elles sur ses courtes pattes.

« Il fait trop froid pour se promener si longtemps », songea Caroline. Mais leur petit appartement la rendait claustrophobe, et une colère larvée, qui n'était peut-être que le fruit de son imagination, alourdissait l'atmosphère. Joël rentrait peu à la maison. Sans doute traînait-il le plus longtemps possible chez les Ricci. Il parlait beaucoup moins que d'habitude.

Bien entendu, elle n'avait jamais imaginé, et encore moins désiré, que la situation s'éterniserait. Pourtant, l'annonce de Joël lui semblait très soudaine.

— Moi, ça ne m'étonne pas du tout, déclarait Lore. Ta présence est une torture pour lui. C'est un homme, après tout... Est-ce que... est-ce que tu ne pourrais pas...

Rougissante, elle s'était arrêtée net. Elle voulait dire : « Est-ce que tu ne pourrais pas coucher avec lui ? » Mais, toujours guindée et correcte, Lore ne se résoudrait jamais à le formuler ouvertement.

« Comme si je ne le savais pas, pensa Caroline. C'est un homme, après tout... Et moi, je suis une femme, avec ses besoins à elle, qui sont, entre autres, d'éprouver de l'amour. Je désire... ressentir de nouveau du désir. »

Elle fit une halte pour regarder le lac gris, immense telle une mer intérieure. Elle eut l'impression, comme cela lui arrivait souvent, que son bébé et elle étaient minuscules avec leurs petites envies et leurs chagrins, face à ces rochers, aux vagues qui leur donnaient forme, et au vent qui façonnait les vagues.

Allons, il fallait se résigner ! Se secouant, elle fit demi-tour pour rentrer. Au coin de la rue, la voiture des Schulman la dépassa ; ils agitèrent la main. Ils seraient bien étonnés quand ils apprendraient que Joël quittait sa « petite femme » !

Lore et Joël écoutaient la radio. Ils lui firent signe de se taire quand elle rentra avec Ève. Un annonceur au ton presque hystérique donnait les nouvelles.

« Plus de trois cents bombardiers japonais ont attaqué le port. Les pertes sont incalculables. Nos vaisseaux, cuirassés, destroyers, croiseurs étaient à l'ancre... Le *Nevada*, le *California*, l'*Arizona*, entièrement détruits. Des milliers de morts, des milliers de blessés... Un désastre sans pareil.. La flotte américaine paralysée dans le Pacifique... »

Ils se regardaient tous les trois, immobiles et solennels.

— Ça veut dire que nous allons entrer en guerre, déclara Joël. Demain ce sera fait.

Ainsi s'évanouissaient pour Caroline ses derniers espoirs de retrouver ses parents. Sans un mot, elle prit Ève dans ses bras, l'emmena dans sa chambre et la coucha dans le berceau pour sa sieste. Elle resta un moment à la fenêtre, contemplant la neige sale dans le jardin triste. Elle ne ressentait rien. Puis elle se souvint d'avoir lu quelque part que les blessés jouissent de quelques instants de répit avant que la douleur ne s'empare d'eux.

Les heures passèrent comme dans un rêve. Le fils des Ricci avait péri sur l'*Arizona*. Dans la petite maison brune, derrière la boulangerie, les parents effondrés devaient supporter l'insupportable. Al Schulman avait apporté des calmants pour Angela et l'avait envoyée au lit. Anthony refusait toute aide ; il demeurait assis, paralysé et glacé, les yeux fixés sur le mur. Les visiteurs s'entassaient dans la pièce et s'avançaient sur la pointe des pieds pour lui murmurer des paroles qu'il n'entendait pas. Il ne réagit un peu que lorsque Joël s'approcha. Joël s'agenouilla près de lui, lui saisit la main et resta par terre, en silence. Anthony serra la main de Joël entre les siennes et parvint enfin à pleurer...

Plus tard, les Schulman rentrèrent chez eux, accompagnés pendant une partie du chemin par Joël et Caroline, les deux hommes ouvrant la marche, les deux femmes à l'arrière.

— Joël s'y prend vraiment bien avec les gens, remarqua Emmy. Il a une grande gentillesse naturelle. C'est une énorme qualité.

— Oui, approuva Caroline.

— J'imagine que vous ne vous en rendez pas compte, Caroline, mais vous l'avez beaucoup fait changer. Il a étonnamment mûri. Mais les pauvres Ricci ! Qui aurait pu penser qu'il y aurait encore une guerre ? À notre époque, dans ce siècle qu'on disait éclairé !

Animée des meilleures intentions du monde, elle parla sans discontinuer jusqu'à ce qu'ils atteignent le carrefour où leurs chemins se séparaient. Elle laissa Caroline avec un fort mal de tête et beaucoup de lassitude.

Elle repartit au côté de Joël. Leurs pas frappaient le trottoir au même rythme. Toute la ville était restée enfermée pour écouter les nouvelles à la radio. Ils marchaient vite et sans parler, lorsque Joël annonça brusquement :

— Je ne vais pas attendre d'être mobilisé, je vais m'engager demain. Je veux me battre, je veux absolument me battre contre eux. « Un jour d'infamie qui restera gravé dans l'histoire »... il y en a eu beaucoup d'autres, ces dernières années.

Elle ne répondit rien. Elle était bien d'accord.

Ils trouvèrent Lore dans le salon, Ève dans les bras, en train de marcher de long en large pour la calmer.

— Je ne crois pas qu'elle soit malade, expliqua-t-elle, mais elle n'arrête pas de pleurer. Elle a dû faire un cauchemar.

Un cauchemar ? Quelles peurs pouvaient bien habiter cette petite vie toute neuve ?

— Ça arrive, tu sais, ajouta Lore, qui avait remarqué son incrédulité.

Caroline prit Ève et alla la coucher dans le berceau, mais l'enfant protesta et se débattit avec tant de fureur que sa mère dut se promener encore un peu avec elle dans la pièce. Lore, épuisée par une longue journée de travail, abandonna et alla se coucher, mais Joël resta à les regarder. Au bout d'un moment, il tendit les bras vers Ève.

— Donne-la-moi, dit-il.

Il l'emporta pour la coucher. Pour la première fois depuis la naissance de sa fille, Caroline fut heureuse de la confier à quelqu'un d'autre. Elle se sentait dépassée. « L'horreur qui submerge le monde me submerge aussi, pensa-t-elle. Dunkerque, Pearl Harbor, les défilés nazis en uniforme, le père d'Ève parmi eux, et papa et maman... »

Et pourquoi ? Pourquoi, quand la nature était si belle ? L'été, avec les voiles sur le lac, l'hiver, les joues d'Ève rosies par le froid, une musique en fond sonore dans ses souvenirs...

Quelqu'un chantait en sourdine. C'était Joël, dans la chambre. Elle se leva pour aller regarder et vit Ève, la tête appuyée à l'épaule de Joël. Au bout d'un moment, il la coucha. Il la couvrit et lui caressa le dos en fredonnant doucement. L'homme et le bébé endormi auraient pu inspirer un tableau intitulé : *Le Père et l'Enfant.*

Et Caroline, tête baissée, resta figée sur le seuil, luttant contre la peine accumulée dans son cœur. Elle ressentait tous les maux du monde ainsi que son chagrin de femme.

— Que se passe-t-il ? demanda Joël dans un souffle. Tu pleures à cause du pauvre Tom Ricci ?

— Oui, mais pas seulement.

Elle se tourna vers lui et perçut sa pitié. Sans réfléchir, elle se surprit à dire :

— Je veux que tu saches que ce n'était pas un viol. J'étais amoureuse de lui.

— Ah..., fit-il d'une voix douloureuse. Je m'en doutais un peu. Il y avait trop de tristesse dans ta colère. Oui, je me posais la question.

— Ce n'est plus pour moi que je suis triste, c'est pour Ève.

— Elle ne saura jamais. Lore et moi, nous sommes les seules personnes au courant, et tu nous fais confiance, j'espère.

La lumière des lampadaires éclairait le visage qui se penchait vers elle avec un regard si compréhensif que Caroline eut l'impression qu'il lisait toutes ses pensées. Ils étaient tout proches l'un de l'autre, si proches qu'elle sentit le parfum fruité de son savon à barbe. Soudain elle se dit avec un coup au cœur que lui aussi allait mourir à la guerre. Lui, avec son corps vigoureux d'honnête homme, il allait mourir. Et comme son enfant venait de le faire, elle posa sa tête sur son épaule.

Doucement, il lui demanda :

— Que se passe-t-il ?

Elle ne répondit rien parce qu'elle ne le pouvait pas, et cela valait d'ailleurs sans doute mieux. « Je n'en peux plus, j'ai trop attendu, j'ai besoin d'amour. Je suis prête, si tu veux encore de moi. »

Dans la pénombre, les yeux de Joël étaient remplis de larmes, et pourtant, en lui caressant les cheveux, ce fut lui qui murmura :

— Ne pleure pas, ne pleure pas.

Quelque minutes s'écoulèrent, puis il la prit dans ses bras et l'emporta jusqu'au lit, où il l'enlaça.

Lore n'en revenait pas. L'appartement était si petit qu'il ne lui fallut pas longtemps pour s'apercevoir que Joël ne dormait plus sur le canapé. Ses yeux se mirent à briller d'une curiosité avide. Elle commençait des phrases puis s'arrêtait, laissant de longs silences, comme si elle attendait que Caroline réponde seule aux interrogations qu'elle ne formulait pas. Les femmes comme il faut ne posaient pas de questions indiscrètes ; elles ne confiaient pas non plus de détails sur leur vie privée, même à quelqu'un de très proche. L'événement incroyable qui venait de se produire fut donc à peine mentionné, ou seulement en des termes très vagues. D'ailleurs, même si Caroline n'avait pas eu trop de pudeur pour en parler, elle n'aurait pu exprimer qu'une profonde confusion. C'était arrivé sans préméditation, dans un indescriptible tourbillon d'émotions désordonnées. Et, maintenant, il fallait accepter ce changement sans trop se poser de questions. Après tout, c'était un homme sain, sain de corps et d'esprit, et qui l'adorait.

6

À Ivy comme partout ailleurs, la vie paisible, pour ne pas dire immobile, s'enfiévra soudain. À sa grande déception, Joël, qui avait espéré se battre au corps à corps pour assouvir son désir de vengeance, fut déclaré inapte au combat. Il était diabétique. Comme son cas n'était pas grave, on lui conseilla de surveiller son poids, de suivre un régime strict, de consulter un médecin qui lui fournirait de l'insuline, et de participer à l'effort général en prenant un emploi dans l'industrie de guerre. Il s'empressa de suivre ces conseils et répondit dans la demi-heure à l'appel d'une usine locale de machines-outils qui venait de recevoir une énorme commande du gouvernement.

Un jour, à peine quelques mois après Pearl Harbor, les Ricci vinrent leur faire une proposition. Assis côte à côte au bord du canapé, ils semblaient minuscules. En ce court laps de temps, ils avaient rapetissé, et vieilli de dix ans. Deux profondes parenthèses creusaient les joues autrefois lisses d'Angela. Elle était trop fatiguée pour ne pas aller droit au but.

— Nous voudrions que vous nous rachetiez la boulangerie et la maison à l'arrière du terrain.

— Vous êtes fous ! protesta Joël.

— Pourquoi ? Parce que vous n'en avez pas les moyens ? Nous n'avons pas besoin de l'argent tout de suite. Nous allons vivre chez notre fille à Denver. Nous voulons partir. Avant, nous nous sentions bien ici, c'était chez nous. Mais, maintenant, ça ne veut plus rien dire. Vous comprenez ?

— Oui, répondit Joël, mais nous n'avons pas un sou.

— Nous calculerons les traites sur ton salaire à l'usine. Finalement, ça ne vous coûterait pas beaucoup plus cher que le loyer que vous payez ici.

— Qui ferait marcher la boulangerie ?

— Ta femme, dit Anthony en se tournant vers Caroline.

— Tu crois qu'elle y arriverait ?

— Les deux employées resteraient. Elles ont besoin de leur salaire, et tu leur as appris le métier. Elles font le pain aussi bien que toi et moi. Elles seraient même capables de continuer tes gâteaux compliqués, mais elles n'en auront pas beaucoup l'occasion, à présent que le sucre est rationné. Caroline s'occupera de la gestion.

Joël secoua la tête. Anthony s'empressa de devancer ses objections.

— Ne dis pas non sans réfléchir. C'est un bon commerce qui assurera votre avenir. Nous nous en sortions plutôt bien.

— Je ne comprends pas ! s'emporta Joël. Vous voulez nous donner votre boulangerie pour rien ? Vous nous faites la charité ?

— Non, nous hypothéquerons la boutique et la maison. Tu rembourseras sur ton salaire, mais nous te laisserons prendre ton temps.

Joël se mit à rire.

— Ça ne vous fait rien d'attendre soixante-quinze ans ?

— Je te dis que nous ne sommes pas pressés, et puis ça ne prendra pas si longtemps !

Quelle idée ! pensa Caroline en rencontrant le regard de Lore, qui pinçait les lèvres. Elle devinait exactement ses pensées : elle est descendue bien bas, la fille du docteur Hartzinger ! Ce petit salon miteux, la nuit pluvieuse, la rue triste et pauvre. Et maintenant, on voulait lui faire tenir une misérable boulangerie dans ce trou perdu.

— La bambina serait bien mieux qu'ici. Chez nous, le jardin est deux fois plus grand. Non, trois fois, et il y a du soleil, de l'ombre, un potager, et la vigne de Tony. C'est agréable de dîner sous la tonnelle.

Angela insista. Oui, ce serait idéal pour la bambina, bien mieux qu'ici. Ça, oui. Ce serait quand même mieux que cet appartement.

— La maison est en bon état, continua Anthony. J'ai changé la chaudière il y a deux ans. Il y a du plâtre sur les murs, le toit est bon, la cave aussi. Pas d'infiltrations, même quand la neige monte.

— Pourquoi ne vendez-vous pas à quelqu'un qui pourra payer comptant ? demanda Joël.

— Parce que nous voulons vous la vendre à vous. Vous êtes des gens comme nous, nous vous aimons bien.

— Nous allons y réfléchir, conclut Joël, qui de toute évidence voulait clore la discussion. C'est ridicule, commenta-t-il quand les Ricci furent dans l'escalier.

Mais Caroline, qui dormit à peine cette nuit-là, et la suivante, finit par se dire que, après tout, l'idée n'était peut-être pas si absurde.

Ainsi commença la période que Caroline nomma plus tard l'« époque de la petite maison brune ». Les bons souvenirs sont autant de jalons qui donnent l'impression d'avoir vécu pleinement ; mais les souvenirs plus durs, ceux qu'on ne peut chasser de sa mémoire, plantent aussi le décor.

Comment effacer la voix grave de Edward R. Murrow qui parlait à la radio depuis Londres, sous les bombardements, ou les longues files de volontaires qui attendaient pour donner leur sang pendant la contre-offensive des Ardennes ? Et que dire de l'attitude magnifique de Churchill, de la chanson à la mode qui parlait « d'amour, de rire et de paix pour toujours », ou même de l'incroyable rumeur des camps de la mort ?

Depuis qu'elle avait dit au revoir à son père et à sa mère, elle tâchait d'enfouir au plus profond d'elle-même la certitude qu'elle ne les reverrait jamais. Malgré elle, cette pensée resurgissait à l'improviste, l'arrêtait au milieu des activités les plus routinières, quand elle marchait dans la rue, entrait dans un magasin ; cette pensée la frappait en plein cœur et lui coupait le souffle.

Et pourtant la vie continuait. Chacun, dans la maison, suivait sa voie. Lore, qui parlait maintenant l'anglais presque à la perfection, fut reçue haut la main à son examen et se retrouva aussitôt embauchée à l'hôpital. Elle passa son permis de conduire. « Pourvu, songeait Caroline, que notre vieille Nash tienne encore longtemps, pour qu'elle puisse aller à son travail sans problème ! » Quand il pleuvait beaucoup, l'eau entrait par le toit, mais on ne pouvait en demander trop à une voiture de dix ans qui n'avait coûté que trente-cinq dollars.

Quant à Caroline, elle avait eu une idée et, l'ayant financée en grande partie avec le salaire de Joël, elle se sentait dans l'obligation de la mener à bien. Elle commença par quelques tables dans la boutique, un embryon de café. Plus tard, elle agrandirait la maison. Le crépi brun serait repeint en caramel, les boiseries et le store en orange foncé ; on y entendrait de la bonne musique et, derrière une verrière en plein soleil, elle mettrait un oranger. La boulangerie se transformerait en salon de thé, et serait baptisée « L'Orangerie ». Les Ricci seraient surpris devant la métamorphose qu'elle comptait faire subir à leur petite boutique. Elle y pensait sans arrêt, et plus les idées prenaient forme, plus son enthousiasme montait.

Joël se montrait réservé.

— Tu veux créer un coin d'Europe à Ivy ? Ça ne plaira à personne, ils n'ont pas l'habitude.

— Justement, ça les changera.

— Ivy est une ville beaucoup trop petite, tu n'auras pas assez de clientèle.

— La ville grandit, tu ne t'en rends pas compte ? Mais nous devrions déménager dans un meilleur quartier, c'est vrai. Dans la Grande Rue, près de la mairie.

Joël resta sceptique, même un peu condescendant, mais puisque la boulangerie parvenait à rentrer dans ses frais et dégageait même des bénéfices, il ne pouvait pas trop protester.

— Je ne sais pas d'où tu tires toute cette énergie, remarqua-t-il.

Elle s'étonnait elle-même. L'entreprise lui avait tout de suite donné beaucoup de travail. Elle n'avait pas soupçonné tout ce qu'elle aurait à apprendre ni à faire seule malgré l'aide de ses employées. Mais, en dépit du nettoyage, des charges à porter, elle ne sentait pas la fatigue.

Quelqu'un a dit fort justement : « Construisez, les gens viendront. » Et, en effet, ils venaient. Les soirs d'hiver, après le cinéma, ils buvaient du café fraîchement torréfié et se régalaient de muffins chauds. En été, ils sirotaient des boissons glacées assis à l'ombre devant le potager d'Angela. Et, plus ce modeste début promettait, plus les ambitions de Caroline prenaient de l'ampleur. Un jour, elle aurait une chaîne de salons de thé. Les auvents orange fleuriraient dans la ville en expansion et le long des grands axes routiers. Mais elle gardait ces projets grandioses pour elle, car elle avait peur de paraître ridicule. Et pourtant, comme l'affirme le proverbe chinois, « tous les voyages, grands ou petits, commencent par un seul pas ».

Ils travaillaient dur tous les trois. Lore était très appréciée à l'hôpital. Joël apprit vite son nouveau métier et fut promu ; son augmentation de salaire servit à financer L'Orangerie, qui ne tarda pas à dégager des bénéfices. Et, avec les économies réalisées pièce après pièce, ils souscrivirent à l'emprunt de guerre.

Derrière la belle énergie de Caroline, il y avait la guerre ; la guerre, et aussi Ève. Mais au fond, il s'agissait du même élan, car plus vite la guerre serait gagnée, plus son père et sa mère auraient de chances de survivre pour voir leur petite-fille.

Parfois, il lui semblait qu'Ève n'était née que la veille, comme si Pearl Harbor, qui pour sa fille ne serait qu'une page dans un livre d'histoire, venait tout juste de se produire. Et pourtant, dans moins de six mois Ève entrerait à la maternelle. Elle parlait déjà français, et, avec Lore, allemand. C'était une enfant tendre et joyeuse, trop gâtée par Joël qui refusait de le reconnaître.

Presque timidement, un soir, il remarqua :

— Je me demande si nous aurons un jour...

S'interrompant, il changea le cours de sa phrase.

— Tu ne voudrais pas avoir un autre enfant ? acheva-t-il.

Ils étaient en train de lire au lit, lui son journal, et elle un livre. Elle eut l'impression qu'un frisson lui glaçait l'esprit, ou du moins ce fut ainsi qu'elle se représenta l'angoisse qui la saisit. Elle ne voulait pas d'un autre enfant. Cela perturberait son équilibre. Ève était tout pour elle, elle n'avait envie de rien d'autre. Peut-être, si tout avait été différent... Si elle avait ressenti... un désir passionné, par exemple, qui aurait surpassé de loin ses élans passagers. Quand on éprouvait une grande passion, sans doute avait-on un besoin impérieux de porter l'enfant de l'homme qu'on aimait, comme un symbole permanent de cette union. Combien de femmes, se demanda-t-elle, pouvaient répondre honnêtement qu'elles éprouvaient un tel désir ?

Sans doute était-il triste de ne pas connaître ce sentiment-là, mais ce n'était pas essentiel. Ce qui comptait, c'était que tous deux avaient oscillé au bord du gouffre et que maintenant ils avaient repris pied.

Sentant qu'il avait envie de faire l'amour, elle posa son livre et se tourna vers lui dans le lit.

— On verra bien, laissons faire le destin..., répondit-elle doucement.

Mais elle tâcherait de s'arranger, si possible, pour que cela n'arrive pas...

Puis, tout à coup, la guerre prit fin. Soudain, la vie retrouva son cours normal. Les voitures neuves refirent leur apparition chez les concessionnaires. Les pantalons et les manches retrouvèrent leurs revers. Dior lança le New Look ; après les années de restriction, les jupes perdirent leur étroitesse et redevinrent amples et féminines. À Ivy, on planifia la construction de nouvelles maisons en bordure du lac. Et puis, avec le procès de Nuremberg, les journaux diffusèrent le visage hideux de Streicher, de Kaltenbrunner, de Ribbentrop, et de beaucoup d'autres, condamnés à la pendaison pour crimes contre l'humanité.

Caroline et Lore étalèrent le journal sur la table de la cuisine. Elles lurent en silence jusqu'à ce que Caroline s'interroge à voix haute sur le silence des Schmidt.

— Ils ont dû arrêter d'écrire parce qu'ils n'avaient rien de neuf à nous apprendre, répondit Lore.

— Regarde ces photos. Tant de perversité, c'est inimaginable.

— Oui, surtout pour moi qui passe mon temps à essayer de sauver la vie des gens.

Lore marqua une pause, puis, comme si elle avait peur de la réaction qu'elle risquait de déclencher, elle demanda avec prudence :

— Dis-moi, est ce que tu penses encore à... à lui ?

La question faisait mal.

— Que veux-tu que je te dise ? Oui, tout le temps. Chaque fois que mes yeux se posent sur Ève. Je ne peux pas faire autrement. Ma fille, c'est ma joie de vivre.

— Quel malheur, quelle tragédie ! murmura Lore. Et ton père, et ta mère... Tu as trop souffert. Enfin, peut-être y a-t-il encore un peu d'espoir.

— Non. Tu le sais aussi bien que moi.

Il n'y eut, bien sûr, aucun miracle. Ce fut Joël, un jour, qui découvrit par la Croix-Rouge où et quand ils étaient morts. Caroline vérifiait des factures à son bureau dans l'arrière-boutique de L'Orangerie quand il entra.

— Il faut que je te parle, annonça-t-il doucement.

Elle releva la tête et, à son expression, elle comprit.

— Dis-moi tout. Je veux savoir comment c'est arrivé.

Alors il lui livra ce qu'il avait appris. Il ne connaissait que fort peu de détails, seulement une date, un lieu... ou plutôt deux, car ils avaient été séparés à l'heure de leur mort.

— On ne leur a même pas permis de mourir ensemble ? commenta-t-elle.

— Même pas.

— C'est bizarre. On dit que, lorsqu'on se noie, on voit toute sa vie défiler devant soi. Eh bien, quand tu es entré et que j'ai deviné ce que tu allais me dire, j'ai vu papa dans sa voiture neuve, le piano de maman, l'arrivée dans le port de New York... tout, pêle-mêle.

— Il faut que tu pleures, dit-il en la regardant droit dans les yeux.

— Non, je m'y attends depuis si longtemps !

— Tout de même, ça fait du bien de pleurer.

Alors il lui prit le bras et la conduisit dehors. Ils marchèrent ensemble jusqu'au lac, et là il la fit asseoir à côté de lui sur un rocher, la tenant tout contre lui. Puis, quand elle eut sangloté tout son soûl, ils se levèrent et retournèrent chez eux.

7

Le dimanche, Joël aimait s'asseoir dehors à l'ombre avec son journal. Dans son fauteuil confortable, il s'assoupissait parfois en lisant, engourdi par la chaleur. En rouvrant les yeux, il voyait Ève qui s'installait souvent à la table du jardin pour faire ses devoirs de sciences ou d'histoire. Avec ses douze ans, elle était émouvante, à la fois petite fille quand elle mordillait le bout de son stylo, et pourtant proche de l'âge de femme. Elle était trop vulnérable, ne connaissait rien du monde, en dehors de cet endroit où on la chérissait, où on la protégeait. Il se souvint d'un poème, un des rares qu'il connaissait parce qu'il avait dû l'apprendre à l'école. Justement, Caroline l'avait relu à voix haute en allemand quelques jours plus tôt. Voyons... « Tu es comme une fleur, ravissante, pure et droite ; tu me déchires le cœur... »

Oui, elle était ravissante avec ses pommettes hautes et ses yeux magnifiques, presque la jumelle de Caroline. Il avait toujours regretté qu'elle ne soit pas sa fille. Il aurait donné cher pour ne pas imaginer Caroline dans les bras d'un autre, cet « autre » qui ne cesserait jamais de le perturber.

Elle l'avait aimé ! Un viol, même si le crime était abominable, l'aurait moins torturé... Tout aurait été plus simple.

L'homme qu'elle avait aimé était beau, élégant, grand et blond : un aristocrate aux yeux bleus, plein de charme et de joie de vivre. C'était aussi un intellectuel qui avait parlé d'art et de musique à Caroline. Mais il ne fallait pas oublier non plus que c'était une crapule, un criminel, un nazi... Seulement Caroline l'ignorait quand ils avaient fait cet enfant ensemble. Non, il ne fallait surtout pas imaginer la scène...

Elle avait fini par l'accepter dans son lit, lui, Joël. Devait-il s'estimer heureux ? Plus qu'heureux ? Et pourtant, sachant fort bien qu'elle n'éprouvait pas pour lui la passion qu'il ressentait toujours pour elle, il ne pouvait s'empêcher de se demander comment elle avait été avec l'autre. Il regrettait maintenant que Lore lui en ait tant dit, et avec un tel luxe de détails. Bien entendu, il ne pouvait s'en prendre qu'à lui-même et à ses questions. Il n'aurait jamais dû en poser. Mais il avait eu besoin, un besoin impérieux, de savoir. Et il n'était pas question d'interroger directement Caroline. Il aurait trouvé cela... obscène, oui, obscène.

« Je ne te connais pas réellement, Caroline, songea-t-il. Je sais juste que tu as le sens de l'honneur et que, depuis la naissance d'Ève, tu es calme et agréable à vivre. Le soir, tu viens dans mes bras quand je te le demande, mais ce n'est jamais toi qui en prends l'initiative. N'empêche, j'ai parfois l'impression de savoir ce que tu ressens. Peut-être est-ce à travers certaines de tes remarques, ou à ta voix quand tu fais la lecture à Ève, ou à la façon dont tu écoutes les criquets et les cigales les soirs d'été, le visage illuminé de plaisir.

« Je ne suis qu'un homme simple. Je n'ai pas été élevé avec de la poésie, tu le sais. Et la musique que vous aimez tant, Lore et toi, je ne l'avais jamais entendue avant. Pas un instant je n'aurais imaginé pouvoir rencontrer une femme comme toi !

« Rien de tout cela n'échappe à Lore. Elle me comprend. Quelle femme remarquable ! Quand nous avons déménagé et qu'elle a proposé de se trouver un petit appartement pour nous laisser "notre intimité", comme elle l'a dit, je n'ai pas voulu l'écouter. Chez moi, mes parents avaient toujours de la place pour une vieille fille, une cousine ou une tante. Les femmes n'aiment pas qu'on les traite de "vieilles filles", mais Lore a quarante-deux ans, après tout, et elle paraît plus. À cet âge, une femme n'a plus aucun espoir de se marier. Au moins elle nous a. Elle a une famille.

« Elles sont dans la cuisine, Lore et Caroline, elles préparent le dîner de ce soir pour nos invités. C'est agréable d'entendre leur va-et-vient affairé, les appels qu'elles se lancent de la cuisine à la salle à manger, où Caroline doit être en train de mettre des fleurs dans des vases pour décorer la table. Et j'entends la voix de Vicky. Elle vient sans doute apporter un message du restaurant. Nous avons de la chance d'avoir l'aide de cette fille intelligente et pleine d'esprit pratique, capable de nous relayer quand nous en avons besoin. Son école de commerce l'a transformée, et ça lui fait du bien d'avoir quitté Gertrude et sa langue de vipère. Enfin, il ne faut pas trop critiquer cette pauvre Gertrude. Vicky n'était pas une adolescente facile, avec son insolence et ses pulls moulants. Elle ne s'est pas beaucoup assagie depuis et ses pulls pourraient être plus discrets, mais elle attire la clientèle et elle nous rend service, surtout depuis que nous avons deux cafés.

« C'est fou, tout de même, que la petite boulangerie des Ricci ait donné naissance à deux affaires florissantes ! Jamais je n'aurais imaginé que Caroline s'intéresserait à ce genre d'entreprise, ni qu'elle saurait s'y prendre aussi bien. Ce n'est pas comme si elle venait d'une famille de commerçants. Le jour où elle est venue me dire que nous pouvions acheter le local de la Grande Rue... »

— Mais si, regarde, Joël, tout est écrit là. Le prix de vente, la demande de crédit...

— Et où allons-nous trouver l'apport personnel ?

— Le rubis. Je l'ai vendu hier à des cousins des Schulman qui vivent à New York. Six mille dollars. C'est un bon prix. Je l'avais fait estimer. C'est même très bien.

Son rubis était son seul souvenir de la période d'avant-guerre, de la belle prospérité des temps de paix.

— Mais tu voulais le garder pour Ève !

— Non. Un jour, ce café va nous rapporter de quoi nous acheter tous les rubis que nous voudrons.

Ève mordillait le bout de son stylo.

— Tu vas t'abîmer les dents, lança Joël.

— J'ai un devoir d'histoire drôlement dur. On fait l'immigration, et on doit expliquer d'où vient notre famille.

— Eh bien, ça devrait être facile, au contraire. Tu sais comment nous sommes arrivés ici. Maman et moi, nous nous sommes rencontrés à Brooklyn, justement chez les Sandler, les gens qui viennent dîner ce soir. Ils avaient recueilli maman et Lore. Tu te souviens ? On t'a déjà raconté qu'ils ont dû promettre de subvenir à leurs besoins. Il n'y avait pas d'aide sociale, à l'époque. Tu te souviens que c'est le docteur Schulman et sa femme qui nous ont aidés à nous installer ici, et que nous avons trouvé du travail...

— Oui, je sais. Mais le prof veut de la vraie histoire, papa. Il veut qu'on parle des pays dont les parents viennent, comment c'était là-bas et pourquoi ils sont partis.

Joël posa son journal, se redressa dans son fauteuil et répondit gravement :

— Nous t'en avons parlé aussi... Les camps de concentration, les camps de la mort.

— Oui, mais c'est dur à décrire, surtout à expliquer.

— C'est vrai, très dur. C'est même inexplicable.

Deux papillons orange dansaient au-dessus de l'herbe un incroyable ballet de poursuites et d'esquives. Lorsqu'ils eurent disparu derrière la maison, Ève remarqua d'un air pensif :

— Je me souviens qu'une petite fille de là-bas a écrit qu'elle ne verrait plus jamais de papillons. J'imagine qu'on l'a tuée.

— Oui.

— Dire que nous, on emmène Peter chez le vétérinaire dès qu'il se fait un bobo à la patte.

En entendant son nom, Peter sortit de dessous la table où il faisait la sieste.

— Il a ton âge, ce qui n'est pas tout jeune pour un chien, remarqua Joël pour essayer de changer de conversation.

Mais Ève ne se laissa pas écarter du sujet qui la préoccupait.

— Comment est-ce qu'on a pu traiter des gens comme ça ?

— C'est ce que ton professeur te demande de découvrir ? Il faut que tu cherches. Tu as pris des livres à la bibliothèque ?

— J'en ai deux en haut, mais ils sont vachement durs à comprendre. Ça serait plus facile si j'étais indienne, mohawk ou algonquine. Il n'y aurait pas tous ces trucs politiques à apprendre.

Ce souhait puéril fit sourire Joël. Oui, en effet, ce serait beaucoup plus simple. Les complexités de la politique européenne étaient déjà bien difficiles à comprendre pour un adulte informé.

— Quand dois-tu rendre ton devoir ? demanda-t-il.

— J'ai le temps, c'est pour dans deux semaines.

— Parfait. Demain soir, nous commencerons à t'aider.

— J'ai vraiment de la chance d'être née ici, et que toi et maman vous soyez mes parents.

— C'est bien vrai !

— En fait, je n'ai peut-être pas besoin d'apprendre les dates et les détails historiques dans le livre. Ça sera plus intéressant si toi et maman vous me parlez du moment où Hitler est arrivé au pouvoir, et comment vous vous êtes échappés.

— Sûrement.

— Tu sais le pire ? S'ils vous avaient tués, eh bien je ne serais même pas là.

Une grande tendresse emplit le cœur de Joël. Ève était sérieuse, la mine consternée, les yeux brillants d'indignation.

— Moi, papa, si jamais je rencontrais un de ces nazis, je le tuerais.

— La guerre est finie. Il n'y en a plus.

— Même. Si je rencontre quelqu'un qui était nazi avant, je le tue quand même.

— Dans ce cas, tu te conduirais comme un nazi toi-même, remarqua Joël gravement.

— Je m'en fiche.

— Dis donc, maman ne t'a pas demandé de te changer pour le dîner ? Fais-toi belle pour nos invités, nous ne les avons pas vus depuis que nous sommes arrivés en Amérique. M. et Mme Sandler sont à la retraite, maintenant. Ils déménagent en Californie, et ils font ce grand détour exprès pour nous revoir.

8

— On ne se doutait pas du tout qu'Ivy était une ville aussi grande ! s'exclama Jake Sandler. On s'attendait presque à voir des vaches dans les rues !

— C'était à peu près ça il y a douze ans, expliqua Joël. Les troupeaux broutaient à moins de trois kilomètres d'ici quand nous sommes arrivés. Maintenant, il n'y a plus un seul fermier dans un rayon de dix kilomètres. Toutes ces transformations sont dues à la guerre. On a construit de nouvelles usines, des commerces, des maisons, et surtout l'autoroute. Avant, nous n'avions qu'une route à deux voies avec une couche de goudron.

Jake opina du bonnet :

— C'était pareil dans les années vingt après la Première Guerre. Espérons que l'abondance ne va pas finir par un nouveau krach boursier.

— En tout cas, ça n'a pas l'air d'en prendre le chemin.

Joël se rengorgeait. La maison, qui n'avait rien d'un château, devait tout de même paraître impressionnante aux Sandler. Un service de porcelaine blanc et rouge était disposé sur la table, ainsi que des verres de cristal, et le bouquet de zinnias rouges venait du jardin ; les « filles » – il désignait souvent ainsi en pensée Caroline et Ève – étaient charmantes, comme d'habitude ; Lore, prête à aller prendre son service à l'hôpital, offrait, dans son uniforme blanc amidonné, son habituelle image de tranquille dignité. Tout, chez eux, respirait la paix et la prospérité.

Il reconnaissait avoir eu de la chance mais ne pouvait s'empêcher de ressentir aussi un peu de fierté, il fallait l'avouer. Même beaucoup de fierté. Cédant à cette petite vanité, il livra la grande nouvelle.

— Nous nous agrandissons encore. Ce sera notre Orangerie numéro trois, beaucoup plus grande que les deux que vous avez vues. Nous comptons surtout sur une clientèle de jour, car nous sommes situés près de deux grands immeubles de bureaux qui se construisent près de l'autoroute. Mais nous aurons peut-être du monde aussi le soir, on ne sait jamais. De toute façon, l'emplacement est excellent. C'est l'essentiel, l'implantation.

Joël se montrait rarement aussi expansif, nota Caroline, mais quoi de plus naturel ? Leurs visiteurs l'avaient connu au plus bas. Assise face à lui, de l'autre côté de la table ronde, elle se représentait leur surprise. L'homme sûr de lui qu'ils voyaient n'avait plus rien de commun avec le gros garçon sensible et hésitant d'autrefois.

— Dites-nous ce que vous devenez, Annie, intervint-elle.

— Il n'y a pas grand-chose à raconter. Nous sortons de Brooklyn pour la première fois de notre vie. Nous avons tout vendu, sauf notre vase en argent. Ça, je n'ai pas pu m'en séparer. Nous n'avons jamais rien eu d'aussi beau. Donc nous déménageons. Nous sommes un peu plus vieux et un peu plus enveloppés, mais nous n'avons pas changé.

Rien de plus vrai. Jake restait franc comme l'or, Annie bavardait comme une pie et ne tenait pas en place cinq minutes, mais on ne faisait pas plus adorable.

Annie se leva pour aller à la fenêtre.

— Oh ! là ! là ! tous ces géraniums roses ! Vous vous souvenez de mes rouges ? Tiens, regarde, Jake, ils ont du maïs et de la salade, je n'ai jamais vu autant de légumes. C'est une vraie ferme, ici.

— Il n'y a qu'un demi-hectare, protesta Joël.

— Ah, mais c'est très beau, très beau. Elle est vraiment bien, votre maison !

Caroline proposa d'aller prendre le café et le dessert à la table du jardin avant la tombée de la nuit. Le soleil de septembre avait beaucoup baissé depuis quelques semaines ; une légère brume estompait les contours du paysage de moissons. Les oiseaux migraient vers le sud, laissant derrière eux un plus grand silence. Lore s'occupa du café, pendant que Ève portait le gâteau, sept couches de biscuit au chocolat et à la crème.

— Non ! Lore nous a fait un gâteau ! s'exclama Annie.

— Oui, elle l'a préparé en votre honneur, expliqua Joël. Nous n'y avons pas droit souvent, elle est très prise. Elle n'a plus beaucoup de temps pour nous maintenant qu'elle est la meilleure infirmière du bloc opératoire.

— Tu dis des bêtises, protesta Lore en balayant ses paroles d'un revers de la main.

— Pas du tout ! Al Schulman me l'a souvent répété, et il n'est pas le seul. Notre hôpital est excellent depuis qu'il est financé par la région. Tu te souviens, Lore, de la vieille voiture que nous avions achetée pour que tu puisses aller travailler ? Elle avait dix ans et des trous plein le toit. Maintenant, ajouta-t-il, elle s'est acheté une superbe Chrysler et elle fonce sur les routes avec son bolide. Un vrai danger public.

— Quand je pense à la frayeur que tu nous as faite avec ta mâchoire ! soupira Annie. Nous avons eu une belle peur pour rien ! Dieu merci, tout est bien qui finit bien. Lore, tu es splendide. Tu n'as pas changé.

Lore se mit à rire.

— Oui, toujours un vrai laideron !

— Pas du tout, tu es très jolie, bougonna Jake.

— Tiens, enchaîna Annie, on vous a dit que notre belle-fille attendait des jumeaux ? Non ? Ah, je croyais que si. Eh bien elle en est au quatrième mois. Je vous enverrai une photo dès qu'on arrivera là-bas. Je suis désolée, je ne vous écris pas beaucoup... J'en ai souvent envie, mais je repousse toujours à plus tard.

— Je ne suis pas très bonne correspondante non plus, intervint Caroline.

— Oh, je comprends, va, tu as eu beaucoup de malheurs. Avec ce qui est arrivé à tes parents... Mais il faut voir le bon côté des choses. La vie continue, hein ?

Ils ont un cliché pour toutes les situations, pensa Caroline non sans une certaine tendresse. Elle ressentait une grande émotion à retrouver ce couple si simple et si généreux. Elle cherchait ses mots pour exprimer sa joie de les revoir quand Joël la devança.

— Quand vous m'avez connu, j'avais perdu tout espoir d'être heureux un jour. Il n'y avait aucun avenir possible pour moi. Mais tous les deux, vous m'avez beaucoup aidé. C'est même en grande partie grâce à vous que je suis ici ce soir, avec Caroline et Ève...

Il s'essuya les yeux.

— Excusez mon émotion. Je suis un grand sentimental. C'est peut-être à cause du vin, aussi. Vous me comprenez, j'espère.

Annie lui toucha la main.

— Mais bien sûr, Joël, bien sûr.

Ève suivait la scène, fascinée, les observant tour à tour. « Elle n'a plus le regard d'une enfant, songea Caroline. D'ailleurs, ça ne veut rien dire. Les enfants de cet âge sont-ils innocents ? Ignorants ? Pas du tout. Et puis, je préfère qu'elle ne soit pas innocente, ma joie de vivre, j'aurais trop peur qu'on ne lui fasse du mal. Elle peut tout savoir. Tout, sauf une seule chose. Il y a une seule chose au monde qu'elle ne doit jamais savoir. Jamais. »

Annie s'était tournée vers Ève.

— Je t'ai connue dans le ventre de ta mère.

Encore un gentil cliché. Ève l'avait souvent entendu ; les bonnes âmes d'Ivy qui les avaient rencontrés à leur arrivée s'empressaient de lui répéter la même chose dès que l'occasion se présentait. Comme elle était bien élevée, elle sourit.

— Tu as les yeux de ta mère. J'imagine que tout le monde te dit que tu lui ressembles. De vraies jumelles.

— Oui.

Ève, gênée d'être ainsi le centre de l'attention, se baissa pour donner une gâterie à Peter.

La curiosité d'Annie était compréhensible. Caroline devinait qu'elle aurait aimé la prendre à part, entre femmes, et jouer de leur différence d'âge pour lui demander de façon maternelle ce qui s'était passé avec Joël. Elle aurait sûrement voulu savoir comment leur relation s'était transformée. « Je peux me tromper, mais en passant devant votre chambre pour aller à la salle de bains du haut, j'ai eu l'impression que... »

« Moi aussi, je serais curieuse à sa place », dut admettre Caroline.

Les remarques commençaient à s'espacer. Ils avaient eu tout l'après-midi pour bavarder, et, après tout, il y a une limite aux sujets de conversation possibles après des années d'éloignement. À plus forte raison quand on n'a guère de points communs, si ce n'est le lien créé par un extraordinaire acte de charité.

Joël s'excusait de l'exiguïté de la maison.

— Si seulement nous avions une chambre d'amis, nous ne vous aurions jamais envoyés au motel. Nous vous aurions gardés ici et vous auriez eu un bon petit déjeuner demain matin.

— Ça n'a aucune importance, assura Jake. De toute façon, nous devons reprendre la route à l'aube. Nous nous arrêterons en chemin pour le petit déjeuner. Vous n'avez qu'à nous donner les indications pour trouver le motel et nous nous débrouillerons très bien.

— Ce n'est pas loin, mais il y a une déviation à cause d'une rue en travaux. Voyons voir... Vous saurez retourner à la Grande Rue d'ici ? Parfait. Vous dépassez le monument aux morts, sur votre gauche. Tournez à droite au feu suivant, continuez pendant environ deux kilomètres et demi. En arrivant à la déviation, prenez la direction indiquée jusqu'à Remington Street, et là... (Joël fronça les sourcils.) Non, vous risquez de vous perdre et vous allez tourner pendant des heures. L'ennui, c'est que ma voiture est au garage jusqu'à demain après-midi, autrement je vous aurais montré le chemin. Lore va dans l'autre sens, et ça la mettrait en retard. Ah, j'ai une idée. Ève n'a qu'à monter avec vous, et elle vous indiquera la route jusqu'à Remington Street. Une fois que vous vous serez repérés, vous n'aurez qu'à la ramener. Ça ne vous prendra qu'un quart d'heure, et Ève sera très contente de vous rendre service. Elle vous montrera son nouveau collège au passage.

« Très contente » était peut-être une exagération, mais Ève échapperait de cette façon à la vaisselle. À cause des invités, on avait sorti le plus beau service. C'était sans doute aussi pour cette raison que papa préférait rester pour aider maman, qui avait toujours peur qu'elle casse quelque chose, surtout les verres de cristal. Papa mettait souvent la main à la pâte. Il disait que c'était plus que normal puisque maman travaillait au bureau toute la journée pour gérer les cafés.

— On est arrivés par le lac, déclara Mme Sandler quand ils furent montés en voiture. Ce qu'il est grand, ce n'est pas croyable ! On ne voit même pas l'autre côté.

— Il continue pendant des kilomètres et des kilomètres, et après il rejoint d'autres lacs, expliqua Ève. Nous, on se promène souvent par là. Quand j'étais petite, maman et moi, des fois on venait piqueniquer au bord de l'eau à l'heure du déjeuner les jours d'école. Il n'y avait pas beaucoup d'autres enfants qui venaient là, mais maman adore le lac, et moi aussi.

— Tu as de la chance de vivre ici, commenta Mme Sandler.

Ève était assise à côté de M. Sandler, qui lui avait proposé de s'installer près de lui.

— Les enfants, ça aime bien être à l'avant. Je me souviens, nos fils se battaient toujours pour prendre la place.

Il était gentil. Sa femme aussi, d'ailleurs, mais elle parlait tout le temps et posait trop de questions. C'était fou ce que les gens pouvaient être différents les uns des autres. En cinq minutes, on pouvait soit les détester, soit les adorer. Papa disait que c'était mal de juger les autres trop vite, qu'il fallait leur laisser une chance. Ce qu'il pouvait être juste !

— Moi, si j'habitais ici, déclara Mme Sandler, j'aimerais bien vivre dans une des maisons au bord du lac. Elles sont belles, hein, Jake ?

— C'est ce qu'on appelle avoir des goûts de luxe ! s'exclama-t-il en riant.

— Nous avons des amis qui vivent là. C'est notre médecin, le docteur Schulman. Ils nous invitent souvent. Maman dit que c'est ce qu'elle voudrait, un jour. Une maison comme la leur, avec vue sur le lac.

— À la vitesse où vous réussissez, je suis sûr que vous y arriverez, déclara M. Sandler. Ton père m'a raconté que ta mère était une femme d'affaires avisée, et ça se voit bien qu'elle est intelligente.

— Enfin, votre maison est déjà très belle, dit Mme Sandler.

Elle criait aux oreilles d'Ève pour se faire entendre depuis la banquette arrière.

— Lore, c'est un cas à part, un vrai ange. Quand je pense à notre petit couple, Caroline et Joël, ces deux pauvres petits qui venaient de débarquer du bateau, ça met vraiment les larmes aux yeux.

— Allez, c'est du passé, tout ça, ne pleure pas. Ma pauvre femme a le cœur tendre comme du beurre, intervint M. Sandler.

— Mais tu es bête, je ne pleure pas ! J'explique seulement que c'est des gens bien. Et quel bonheur de les revoir aujourd'hui, ensemble. Caroline est plus belle que jamais, après tout ce qu'elle a subi, la pauvre. Et Joël qui est devenu si bon père avec tout ça, oui un bon père qui s'occupe d'Ève comme si c'était sa propre fille, alors que...

— Mais bon sang, Annie, tais-toi cinq minutes ! Tu nous soûles tellement que je n'arrive pas à faire attention à la route. Un peu de silence, ce n'est quand même pas trop demander, je viens de manquer le trottoir de peu ! Alors, on approche ? Comment elle s'appelle déjà, cette rue, Ève ? Remington, c'est ça ? On y est bientôt ?

— C'est la prochaine. Maintenant, vous pouvez me ramener, si vous voulez, c'est ici.

À la lueur d'un lampadaire, elle s'aperçut qu'il avait tourné la tête pour la regarder mais elle garda les yeux fixés droit devant elle, impassible. « Impassible », ça voulait dire sans expression, sans montrer d'émotion. Sa mère lui conseillait toujours de se servir du dictionnaire et lui disait qu'elle était douée pour les langues. Alors elle resterait « impassible » pendant que son cœur galopait, battant si vite qu'il allait peut-être s'emballer et s'arrêter d'un coup, et qu'elle s'effondrerait, morte, dans leur voiture.

« Comme si c'était sa propre fille », avait dit Mme Sandler. Et lui, il l'avait fait taire. « Il est en colère contre elle, et elle le sait bien parce que, depuis, elle n'a pas ouvert la bouche. Il ne dit plus rien non plus, d'ailleurs. Il n'arrête pas d'essayer de me regarder dès qu'on passe dans de la lumière. "Comme sa propre fille, alors que..." Alors que quoi ? Et si ce n'est pas lui, qui est-ce ? J'ai mal au cœur, je n'ai pas eu mal au cœur en voiture depuis mes quatre ans. »

Le retour lui sembla deux fois plus long que l'aller. Personne ne prononça un mot jusqu'à ce que la voiture arrive devant la maison.

— Merci, Ève, dit M. Sandler, je ne sais pas ce que j'aurais fait sans toi. Maintenant je ne risque plus de me perdre. Merci beaucoup.

— Je vous en prie, répondit-elle poliment.

Reste calme. Impassible. Et retiens-toi de vomir avant d'arriver aux toilettes.

Ils repartirent. Mme Sandler était passée à l'avant. Avant d'avoir fait trois tours de roue, il allait l'enguirlander. « L'engueuler, oui, vas-y, dis-le, engueuler. Peut-être qu'elle n'a pas dit la vérité ? Mais bien sûr que si. Qui inventerait une histoire pareille ? Que le père de quelqu'un n'est pas son vrai père... Et puis ils se sont conduits de façon trop bizarre après ! »

Sa mère, qui se trouvait encore dans la cuisine, l'entendit monter l'escalier en courant.

— Où vas-tu ? cria-t-elle. Tu crois qu'ils vont trouver sans se perdre ?

Au lieu d'aller aux toilettes, Ève se précipita dans sa chambre et s'allongea sur son lit. Sa nausée s'était transformée en étourdissement. Les murs tournaient un peu. « Comme si c'était sa propre fille. »

Elle ferma les yeux. « Si papa n'est pas mon père, est-ce que maman est ma mère ? Peut-être que je ne suis même pas Ève, mais quelqu'un d'autre. Qui, alors ? »

— Où es-tu passée ? appela sa mère du bas de l'escalier. Descends.

Elle ne se sentait pas capable de descendre et n'en avait aucune envie. Elle ne pouvait que rester allongée, sans bouger.

— Tu t'es enfermée ! Quelle drôle d'idée ! s'écria maman en secouant la poignée. Qu'est-ce qu'il y a, Ève ?

— Rien.

— Ève, ma chérie, ce n'est pas drôle. Ouvre, s'il te plaît. Tu es malade ?

— Laisse-moi tranquille. Je ne suis pas malade. J'ai juste besoin de me reposer un peu.

— D'accord, mais je veux que tu me dises ce qui ne va pas. Tu t'es fait mal ? Dis-moi, je t'en prie.

— Non, je ne me suis pas fait mal.

— Tu es sûre ?

— Je te jure, maman. Laisse-moi.

— Qu'est-ce qui se passe ?

C'était la voix de papa.

— Elle ne veut pas ouvrir. Elle a fermé sa porte à clé.

— Laisse-la tranquille, Caroline. Elle a le droit d'être seule de temps en temps. Elle doit avoir besoin de réfléchir. Elle sortira quand elle en aura envie.

Elle se mit à pleurer sans bruit, le visage enfoncé dans ses animaux en peluche – un ours polaire, un kangourou et un singe – qui s'empilaient sur son oreiller. Au milieu de ses sanglots, elle murmurait :

— Les gens ont besoin de se retrouver seuls de temps en temps... elle a besoin de réfléchir.

Papa la comprenait toujours mieux que tout le monde, même mieux que maman et Lore. Était-il possible qu'il ne soit pas son vrai père ? « Non, pas du tout. Mme Sandler s'est trompée, cette idiote. » Et pourtant, il fallait bien que ce soit vrai. Même les imbéciles n'inventaient pas des histoires pareilles.

Au bout d'un moment, une nouvelle idée la fit se redresser sur son lit. « Et si j'étais adoptée ? Ça arrive à beaucoup de gens, et ça n'a rien de mal. On peut être tout à fait heureux. Il y a Edgar, par exemple, en classe. Il sait qu'il est adopté. Tout le monde le sait, d'ailleurs, et ça ne fait aucune différence. Seulement si c'est pareil pour moi, ils auraient dû me le dire. »

Sa mère et son père buvaient du café à la table de la cuisine quand elle descendit après s'être essuyé le visage. De toute évidence, ils étaient en train de parler d'elle ; ils avaient l'air inquiets tous les deux, même papa, qui pourtant avait moins tendance à s'angoisser que maman.

— Viens t'asseoir, dit maman. Tu voudrais un chocolat chaud ?

Ève fit signe que non. Elle ne voulait pas qu'on la traite comme un bébé, qu'on la dorlote en lui donnant à boire du chocolat. Elle désirait qu'on lui dise la vérité. Une vérité sur laquelle Mme Sandler se serait mal exprimée. Et pourtant, si on lui racontait cela, elle se demandait si elle arriverait à y croire. C'était très compliqué.

— Tant pis, assieds-toi quand même avec nous, insista papa gentiment. Si tu as quelque chose à nous dire, si tu as un problème, nous sommes là. Mais tu n'es pas obligée de parler si tu n'en as pas envie.

Elle s'assit en face de lui et l'observa pendant qu'il mélangeait son lait dans son café avec sa cuillère. Il n'avait pas le droit d'y mettre de sucre à cause de son diabète. Pourvu, pourvu que ça ne s'aggrave pas ; on pouvait mourir du diabète, elle le savait. À cette pensée, ses yeux se remirent à piquer, et elle les essuya, furieuse. Mais, de toute façon, ça ne changeait rien, parce qu'ils devaient très bien voir qu'elle avait pleuré. Ses yeux étaient tout petits, horribles sous des paupières rouges et gonflées. Au cinéma, les femmes étaient toujours très belles quand elles pleuraient. Leurs yeux se mettaient à briller, puis des larmes roulaient doucement le long de leurs joues modelées.

Ses parents faisaient semblant de ne pas voir qu'elle pleurait, c'était gentil. Quels parents adorables elle avait, pas comme cette pauvre Vicky avec sa grincheuse de mère qui d'ailleurs n'était pas sa vraie mère ! Mais ses parents non plus n'étaient peut-être pas ses vrais parents. Cette pensée revenait sans cesse, ne se laissait pas repousser. Elle ne ressemblait pas du tout à son papa, qui avait le nez long, des cheveux châtains et bouclés. Il rougissait en riant et...

— Pourquoi me regardes-tu comme ça ? J'ai une tache au milieu du front ou quoi ? demanda-t-il.

Il essayait de la faire rire pour lui changer les idées, mais il n'y arriverait pas.

— Mme Sandler a dit que tu n'étais pas mon père, lança-t-elle.

Deux tasses à café atterrirent brutalement dans les soucoupes. Celle de sa mère se renversa.

— Qu'est-ce que tu racontes ? s'écria-t-elle. Annie est complètement folle !

— Attends, Caroline, attends.

Pendant quelques secondes, ils se turent tous les trois. Son père poussa un long soupir, puis il prit la parole, lentement.

— Explique-nous ce qu'elle t'a dit, Ève.

— Elle a dit que tu étais très bon père, et que tu t'occupais de moi comme si j'étais ta propre fille, et elle a commencé à dire autre chose, mais elle n'a pas pu terminer parce que M. Sandler s'est dépêché de lui couper la parole.

— Je vois.

Il ne souriait plus. Elle se tourna vers sa mère, qui s'était empourprée au point qu'on aurait cru qu'elle s'était étalé du rouge à joues sur toute la figure. Pourquoi ne traitaient-ils pas tout de suite Mme Sandler d'idiote ou de menteuse ?

Sa mère se décida enfin, mais trop tard.

— Annie Sandler parle souvent à tort et à travers. Elle peut lâcher des âneries monumentales.

Ève se leva d'un bond. Elle ne supportait plus de rester assise avec eux. C'était comme de tirer sur un élastique en sachant très bien que c'était dangereux. On continuait quand même jusqu'à ce qu'il finisse par vous claquer dans les doigts. Elle se tenait droite, les poings serrés.

— Vous ne me répondez pas. Vous dites n'importe quoi. Je me doute bien que je suis adoptée et que vous ne voulez pas que je le sache pour ne pas me faire de peine.

Ils échangèrent aussitôt un regard, comme s'ils se demandaient : « Et maintenant, on fait quoi ? » « Alors c'est ça, j'avais raison, pensa Ève. Ils m'ont adoptée parce qu'ils ne pouvaient pas avoir d'enfant. Je sais que ça arrive à certaines femmes. »

« Mais, dans ce cas, pourquoi est-ce que tout le monde pousse des cris en nous rencontrant pour la première fois ? « Mon Dieu ce que vous vous ressemblez ! Coulées dans le même moule ! » Et toutes les fois où on se met ensemble devant le miroir en riant parce qu'on a l'air de jumelles ? Lore connaît maman depuis qu'elle est toute petite, et elle dit... Non, je suis sûre d'être la fille de maman. »

— Si vous ne m'expliquez pas tout de suite pourquoi

Mme Sandler a dit ça, je lui téléphone au motel pour le lui demander.

— Non ! s'écria maman. Je te l'interdis !

— Vous n'avez qu'à me parler. Papa, réponds, tu es mon père ?

Il la regardait avec une grande tristesse, et répondit d'un ton douloureux alors qu'il ne disait rien de bien méchant, au contraire.

— Je suis ton père depuis que tu es née, Ève. J'ai construit ton berceau.

« Je sens qu'ils ne me disent pas tout, mais ça ne me trompe pas. Je vois bien que maman se retient de pleurer. Elle n'est plus rouge, mais ça n'a pas l'air d'aller du tout. »

— Mme Sandler a quand même dit : « comme si c'était sa propre fille », insista-t-elle.

Elle attendit. Son père regardait sa mère. Et soudain, de cette même voix lasse et grave, il déclara :

— Caroline, nous devons lui révéler la vérité. Si nous nous taisons maintenant, Ève ne nous croira plus jamais.

Sa femme lui lança un regard suppliant. Elle pleurait, elle sanglotait.

— Joël, je t'en prie, tu ne peux pas faire ça !

— Tu crois que ça m'amuse ? Nous n'avons pas le choix.

Ève sentait ses jambes trembler. Son cœur s'était remis à battre aussi vite que dans la voiture, quand elle avait cru qu'il allait exploser.

— Maîtrise-toi, Caroline. C'est notre faute. Nous aurions dû tout dire depuis le début.

— Bien sûr que non ! Pourquoi me fais-tu ça ?

Ils se renvoyaient la balle comme si elle n'était pas là. On entendait le tic-tac de l'horloge. Le chat dormait sur le rebord de la fenêtre. Son cœur allait s'arrêter, la tuer net.

— C'était prévisible, Caroline. Il fallait bien que ça se sache un jour.

— Et pourquoi ça ? C'est loin, l'Europe.

— Eh bien, tu vois, c'est arrivé.

— Tu vas tout casser.

— Non, c'est en nous taisant maintenant que nous risquons de tout casser, au contraire.

— Je t'en prie, Joël.

Papa sortit son mouchoir pour essuyer le visage baigné de larmes de maman. Elle avait l'air de mourir de peur, et lui, il pleurait presque.

— Monte, lui demanda-t-il. Je vais lui parler seul. Ça sera plus facile pour toi.

— Non. Je reste. Vas-y, qu'on en finisse. Tu en as déjà trop dit.

— Écoute-moi, Ève, commença Joël, on peut bâtir tout un roman, si on veut, ou on peut s'en tenir à l'essentiel, c'est-à-dire à la vérité. En Allemagne, ta mère a rencontré un homme qu'elle a cru aimer. Ils allaient se marier. Elle était très jeune, et elle a fait une bêtise. À cette époque, elle ne savait pas qu'il ne méritait pas son amour. Et puis il est parti. Alors elle est venue en Amérique sans lui, mais elle attendait un bébé... toi. Tu comprends ?

— Oui.

« Bien sûr que je comprends ! Qu'est-ce que tu crois ? Je pense souvent à ça. C'est même franchement dégoûtant d'imaginer les gens au lit en train de faire des enfants. Enfin, s'il n'y a pas d'autre moyen... mais théoriquement, il n'y a que les gens mariés qui fassent ça. Papa et maman doivent bien le faire aussi sauf qu'ils n'ont pas eu d'autre enfant. Maintenant je comprends. Elle a couché avec quelqu'un d'autre que papa, c'est pour ça que ce n'est pas vraiment mon père. »

— Alors c'est vrai ce qu'a dit Mme Sandler ? Ce n'est pas toi, mon père ?

— C'est vrai d'une certaine manière, mais ça ne veut rien dire, parce que pour tout ce qui compte, c'est moi, ton père. Je suis ton père parce que je t'aime, Ève. C'est ça, être un père, c'est donner de l'amour à un enfant, c'est s'occuper de lui.

Maman s'était détournée et cachait son visage dans ses bras, sur la table. « Elle ne me fait pas pitié, pensa Ève, parce que c'est sa faute, tout ce qui arrive. »

— C'était qui ? murmura-t-elle. Pourquoi est-il parti ?

— Vas-y, au point où on en est, intervint Caroline d'une voix étouffée, sans relever la tête. Maintenant qu'elle est au courant, autant tout lui expliquer.

Papa se mit à tousser, d'une fausse toux très peu naturelle. Ensuite il but une gorgée de café froid, fit la grimace, et se décida à répondre.

— Il s'appelait Walter. C'est tout ce que je sais, et ça me suffit. Un jour maman t'en apprendra peut-être plus, si elle en a envie.

— Tu as dit qu'il ne méritait pas son amour. Qu'est-ce qu'il a fait ?

— Il était nazi.

— Nazi ? Tu veux dire qu'il a tué des gens dans les camps de concentration ?

— Comment veux-tu que je sache ? On ne peut pas dire s'il a tué quelqu'un personnellement. Il vaut mieux ne pas y penser. Il était nazi, ça suffit bien.

Ève n'avait jamais été aussi en colère de sa vie. Les murs tournaient autour d'elle. Elle s'approcha de sa mère et se mit à hurler :

— Pourquoi tu m'as donné un père qui était un sale type ? C'est dégoûtant !

Maman avait toujours l'air aussi mal, et elle ne répondit rien.

— Ne dis pas des choses pareilles, Ève, intervint son père. C'est injuste et cruel.

— Elle n'était même pas mariée avec lui, et elle a quand même... Elle dit toujours que c'est mal, tout le monde le dit, et elle, ça ne l'a pas empêchée.

— Ça arrive à tout le monde de faire des bêtises. Tu en feras aussi, et beaucoup... Mais pas cette bêtise-là, j'espère. Tu n'as pas le droit de lui faire des reproches, tu as de la chance d'avoir une mère comme elle.

— Mais il était nazi, tu te rends compte ? Peut-être même qu'il a tué les parents de maman, ou tes parents à toi.

— C'est peu probable.

— Tu as dit qu'elle l'aimait.

La colère, la terreur, lui donnaient envie de fracasser des assiettes, d'arracher les rideaux.

— Toi aussi, elle t'aimait, quand vous vous êtes mariés ?

— Mais bien sûr. Si les gens se marient, c'est qu'ils s'aiment.

— Alors pourquoi elle ne l'a pas épousé, lui ?

— Je te l'ai dit. Il est parti. Ils n'auraient jamais dû se rencontrer. Maman t'en parlera plus tard, quand elle pourra, mais pas tout de suite. Sois gentille, Ève, attends un peu, tu vois bien qu'elle ne peut pas tout de suite.

— Je m'en fiche. Je veux tout savoir maintenant.

— Écoute, c'est terrible aussi pour elle. Elle est épuisée.

Il avait l'air d'avoir peur. Peut-être que c'était très dur aussi pour lui.

— Je te propose quelque chose, Ève. On va laisser maman se reposer. Regarde la tête qu'elle a. Je vais monter avec toi dans ta chambre, et on va discuter encore tous les deux. Viens, on la laisse un peu tranquille.

Il lui prit le bras afin de l'entraîner. En haut de l'escalier, il se pencha pour l'embrasser sur la joue, mais elle s'écarta. Ce n'était pas son père. Il lui avait menti en jouant la comédie. Tout d'un coup, elle le détestait. Elle détestait aussi celui qu'ils appelaient Walter, qui assassinait des gens et qui, paraît-il, était son père. Et plus que tout, elle détestait sa mère, qui avait fait des bêtises avec un homme bizarre, horrible, un méchant, un nazi, un monstre. Et maintenant, à cause d'elle, elle avait un monstre pour père. Il vivait quelque part sur terre. Et s'il venait la chercher ? Elle le tuerait. Oui, décida-t-elle sans hésiter. Toute sa vie elle n'attendrait que le moment de le tuer. Sa mère lui avait gâché sa vie. Oui, rien n'irait jamais plus. Elle ne savait plus qui elle était. Elle était devenue quelqu'un d'autre, qui n'était plus la fille de Joël. Elle ne se sentait même plus chez elle dans sa maison. Si seulement elle avait pu se réfugier ailleurs... Mais elle n'avait nulle part où aller, sauf peut-être chez Vicky, mais cette grincheuse de Gertrude ne voudrait pas d'elle, de toute façon.

Pleine d'une farouche rancœur, Ève entra dans sa chambre et claqua la porte au nez de son père.

Lore, en rentrant à minuit, trouva Joël et Caroline encore levés.

— C'est vrai que vous avez l'air secoués, s'écria-t-elle quand elle eut appris la nouvelle.

— Oui, c'est un grand choc, répondit Joël. Nous sommes complètement morts de fatigue.

Caroline était allongée sur le canapé. Par la porte ouverte qui donnait dans la salle à manger, elle voyait les traces du passage des Sandler ; les fleurs, les verres de cristal qu'elle aimait tant et qui avaient été posés sur la table avant d'être rangés dans le placard. Quelques heures auparavant seulement, son service de cristal, sa première folie depuis qu'ils étaient arrivés en Amérique, lui avait paru revêtir une grande importance. Pauvre inconsciente !

À présent, sa fille était au lit, toute seule, remuant d'horribles pensées dans sa petite tête. Avec le temps, une solide affection s'était nouée entre Caroline et Joël. Grâce à leur travail commun, à leurs habitudes, le passé s'était presque effacé ; ils n'en parlaient jamais. C'était inutile. Et maintenant, cette période douloureuse et laide revenait les hanter.

— Cette pauvre Annie n'a jamais eu beaucoup de tact, remarqua Lore. Un cœur grand comme ça mais la langue trop bien pendue, et elle n'est pas trop maligne. Elle a toujours été comme ça, vous vous souvenez ?

— En fait, non, même pas, répliqua Caroline. Mais je ne suis pas dans mon état normal.

— Je comprends mieux pourquoi ils ont filé sans demander leur reste quand ils ont ramené Ève, observa Joël. Ils n'ont même pas attendu qu'elle rentre dans la maison. Ils savaient très bien ce qu'ils avaient fait.

— Je lui parlerai demain, décida Lore. Je suis sûre de pouvoir l'aider un peu. C'est un choc terrible pour elle, mais il suffit de lui expliquer, même si ce n'est pas facile.

Lore avait toujours insufflé du courage à Caroline, elle ne perdait pas une occasion de l'encourager. En cas de crise, c'était Lore qui lui redonnait une dose d'optimisme. Déjà en Allemagne, pendant les années noires, elle avait ainsi soutenu leur mère. Mais cette fois, elle n'y pourrait rien.

Accablé, Joël alla à la fenêtre. Quand il avait des soucis, il s'approchait souvent malgré lui de la fenêtre, comme si, par miracle, il avait pu découvrir dehors une solution. Mais, par la croisée ouverte ne lui parvenaient que le bruissement des feuilles et la chaude senteur de la nature. Il resta là, immobile, les mains dans le dos.

« Si les gens se marient, c'est qu'ils s'aiment. »

Soudain, il pivota sur ses talons.

— Je vais leur écrire, aux Sandler, moi, et je vais leur dire ce qu'ils ont fait, ce qu'Annie a fait en se mêlant de ce qui ne la regardait pas ! Elle ne va pas s'en sortir comme ça, sans qu'on dise un mot. Ah ! ça non, alors !

— Non, n'écris pas, conseilla Lore. Tu vas te mettre dans une situation désagréable pour rien. Elle répondra qu'elle pensait qu'Ève était au courant. Il vaut mieux les laisser tranquilles et s'occuper plutôt d'Ève.

— Oui, elle a raison, Joël, murmura Caroline. Et toi aussi. Nous aurions dû révéler la vérité à Ève depuis le début. Je ne sais plus pourquoi on n'a rien dit.

— Mais si. Tu as oublié ? Tu ne voulais pas que les voisins l'apprennent. Nous avions honte.

Oui, pénible vérité. Mais l'opinion des voisins n'avait pas été seule à peser dans la balance. Pourquoi, si on pouvait l'éviter, imposer un tel fardeau à un enfant ? La vie était bien assez dure sans ce handicap.

— Pourtant elle est heureuse depuis qu'elle est née ! Pourquoi se tourne-t-elle contre moi ? Tu l'as vue, Joël ? C'est à moi qu'elle fait des reproches, au lieu de lui en vouloir à... à lui.

— Elle ne le connaît pas, comment veux-tu qu'elle lui fasse des reproches ?

— Plus elle va y réfléchir, plus elle va me détester.

— Je ne la laisserai pas penser du mal de toi. Lore, quand tu parleras à Ève demain, il faudra bien faire attention à lui expliquer que sa mère n'y est pour rien. J'ai confiance en toi, tu sauras quoi dire. Maintenant, allons nous coucher, il est déjà 1 heure du matin. Viens, chérie. Nous devons tenir le coup. Nous n'allons pas nous laisser démolir.

— Absolument, approuva Lore. Dormez. Nous traversons une période difficile, c'est vrai, mais ça pourrait être pire.

Le lendemain, non seulement la situation s'était dégradée, mais elle semblait désespérée. À 8 heures, Ève était toujours retranchée dans sa chambre, la porte fermée à double tour. Plus ses parents frappaient, plus ils essayaient de la persuader d'ouvrir, plus elle s'obstinait.

— Je ne sortirai pas ! Je ne veux plus aller au collège. Vous ne pouvez pas m'obliger !

— Ève, arrête, supplia Joël, c'est à toi que tu fais du mal. Je t'en prie, écoute-nous.

— Et pourquoi je t'écouterais ? Tu n'es même pas mon père.

— C'est terrible, gémit Caroline en rencontrant le regard triste de Joël.

Lui, il était innocent, il n'aurait pas dû avoir à souffrir de ce désastre.

— Joël est ton père, tu dois bien le savoir. Tu lui fais du mal, Ève. Sors de là. Laisse-moi t'expliquer ce qui s'est passé.

— Non. Tu n'es pas ma mère non plus. Je ne veux plus de toi, après ce que tu m'as fait.

Ces derniers mots s'étouffèrent dans un sanglot. Joël et Caroline, impuissants, restèrent devant la porte close.

— Que se passe-t-il ? demanda Lore en arrivant.

— Elle ne veut ni sortir ni nous laisser entrer. Essaie, toi, peut-être qu'elle t'écoutera.

— Bon d'accord, mais descendez d'abord. Ève, ne fais pas le bébé. Il faut qu'on parle sérieusement toutes les deux. D'habitude on se comprend, non ? Laisse-moi entrer.

Dans la cuisine, ils s'assirent aux places qu'ils avaient occupées la veille quand la bombe avait explosé. En haut, pas un bruit, ce qui voulait dire que Lore avait réussi à se faire ouvrir et qu'elle parlait à Ève.

On aurait dit une journée comme les autres. Une lumière ambrée de début d'automne tombait sur le lino, quelques feuilles mortes précoces descendaient en voltigeant devant la fenêtre, et la chatte, qui avait sauté du rebord de la fenêtre où elle passait souvent la nuit, lapait son lait dans un coin. Oui, c'était un jour très ordinaire, à part l'angoisse qui serrait la gorge de Caroline.

— Tu ne t'attendais pas à vivre ça quand tu m'as demandé de m'épouser, remarqua-t-elle brusquement.

— Tu ne pouvais pas non plus savoir ce qui allait arriver quand tu as rencontré... quand tu l'as rencontré.

Joël se leva et caressa la tête inclinée de Caroline.

— Je voudrais bien pouvoir rester à la maison avec vous aujourd'hui, mais je dois aller travailler. Les commandes pour les trois Orangeries doivent partir ce matin.

Elle fit un signe d'assentiment. Lorsque Lore descendit en annonçant qu'Ève était en train de s'habiller, elle n'avait pas bougé.

— Ève refuse toujours d'aller en classe. Elle dit que c'est parce qu'elle a honte. La pauvre petite. Elle a, paraît-il, téléphoné tôt ce matin à sa meilleure amie, Jill, pour lui annoncer la nouvelle. Figure-toi que ça a fait rire la gamine, elle a trouvé ça drôle.

— Je sais que c'est un lieu commun, mais les enfants sont très cruels.

— Les adultes aussi. Tu vas malheureusement avoir l'occasion de t'en rendre compte quand la nouvelle va se répandre, ce qui est inévitable. J'aurais de loin préféré qu'elle n'appelle pas Jill...

— Comment ça, m'en rendre compte ? Tu ne crois pas que j'ai déjà eu plus que l'occasion d'éprouver la cruauté humaine ?

— Oui, théoriquement, tu connais. Mais quand ça touche son propre enfant, on souffre encore plus. Du moins c'est ce que j'entends dire aux parents que je rencontre.

C'était vrai. Caroline n'oublierait jamais l'expression d'Ève, la veille au soir. Jamais.

— Voyons le bon côté des choses, reprit Lore. C'est vrai que c'est affreux d'avoir un squelette qui sort du placard, mais c'est pire de passer sa vie à redouter le moment où les gens apprendront tout.

Elle ponctua sa phrase de son petit sourire mélancolique. On le voyait peu, ce sourire triste, ce qui le rendait d'autant plus poignant. Leur père avait toujours prétendu que, au fond, Lore avait une nature tragique.

— Enfin, maintenant que le mal est fait, enchaîna-t-elle, nous allons devoir nous battre. Joël est très patient, il t'aidera, tu verras. J'aimerais pouvoir rester avec toi aujourd'hui, Caroline, ça faciliterait les choses, mais je ne peux pas. Remarque, vous vous en sortirez peut-être mieux toutes les deux.

À midi, Ève fit une brève apparition pour le déjeuner. Elle accepta le repas préparé par sa mère, mais repoussa le bras tendre qui voulait l'enlacer, se boucha les oreilles, essuya une trace de baiser sur sa joue et remonta dans sa chambre. Après son départ, le silence devint insoutenable. La maison, abandonnée et glaciale, donnait le frisson. Des pensées effrayantes se bousculaient dans la tête de Caroline.

Il allait falloir reconstruire le passé, expliquer tant de mensonges ! Combien de questions une fille pose-t-elle à sa mère ? Caroline se souvenait de milliers d'occasions où elle avait dû improviser. Les filles sont fascinées par les mariages : « Comment était ta robe de mariée, maman ? » Alors on trouvait tant bien que mal une façon d'éluder : « Oh, très ordinaire. C'était un mariage tout simple. » On tâchait de ne pas se contredire tout en évitant de s'appesantir sur le sujet douloureux...

Tard dans l'après-midi, à l'heure de la sortie des classes, Caroline ouvrit la porte à une petite délégation de camarades de sa fille.

— On veut voir Ève, déclara Jill, la meilleure amie. C'est pour la convaincre de revenir au collège demain. Personne ne parlera de ce qui arrive, et on ne se moquera pas d'elle, c'est promis. Après tout, c'est pas sa faute à elle.

Caroline devina que les professeurs n'étaient pas étrangers à cette initiative. Le petit discours, après tout, ne manquait pas de justesse : s'il y avait une coupable, ce n'était pas Ève, mais uniquement sa mère, à laquelle les petites jetaient des coups d'œil curieux.

— Montez, dit-elle. Ève est dans sa chambre.

Ainsi donc, Walter était revenu. Il était là-haut, dans la chambre d'Ève avec le groupe d'amies qui, répétant les paroles de leur mère, sans aucun doute, le faisaient revivre au milieu des fous rires et fabriquaient une histoire d'amour de cinéma. Mais peu importait ! Elle ferait tout pour ne pas se laisser atteindre par les regards furtifs ni par la politesse exagérée des uns et des autres. Tout cela n'était rien, même si elle s'attendait aux plaisanteries cruelles que feraient circuler les hommes sur la virilité de Joël, qui s'en douterait, évidemment. Seule Ève comptait. Ève allait-elle beaucoup souffrir ?

Ce soir-là, Ève souffrit beaucoup, en effet. La visite de ses amies n'avait réussi qu'à accroître sa détermination. Elle ne voulait plus mettre les pieds au collège. Quand elle ne descendit pas pour le dîner, Lore monta la rejoindre dans sa chambre et la trouva en larmes.

— Je ne suis arrivée à rien, rapporta-t-elle en redescendant. Je ne sais plus quoi faire. Nous devrions peut-être demander à Vicky de venir.

— Pourquoi ? Vicky est au courant ?

— Oui, répondit Joël, très sombre. La mère d'une des camarades d'Ève est une amie de Gertrude. Vous mourez sûrement d'envie de connaître l'opinion de Gertrude. Vicky m'a dit que sa charmante mère d'adoption a toujours soupçonné qu'il y avait « quelque chose de louche » chez nous. Vicky, c'est tout à son honneur, était indignée.

— N'empêche, intervint Caroline. Je n'ai pas envie que Vicky donne des conseils à Ève.

— Pourquoi ? protesta Lore. Elle a bon cœur et elle sait se défendre. Je l'aime bien.

— Je n'ai rien contre elle, mais je ne pense pas qu'elle soit la personne indiquée pour comprendre la situation.

— Tu la sous-estimes. Elle n'a pas eu de chance dans la vie, c'est tout.

— Lore, tu es trop gentille, tu trouves des excuses à tout le monde.

— Et si on appelait Al Schulman ? suggéra Joël. On ne peut pas la laisser pleurer toute la nuit. Il pourra peut-être lui donner un calmant. Je ne sais pas. Bon, je l'appelle.

Le docteur Schulman accourut aussitôt. Le coup de téléphone ne l'avait pas surpris, car Emmy avait déjà appris l'histoire par une voisine qui en avait entendu parler en passant à L'Orangerie de la Grande Rue. N'ayant besoin que de peu d'explications, il monta dans la chambre d'Ève dès son arrivée et resta avec elle près de deux heures pendant que les autres attendaient en bas, inquiets.

— Elle s'est un peu calmée, annonça-t-il en redescendant. Nous avons bien discuté. J'ai l'impression qu'elle a beaucoup mûri en l'espace de vingt-quatre heures, mais il n'y a pas lieu de s'affoler. Vous n'avez pas idée de la force qu'ont les enfants qui sont aimés. Certains ont bien réussi à surmonter l'horreur de la Shoah.

Il se tut quelques secondes, puis reprit :

— Ève est une enfant très aimée. Et maintenant que je lui ai parlé, il est temps que je m'occupe un peu de ses parents. Vous aussi, vous avez subi un choc. Voulez-vous que nous en parlions un peu ?

À la fin de la discussion, Caroline se rappela soudain qu'un jour elle avait renoncé à se confier à lui parce qu'elle l'avait cru trop superficiel. Comme on pouvait se tromper !

— Parlez à Ève honnêtement, conclut-il. Ne croyez pas qu'à cause de son âge, ou des quelques remarques naïves qu'elle peut faire, elle ne comprenne pas. Elle est capable d'en entendre beaucoup plus que vous ne pensez. Dites-lui franchement tout ce qui s'est passé et ce que vous ressentez.

Tout, vraiment tout ? pensa Caroline plus tard, au lit, la joue appuyée sur l'épaule réconfortante de Joël. Au bout d'un moment, il finit par s'endormir, mais elle resta toute la nuit les yeux fixés sur les ombres du plafond. Le moindre craquement de la vieille maison la faisait sursauter et elle entendait même le léger tintement de la médaille accrochée au collier de Peter, qui tressaillait dans son sommeil.

Tout. Il fallait tout lui dire.

— Je voudrais que tu me parles de lui, demanda Ève. Qu'est-ce qu'il faisait ? À quoi il ressemblait ?

Elles se promenaient le long du lac, au bout de l'allée, après les dernières maisons.

— Sortez toutes les deux ensemble, seules, avait conseillé le docteur Schulman. Je pense que sa première réaction violente est passée, même si, au fil du temps, vous devez vous attendre à d'autres crises, car il y en aura. Mais elles seront beaucoup plus légères, après le premier choc et la fureur du début. Accordez-lui encore quelques jours de vacances. Attendez jusqu'à la fin de la semaine, par exemple. Lundi prochain, le scandale aura perdu de sa nouveauté et les enfants auront déjà trouvé des sujets de conversation plus passionnants.

— Je lui ressemble ? demanda Ève pour la dixième fois au moins.

— Tu sais très bien que c'est à moi que tu ressembles. Tout le monde le dit.

— Tu trouves ?

— Mais oui, on ne peut pas se ressembler plus que nous deux.

Pourtant, à présent qu'on la forçait à y réfléchir, Caroline remarquait des détails qu'elle n'avait pas vus, ou voulu voir, avant. Les rides qui barraient le front de Walter, si rares chez un garçon de son âge, se formaient déjà sur celui de sa fille. Ève était gauchère ; lui aussi, mais jusqu'à présent elle avait refusé de s'en souvenir. Ève avait un caractère très méticuleux, ce qui était loin d'être le cas de Caroline, et il y avait aussi ses longs doigts, ses longs pieds fins, et sa façon de renverser la tête en arrière quand elle éclatait de rire.

Caroline se contracta. Il n'avait sûrement pas eu de quoi rire le jour de la défaite. Accroche-toi à cette pensée, se dit-elle, cherchant n'importe quel réconfort.

Elles marchaient contre le vent. Les longs cheveux d'Ève voletaient en arrière tandis qu'elle avançait tête baissée, en donnant des coups de pied dans les cailloux du chemin. Il était déjà tard, et le soleil pâlissait. Toute la journée, elles avaient parlé du même sujet par intermittence. Ève avait passé ce samedi à la maison et Caroline, fatiguée, avait répondu à toutes ses questions. Pour une personne aussi énergique, cet épuisement était révélateur.

— Tu as dit que vous vous connaissiez à peine quand toi et... quand vous vous êtes mariés.

— Quand je me suis mariée avec papa ? Tu sais, ajouta-t-elle doucement, j'ai remarqué que tu hésitais à l'appeler papa. Tu peux, c'est ton père.

— Mais l'autre, est-ce qu'il va vouloir venir me retrouver ?

Elle avait posé cette question d'une voix si basse, si tendue que le vent faillit l'emporter.

— Chérie, il ne sait pas que tu existes. Et s'il était au courant, tu serais la dernière personne qu'il voudrait rencontrer. De toute façon, la guerre a été longue, nous ne savons même pas s'il est encore en vie.

Ève frappait dans les graviers à grands coups de chaussure. Soudain, elle releva la tête pour regarder Caroline.

— Comment est-ce qu'il a pu t'abandonner comme ça alors que vous aviez... ?

Alors que vous aviez « fait l'amour », voulait-elle dire sans oser prononcer ces mots. Caroline essaya de se souvenir des images que lui évoquait le lit de ses propres parents quand elle avait douze ans, mais en fut incapable. Ces représentations, trop honteuses, avaient été enfouies au plus profond.

— Alors qu'on avait fait l'amour ? Parce qu'il a sans doute compris qu'il ne voulait pas de moi. Il s'est mis à regretter, à se persuader que c'était une aberration, une erreur complètement folle. Ça arrive souvent aux gens d'imaginer pendant un moment qu'ils veulent quelque chose très fort, et puis tout de suite après ils se demandent pourquoi.

Elle leva les mains au ciel, mimant le regret.

— Ils se disent : « Mais qu'est-ce qui m'a pris ? Je n'aurais jamais dû ! »

— C'était très mal de te quitter.

« Enfin, pensa Caroline, elle commence à comprendre que je ne suis pas la seule et unique coupable. »

— Et après, tu es tout de suite tombée amoureuse de papa, c'est ça ?

— Oui, exactement.

Al Schulman pouvait bien lui conseiller de « tout dire », il y avait quand même des limites.

— Et tu es toujours aussi amoureuse de lui ?

Les grands yeux interrogateurs se fixaient sur elle. « Amoureuse », comme dans les magazines de cinéma, un mot creux aussi dissocié des véritables émotions humaines que s'il venait d'une langue étrangère.

— Je l'aime, répondit-elle.

Il y avait tant de façons d'aimer...

— Lui aussi, il t'aime, maman, il me le dit souvent.

— Je sais. Tu viens, on rentre ?

— Attends, pas encore.

— Les journées raccourcissent et c'est bientôt l'heure du dîner.

— Je n'ai pas faim.

— Toi, peut-être, mais pense aux autres.

— Je m'en fiche, des autres. J'ai assez de soucis comme ça.

Caroline étouffa un soupir. Elle n'était pas au bout de ses peines, loin de là. Les mêmes questions et les mêmes réponses devraient se répéter encore souvent, les spectres du passé reviendraient à la charge.

L'indignation d'Ève s'était réveillée.

— La mère de Jill a dit que tu avais été obligée de te marier pour que je sois légitime.

Les gens n'avaient-ils donc pas d'autres sujets de conversation que le malheur des autres ? Il fallait reconnaître que beaucoup de leurs amis avaient réagi avec tact et maturité comme Emmy Schulman, mais c'était loin d'être le cas de tous. La rumeur s'était répandue comme une traînée de poudre. Si seulement cette idiote d'Annie avait tenu sa langue ! Les Sandler avaient envoyé une gentille lettre de remerciements une fois arrivés en Californie, sans mentionner l'incident. Peut-être n'avaient-ils même pas conscience du drame qu'ils avaient provoqué. D'après Joël, ils savaient très bien ce qui se passait, et il ne fallait pas tenir compte de leur lettre. Mais Caroline était plus encline à la clémence.

— Ce sont des gens merveilleux. Sans eux, nous ne serions pas là aujourd'hui. Oublie le rôle qu'ils ont joué. Et de toute façon, nous avons peu de chances de les revoir maintenant qu'ils vivent à l'autre bout du pays.

En attendant, elle devait à tout prix garder son calme et répondre à sa fille avec patience.

— Personne ne m'a forcée, déclara-t-elle. Je voulais que tu aies un père, un bon père. Et je ne me suis pas trompée. Nous vivons avec un homme que nous aimons, en qui nous avons confiance. Voilà ce qui compte, Ève. La qualité du cœur.

— Tu le détestes ?

— Qui ?

— Mais lui ! Walter... Ce nazi que tu m'as donné comme père.

— Je croyais que nous avions déjà réglé ça.

Pourquoi lui posait-on toujours cette question ? Joël, lui, ne se l'était jamais permis, alors que lui seul en aurait eu le droit.

« Il y a tant de sentiments en un seul mot, songea-t-elle, et qui se mêlent en moi : la tristesse, la rage, la surprise, le mépris. D'ailleurs, qu'est-ce que ça change, maintenant, si je le déteste ? C'est de l'histoire ancienne. »

— Susan dit que ses parents pensent que tu étais peut-être nazie, toi aussi.

— Ève ! Là, je n'en reviens pas ! Où a-t-elle pêché cette idiotie ?

Elles s'arrêtèrent. Et, soudain, elles éclatèrent de rire.

Les jours passèrent, les semaines, les mois. Petit à petit, les conversations familiales se tournèrent vers des sujets plus naturels : le collège, l'hôpital de Lore, et la gestion des Orangeries. Tout doucement, il devint de nouveau possible de serrer Ève dans ses bras, de l'embrasser et de recevoir des baisers d'elle.

— La vie reprend son cours, observa Joël. Je crois que la crise est passée.

— Oui, tu as raison.

Sans lui et sans Lore, Caroline savait qu'elle ne s'en serait jamais sortie. Ils étaient solides, tous les deux. Mieux valait ne pas songer à ce qu'aurait été sa vie si elle avait dû élever Ève seule.

Pourtant, elle sentait toujours chez sa fille une curiosité inquiète qui se révélait à des moments bizarres. Parfois, c'était en achetant une paire de chaussures, ou en mettant le couvert, ou en donnant à manger au chat et au chien ; elle lançait soudain des salves de reproches, et ne parvenait à s'arrêter qu'une fois ses munitions épuisées.

— C'est un peu comme si l'angoisse d'Ève était une blessure, avait un jour déclaré Caroline à Joël. Il faut que ça saigne pour que la plaie se referme. Et il faudra encore longtemps avant qu'il ne reste qu'une cicatrice.

9

L'ère Eisenhower florissait ; grâce à l'aviation de tourisme, les vacanciers européens commençaient à traverser l'Atlantique pour venir en Amérique. Déjà la télévision n'était plus le phénomène des premiers jours, qui faisait accourir tout le quartier pour admirer les nouveaux postes.

Cependant, on voyageait encore le plus souvent en train ou en voiture, et c'était par la route que Joël et Caroline auraient emmené Ève visiter l'Ouest si d'autres événements n'étaient survenus pour changer leurs projets.

À une vingtaine de kilomètres d'Ivy par l'autoroute, Caroline et Joël admiraient la dernière Orangerie en date, en cours d'achèvement. Les fameux stores orange étaient déjà presque tous fixés, les luxuriants buissons ornementaux étaient plantés, et les ouvriers posaient le dallage de la terrasse à l'arrière où, en été, à l'ombre, les tables seraient prises d'assaut.

— Je n'arrive pas à m'y faire, commenta Joël. La sixième ! Tu te rends compte ? Nous étions à des lieues d'imaginer, en commençant dans la petite boulangerie des Ricci, que nous irions si loin.

Caroline lui sourit.

— Le succès attire le succès. C'est ce qu'on dit, non ? N'oublie pas que tout a commencé par ton pain délicieux.

— Et ton imagination.

— Nous sommes contents de nous, aujourd'hui ! Allons, il est temps de rentrer. J'ai rendez-vous chez Al Schulman.

— Tu ne viens pas de passer ta visite annuelle ?

— Si, la semaine dernière, mais j'y retourne toujours pour les résultats.

— Et Dieu merci, chaque fois ils sont bons. Tu as une santé de fer. Attends juste que je rappelle aux maçons d'arrondir les angles du muret de la terrasse. Si quelqu'un trébuchait, au moins il ne se blesserait pas sur une arête.

Elle le regarda s'éloigner. À quarante ans, il était toujours en forme ; à peine si son dos commençait à se voûter, trahissant de longues heures passées à son bureau. Il avait aussi acquis la démarche assurée d'un homme satisfait de son costume sur mesure et de ses placements immobiliers, mais sans ostentation. À Joël, on pouvait pardonner cette vanité, bien légère, d'ailleurs. Atteindre ce succès quand on avait commencé dans le fournil du boulanger ! Elle sourit avec émotion en se remémorant la première petite boutique des Ricci, qu'elle avait décorée avec du chintz et un oranger acheté sur catalogue.

— Mais comment n'y ai-je pas pensé moi-même ? disait-il toujours. Théoriquement, c'était moi l'homme d'affaires.

Comme trop d'hommes, il se targuait de n'avoir jamais pris de vacances de sa vie. Caroline s'en inquiétait, surtout à cause de son diabète. Il ne suivait pas son régime et travaillait trop. C'était un vrai triomphe pour elle qu'il ait fini par accepter ce voyage dans l'Ouest. Selon toute probabilité, il ne s'était d'ailleurs décidé que pour Ève.

— Je veux qu'elle aime ce pays autant que moi, avait-elle expliqué. Et le meilleur moyen de l'aimer, c'est de le connaître. Toi aussi, Joël, tu devrais le visiter. Nous n'avons vu que Chicago et New York, et encore, très vite. Sinon, nous ne connaissons que les villes de la région avec leurs « rue de l'Érable » et leurs « rue de l'Orme ».

— Tu n'aurais pas envie d'aller en Europe ?

— Un jour, peut-être, quand nous pourrons nous offrir ce luxe.

— Je ne vois pas ce qui nous en empêche.

Il jubilait, toujours heureux de pouvoir se montrer généreux ; souvent, même, elle devait freiner sa tendance à trop donner et à dépenser à tort et à travers.

— Tu n'as pas envie de retourner là-bas ? avait-il insisté.

— Pas vraiment. J'ai visité presque toute l'Europe quand j'étais petite, de la Norvège à la Grèce, dans les meilleurs hôtels.

— Tu veux me faire croire ça ? Si tu n'as pas envie d'y aller, c'est pour les mêmes raisons que moi.

— Tu me demandais ça pour me mettre à l'épreuve, alors ?

— Exactement. C'est trop tôt après tout ce qui s'est passé. Il nous faudra encore beaucoup de temps avant de pouvoir envisager de traverser l'Atlantique.

Ils avaient donc décidé d'acheter un break et d'aller vers l'Ouest. Ils partiraient tous les quatre, avec Lore.

— C'est vraiment beau, ce que fait Joël, avait remarqué Emmy Schulman. J'admire sa façon d'inclure Lore dans toutes vos activités. Je connais peu d'hommes qui soient aussi attentifs à la famille de leur femme. Joël est un cas à part.

— On peut le dire ! Il emmènerait même Vicky s'il pouvait trouver quelqu'un pour la remplacer au bureau. Il l'apprécie depuis le début, quand elle était encore toute jeune, sous la coupe de Gertrude. Après toutes ces années, c'est une sorte de cousine.

— Pour être sincère, je ne l'ai jamais vraiment aimée, avoua Emmy, ce qui avait quelque chose d'étonnant de la part d'une femme aussi indulgente.

En fait, Vicky avait plutôt mauvaise réputation. Elle approchait de la trentaine mais avait l'air plus jeune, et, bien que n'ayant jamais été mariée, avait toujours un homme à son bras. Ses vêtements, toujours très voyants, frôlaient la vulgarité. Il en allait de même de sa façon d'être. Elle restait sur la défensive tout en se voulant joviale, ce qui se traduisait par une repartie facile mais un peu agressive.

Au bureau, elle était irremplaçable, un génie des chiffres.

— Elle pourrait faire tourner cette affaire à elle seule, proclamait Joël.

Caroline avait beau être d'accord, elle se félicitait que Vicky ne participe pas au voyage. Elle n'aurait pu expliquer pourquoi, mais elle savait qu'avec cette passagère supplémentaire l'atmosphère aurait été gâchée.

— Je te dépose au cabinet d'Al, déclara Joël, et puis j'irai voir si le break est prêt.

— Si tu y penses, tu pourrais acheter un nouveau panier à chien pour le voyage ? La boutique est juste en face du garage.

Peter numéro quatre était un chien abandonné, un mélange de terrier, trouvé par la fourrière au bord de l'autoroute. D'un blanc pur – quand il sortait de son bain –, avec des oreilles pendantes, il ne ressemblait en rien à Peter trois, si l'on exceptait son expression triste. Joël était incapable de résister à des yeux malheureux.

— Tu es sûre de vouloir l'emmener ? demanda-t-il. Ce sera assez contraignant.

— Ève ne veut pas qu'on le mette au chenil. Elle a promis de s'en occuper.

— Bien, je ne demande qu'à la croire. Elle est de parole.

— C'est vrai.

— Elle a énormément changé en quatre ans, tu ne trouves pas ? Elle fait beaucoup plus que ses seize ans. Je me demande si la crise, avec le choc qu'elle a eu, n'est pas en partie responsable.

— En tout cas elle est beaucoup plus mûre que je ne l'étais à son âge.

— Elle n'en parle jamais devant moi. Elle ne m'a pas posé une seule question depuis la première année. Et à toi ?

Caroline comprit qu'il voulait dire : « Te parle-t-elle de lui ? » En fait, Ève n'avait pas mentionné plus d'une demi-douzaine de fois ce qui devait être l'événement le plus marquant de toute son existence. Mais Caroline se souvenait de ses rares remarques avec une précision douloureuse. Par exemple, Ève avait un jour déclaré : « J'imagine que si on grandit dans une famille horrible, comme lui, on ne peut pas s'empêcher de ressembler à ses parents. » À cet instant, Caroline avait vu se dresser devant elle le monstre à la tête de brute, avec son crâne rasé et la croix gammée au revers du veston, qui traversait le trottoir pour rentrer chez lui. Le grand-père d'Ève ! En revanche, le souvenir de sa réponse restait flou.

— Non, répondit-elle à Joël, nous n'en parlons jamais.

Il garda le silence. La conversation s'embourbait de façon dangereuse, et Caroline s'empressa de passer à autre chose.

— Lore se réjouit beaucoup de ces vacances. Elle fait plaisir à entendre.

— Elle n'a pas tellement de bonheurs dans sa vie. Elle travaille sans arrêt et ne sort jamais, sauf pour aller de temps en temps à un concert en ville.

— Elle adore son travail.

— C'est vrai, mais je trouverais la vie bien triste si je n'avais que ça.

Ils roulaient sur la route du lac qui allait chez les Schulman. En arrivant, Joël ralentit et admira leur allée d'accès bien entretenue. Une haie de genévrier la bordait d'un côté, et un gazon parsemé de jonquilles en fleur s'étendait de l'autre.

— Tu sais, dit-il, nous devrions acheter une maison ici. Tu as toujours rêvé de vivre près du lac. Je me demande ce que nous attendons, nous ne sommes plus si jeunes.

— C'est trop cher.

— Mais, ma chérie, nous avons assez à la banque pour nous en acheter deux.

Elle parcourut la rue des yeux. Il n'y avait aucune prétention dans ces maisons calmes, situées dans le cadre agréable de grands arbres centenaires. Cela lui rappelait la maison de pierre blanche de son enfance ; solide, faite pour durer, pour être transmise à la descendance. Comme tout restait clair dans sa mémoire ! Elle se souvenait aussi de la jeune femme qui avait débarqué en Amérique quelques années plus tôt, timide et sans le sou, l'étrangère aimablement invitée à un déjeuner de bienvenue dans cette même rue...

— Non, décida-t-elle, laisse l'argent à la banque. Nous sommes très bien comme ça.

— Réfléchis, au moins. Tu veux que je vienne te reprendre tout à l'heure, ou tu préfères marcher ?

— De toute façon, il faut que je m'arrête à L'Orangerie de la Grande Rue avant de rentrer. J'irai à pied.

La femme qui monta les marches qui menaient au cabinet du médecin n'était pas la même que celle qui redescendit une demi-heure plus tard.

Le docteur Schulman lui prit les mains dans les siennes et rit devant son air étonné.

— Eh bien, j'ai une surprise pour toi !

— Ne me dis pas que j'ai gagné à la loterie.

— C'est mieux, encore bien mieux. Caroline, tu vas avoir un bébé.

— Tu es fou !

— Non, en tout cas pas aujourd'hui. On s'en est aperçu dans les analyses, par hasard. Quelqu'un s'est trompé, on a ajouté aux examens un test de grossesse, et voilà la nouvelle ! Je parie que tu n'en reviens pas, évidemment. Mais j'espère que tu es heureuse.

— Al, tu en es sûr ? Complètement ?

— Oui, j'ai demandé une deuxième analyse de contrôle. Il n'y a aucun doute possible. Tu as l'air complètement assommée. Assieds-toi.

— C'est vrai, je n'en reviens pas. Mais enfin, j'ai trente-six ans !

— Et alors ? Ça arrive très souvent d'avoir des enfants à cet âge.

— Mais après tout ce temps... Ça fait un drôle d'effet.

— C'est merveilleux, Caroline. Regarde, Ève doit bientôt partir à l'université, et voilà qu'une nouvelle petite vie va venir égayer la maison.

Toutes sortes de doutes tourbillonnaient dans sa tête.

— Je me demande comment Ève va prendre la nouvelle. Elle commençait tout juste à se remettre de l'autre histoire, si elle s'en remet jamais vraiment, ce dont je doute.

— Elle sera ravie. Comme tu dis, elle a dû surmonter une expérience bien plus traumatisante que celle-ci, et elle s'en est sortie.

— J'espère.

— Et toi aussi, tu as su surmonter beaucoup d'événements difficiles.

— Que va dire Joël ?

Al Schulman éclata de nouveau de rire.

— Joël ? Il va vouloir l'annoncer à la télévision nationale. Il va exploser de joie. Va, rentre chez toi, et prends rendez-vous chez Arnold Baker. C'est le meilleur obstétricien de la région.

Affolée, les jambes tremblantes, elle fit le trajet du retour sous le soleil d'avril. Son état d'esprit avait changé du tout au tout : avant la visite, elle s'était sentie paresseuse, avec un soupçon d'excitation printanière. Maintenant, elle ressentait une grande fébrilité, comme si le temps était compté ; comme si elle avait un million de choses à faire, à dire, de transformations à accomplir, toutes en même temps. Elle imaginait les questions, les exclamations, les innombrables commentaires. Ce ne fut qu'en trébuchant contre le trottoir qu'elle se rendit compte qu'elle s'était mise à courir.

« Al Schulman trouve la nouvelle “merveilleuse”, pensait-elle. Bien sûr, toute naissance est extraordinaire, qu'on la désire ou non, mais je ne peux vraiment pas dire que celle-ci soit volontaire. Par ailleurs, il serait faux de dire qu'elle n'était pas désirée, parce que, en réalité, je n'y pense plus depuis des années. J'étais simplement persuadée que ça n'arriverait jamais, et j'imagine que Joël avait fini par s'y résigner. Mais voilà... Il va falloir s'habituer.

« C'est fou ce qu'on oublie vite comment s'occuper d'un bébé. Quand je vois le nouveau-né des voisins, endormi dans son landau, j'ai honte d'avouer que je me souviens à peine d'Ève au même âge. Lore pense que c'est à cause des circonstances dans lesquelles je l'ai eue. Je n'ai tenu le coup que par miracle.

« Mais, cette fois, ce sera différent. Ce bébé-ci, au moins, aura la sécurité. Son père est un homme digne de ce nom. À quoi ressemblera-t-il, ou elle ? À Ève, encore une fois, ou aura-t-il le visage de Joël, avec de bonnes joues rouges ? Quelle aventure d'attendre la surprise pendant ces longs mois ! »

Elle se sentait toute bête. De quoi aurait-elle l'air avec un landau ? Et pourtant, ce serait fabuleux de créer une petite vie nouvelle ! Un flux d'émotions contradictoires la parcourait tandis que les souvenirs de sa dernière grossesse lui revenaient. Elle revoyait le médecin du paquebot auquel il n'avait pas fallu cinq minutes pour se rendre compte qu'elle était enceinte et qui lui avait recommandé de ne pas en parler. « Atteinte aux bonnes mœurs », avait-il dit. Atteinte aux bonnes mœurs ! Sa petite Ève, si gracieuse, si tendre, Ève la sérieuse. Son cœur débordait d'indignation.

Oui, mais à présent elle portait à son doigt l'anneau requis. Le titre tout-puissant était accolé à son nom. Pas même Gertrude, la malveillante Gertrude de Vicky, ne pourrait y trouver à redire, sinon, peut-être, qu'il était un peu tard pour mettre un enfant au monde à trente-six ans.

« Je vais avoir un bébé... moi ! » À cette pensée, elle se mit à rire, et continua sa route d'un bon pas, sans arrêter de rire tout le long du chemin.

Joël, comme Al Schulman l'avait prédit, éclatait d'orgueil. Après avoir déboutonné son gilet – il portait toujours un gilet sous sa veste –, il se resservit du délicieux gâteau à la crème fouettée que Lore avait préparé pour fêter la nouvelle.

— Joël, tu ne devrais pas en reprendre, intervint Caroline. Tu sais bien que c'est mauvais pour toi.

— Mais on s'en fiche, de mon diabète ! Verse-moi du vin.

Personne ne l'avait jamais vu ni ivre, ni même un peu éméché. Il rayonnait, souriant de toutes ses dents.

— Quand as-tu dit ? Quand ? demanda-t-il.

— Je te l'ai déjà répété cent fois. C'est pour décembre. Fin décembre.

— Je vais m'atteler tout de suite au berceau. Nous aurions dû garder celui que j'avais fait pour toi, Ève, mais nous l'avons donné. En toute modestie, c'était un véritable chef-d'œuvre.

— Eh bien, tu as huit mois pour en refaire un, papa.

Ève observait avec curiosité les événements, comme si elle jugeait un peu incongrue la venue si tardive d'un bébé dans la famille. La mère de son petit ami du moment venait de donner naissance à ce qu'il nommait un « accident », c'est-à-dire à un bébé alors qu'elle avait quarante ans. Mais, dans ce cas, il s'agissait du cinquième enfant de la famille, ce qui avait beaucoup moins d'intérêt.

— C'est que j'ai du pain sur la planche d'ici janvier, reprit Joël. Nous allons déménager.

Il les regarda, ravi, attendant les réactions.

— Comment ça ! s'exclama Caroline. Qu'est-ce que tu racontes ?

— Tu vas l'avoir, ta maison avec vue sur le lac, oui, ma petite dame ! répondit-il, triomphant. Tu sais, c'est celle qui fait le coin, avec le grand jardin, celle avec le sapin bleu que tu admires chaque fois. Elle est à vendre. J'en ai entendu parler à la banque ce matin, et j'ai fait une offre tout de suite, sans marchander. Je vais payer comptant, et nous pourrons emménager en septembre.

— Mais, Joël, je t'avais dit de ne pas te servir de nos économies pour...

— Je ne touche pas à nos économies. Des promoteurs veulent construire un ensemble immobilier dans notre rue. Comme nous sommes au milieu de la rue, en refusant de vendre nous pourrions tout stopper. Je les ai rencontrés la semaine dernière, juste après avoir appris la grande nouvelle, et je leur ai dit que j'étais prêt à céder s'ils nous donnaient de quoi nous acheter une maison avec vue sur le lac.

Caroline, Lore et Ève en restèrent bouche bée. Elles se tournèrent avec un bel ensemble vers la fenêtre qui donnait sur le carré de terre fraîchement labouré pour les prochains semis, le « potager d'Angela », comme on l'appelait encore.

— Ça va me sembler tout drôle de déménager, remarqua Ève. Je n'ai jamais vécu ailleurs.

— C'est cher, les déménagements, intervint Caroline. Il paraît qu'on a toujours des surprises, qu'on découvre des quantités de travaux qu'on n'avait pas prévus.

La magnifique maison au bord du lac l'avait toujours fait rêver, mais maintenant que cette envie se concrétisait, surtout ajoutée à la surprise de sa grossesse, elle s'effrayait soudain.

— Lore, qu'en penses-tu ? demanda-t-elle.

— Je trouve que cette maison-ci nous suffit bien. Elle est confortable, non ? On a vraiment besoin d'un tel luxe ?

Cette remarque amusa Joël.

— Nous serons très à l'étroit avec une cinquième personne et toutes ses petites affaires.

— Ça demande beaucoup d'entretien, objecta Lore, les grands gazons comme ça... c'est cher, et tu ne pourras jamais t'en occuper, avec les six restaurants. Tu passes ton temps à courir de l'un à l'autre.

— Ne t'en fais pas, c'est moi qui en prends la responsabilité. Tu sais ce que je pense ? poursuivit-il avec malice. Tu as peur que nous ne voulions pas de toi dans la nouvelle maison, je te connais. Écoute, s'il le faut, nous t'y traînerons par les cheveux. Tu vas avoir une chambre sur le devant, avec vue sur le lac, que tu le veuilles ou non.

— Tu es fou.

On voyait bien que Lore était contente qu'on la supplie un peu. Comme souvent, Caroline ressentit en la regardant une tendre pitié ; Lore n'avait pas encore cinquante ans mais elle avait vieilli, avec ses cheveux clairsemés qui avaient déjà viré au gris et ses vilaines dents qu'on devait remplacer les unes après les autres. « J'ai tellement de chance », se dit-elle, ne pensant évidemment ni à la nouvelle maison ni à ses restaurants mais à la richesse de son bonheur. Elle avait un mari merveilleux, une fille exquise, une sœur fidèle, et en plus de tout, la joie incroyable d'attendre un enfant.

Il y avait maintenant trop à faire pour consacrer un mois au voyage dans l'Ouest. On le repoussa à un autre été. Il faudrait un peu de temps pour les formalités de vente et d'achat, et Caroline voulait trouver des meubles pour la maison au sapin bleu avant d'être devenue trop énorme pour courir à droite et à gauche.

Elle adorait la maison, qui était charmante, vieille et un peu laissée à l'abandon ; les peintures de la cuisine, par exemple, devaient être entièrement refaites car les murs étaient abîmés, un simple lessivage n'y suffirait pas. La rampe de l'escalier était branlante, et les marches du perron s'affaissaient. Papier et crayon en main pour prendre des notes, Caroline passait de pièce en pièce.

— Tu as vu comme tu te piques au jeu ? remarqua Joël, ravi. Dire que tu déclarais ne pas vouloir déménager.

— Puisque tu m'y as obligée, il faut bien que je m'y mette. Voyons... Est-ce que ça coûterait trop cher de changer la fenêtre de la bibliothèque ? J'adore les grandes baies vitrées en avancée avec un large rebord à l'intérieur pour pouvoir s'asseoir et lire les jours de pluie. Et quand il fait beau, les pièces sont très claires. On pourrait prolonger la baie jusqu'à notre chambre, juste au-dessus. Ce serait agréable de voir le lac en se réveillant et de suivre les changements de couleur à chaque saison.

— Ça ne devrait pas nous ruiner.

— Et puis, pendant qu'on y sera, on pourrait demander aux menuisiers de poser une bonne barrière tout autour de la propriété pour empêcher Peter de sortir.

— Peter ? Pas le bébé ?

— Tu crois vraiment que quand il marchera je le laisserai sortir seul ?

— Je plaisantais. D'ailleurs qui sait si nous n'aurons qu'un seul bébé ? On pourrait très bien avoir des jumeaux.

Il débordait de joie de vivre depuis qu'il avait appris la nouvelle. Sans doute, en secret, désirait-il un enfant depuis longtemps.

— Tu crois que ce serait joli, des rosiers, au milieu du jardin ? Les roses ont besoin de beaucoup de soleil. Peut-être vaudrait-il mieux les planter à gauche, contre la barrière.

— Te rends-tu compte que tu essaies de reproduire le jardin de Berlin ? demanda Lore un jour.

Cette réflexion prit Caroline au dépourvu. Elle n'y avait sincèrement pas pensé.

— L'inconscient nous joue de drôles de tour, commenta Lore. Enfin, ce n'est pas si étrange que ça, et j'imagine que tu penses souvent au passé sans même le savoir. C'est normal.

De temps à autre, heureusement pas trop souvent, Lore avait le don de la déprimer.

— Non, justement, répondit Caroline d'une voix sèche, je tâche de chasser cela de mon esprit. C'est aussi une réaction normale.

— Et si on achetait un électrophone pour la chambre de Lore ? suggéra Joël. De cette façon elle pourra écouter autant de musique qu'elle voudra sans personne pour la déranger.

Caroline se demandait parfois si Lore ne rappelait pas à Joël, bien qu'il n'en ait rien dit, quelqu'un qu'il avait connu en Pologne pendant la période dont lui non plus ne parlait jamais. Ou peut-être tout simplement était-ce dans sa nature d'éprouver de la compassion pour les autres, comme pour cette pauvre Vicky, ou pour la serveuse de L'Orangerie numéro trois, qui avait un enfant sourd.

Au fil des semaines, Caroline prit conscience qu'un état d'euphorie intense l'habitait, et elle ne fut pas la seule à le remarquer. Son médecin lui apprit que le phénomène n'était pas rare chez les femmes enceintes. Et donc, loin de s'effrayer des souvenirs de sa maison d'enfance qui lui revenaient, elle s'amusa à reproduire des détails qui lui restaient particulièrement chers.

Elle trouva un papier qui ressemblait à celui qui avait tapissé le salon de sa mère : un motif de pivoines rouge sombre de style chinois sur un fond clair d'un gris un peu vert. Dans l'entrée, elle accrocha une paire de miroirs vénitiens anciens et posa une vieille pendule à cadran blanc sur le dessus de la cheminée. À présent qu'elle avait la place pour garder tous les livres qu'elle voulait, elle acheta d'occasion des séries complètes de classiques pour les relire, et dans l'espoir que ses enfants les liraient aussi. « Ses enfants. » La sonorité de ce pluriel la ravissait.

Sur les murs du petit bureau de Joël, elle plaça des photos de beaux bâtiments du monde entier, car il venait de se découvrir une passion pour l'architecture. Là où son père avait préféré des photos de ruines romaines elle offrit à Joël un mélange éclectique : Angkor Vat, l'Empire State Building, l'Opéra de Paris et les constructions géométriques en verre de Mies von der Rohe. En accrochant les cadres sobres et identiques, elle se souvint soudain du jour, à New York, où il avait décrit avec beaucoup d'émotion sa première visite au musée. Touchée par ce souvenir, elle se jura de trouver du temps dorénavant pour ce genre de plaisirs. Joël, sans s'en apercevoir, passait à côté d'un besoin essentiel.

Pendant l'été et l'automne, l'aménagement occupa toute la famille. Joël reproduisit fidèlement le berceau de rêve ; Lore fronça et ourla de ses propres mains tous les rideaux, méprisant « ces cochonneries toutes faites, cousues à la machine » ; Ève et ses amis investirent le jardin pour mener à bien le projet qu'ils s'étaient fixé : recréer un potager où pousseraient aussi des fleurs, comme celui de l'ancienne maison des Ricci.

— C'est la course contre la montre entre toi et la maison, déclara Joël, car l'automne avançait et la taille de Caroline s'épaississait.

— La maison va gagner, affirma-t-elle. Nous y emménagerons avant le 1er décembre.

Maintenant, elle pouvait marcher dans les rues d'Ivy, enveloppée du doux parfum de sa respectabilité et de sa prospérité. « C'est drôle, se disait-elle souvent en répondant aux salutations, je suis la même qui est arrivée de New York avec tout ce qu'elle possédait dans une seule malle. Ceux qui, comme Gertrude, me regardaient de travers me lancent à présent des regards mielleux, mais je n'apprécie pas plus cette amabilité intéressée. »

Bientôt l'air d'automne imprégné d'odeurs de fumée se refroidit ; le vent du nord agitait le lac et Caroline parvenait à peine à se baisser pour attacher ses bottines.

Joël les laçait pour elle. Il ne savait que faire pour se rendre utile. Il s'étonnait qu'elle n'ait pas d'envies subites, comme de fraises à minuit ou de cornichons, et qu'elle n'éprouve jamais ni douleur ni fatigue.

— C'est incroyable que tu aies l'air si délicate alors que tu es solide comme un roc ! s'extasiait-il en l'étudiant comme s'il allait la dessiner. Ce doit être ton ossature, qui est toute fine et délicate, et puis ta peau de lait. Tu as encore l'air d'une jeune fille. Et dire qu'après tout ce temps tu me donnes un enfant !

Ils passèrent leur dernier Thanksgiving dans l'ancienne maison. Lore et Ève préparèrent le dîner : la dinde, la tourte à la citrouille, et, comme toujours, le gâteau au chocolat de Lore. Joël déblaya le chemin car la première grosse neige était tombée, posa sur la table un bouquet maladroit, apporta du champagne pour trinquer et interdit à Caroline de bouger.

Elle le laissa faire, reine de la soirée malgré elle. De sa place à la vieille table, elle regardait autour d'elle la pièce simple où quelques milliers de repas avaient été servis. C'était dans cette maison qu'ils avaient réellement commencé leur existence américaine, là qu'ils avaient tissé des liens familiaux, résisté au malheur, et finalement triomphé des temps difficiles. Le lendemain, ils déménageaient, et comme toujours au seuil des grands changements, on ne pouvait s'empêcher de remuer des pensées complexes.

« Et voilà, pensa Caroline, ainsi s'achève notre vie dans la petite maison brune. »

Un jour de neige juste avant le jour de l'An, Jane Hirsch arriva dans la nouvelle maison blanche, enveloppée dans une couverture rose brodée à la main par Lore, et fut déposée dans le berceau fabriqué par son père, à côté du lit de sa mère.

— Ce qu'elle peut être belle ! commenta Joël.

Caroline sourit. Elle avait donné naissance à un bébé en parfaite santé, avec de bonnes joues et le visage rond de Joël. Peut-être deviendrait-elle très jolie en grandissant, mais ce n'était encore qu'un nourrisson, sans laideur ni beauté. « Je ne demande qu'une seule chose, songea Caroline, qu'elle ne souffre pas trop. »

Dehors, la nuit était noire, et la surface du lac ressemblait à de la nacre.

— Voilà, c'est fait, tu as ta vue du lac, remarqua Joël en suivant son regard.

— Je suis comblée.

Ils se penchèrent au-dessus du berceau pour observer encore la nouvelle venue.

— Regarde la taille de ses doigts ! s'exclama-t-il, la voix voilée par l'émotion. C'est fou, non ? Ma mère l'aurait adorée. Mon père aussi. Lui, c'était un grand gaillard, pas comme moi. Il mesurait près de 1,90 mètre, mais il avait des mains très fines, des mains de peintre ou de musicien. Et puis il comprenait les autres. Les gens s'en apercevaient tout de suite. Ah, si seulement Jane avait pu connaître son grand-père !

Comme Caroline ne répondait rien, il s'empressa d'ajouter :

— Et son autre grand-père aussi, bien entendu. Lore m'en a beaucoup parlé.

Caroline ne pensait pas à son père. Plutôt à l'héritage d'Ève, au père qui l'affiliait aux monstres nazis. Quand les événements la forçaient à y songer, c'était ainsi qu'elle les nommait dans sa tête : les monstres. Ceux qui assassinaient, qui ravageaient tout sur leur passage.

— Tu penses à Ève ? demanda doucement Joël.

— Comment as-tu deviné ?

— C'était facile. Ça m'arrive souvent de deviner à quoi tu penses quand tu ne dis rien.

— Tu es extraordinaire.

— Je sais que je ne devrais pas te demander ça, mais... est-ce que l'arrivée de notre bébé a changé quelque chose ?

Il s'agenouilla sur le tapis pour se placer à la hauteur de sa femme, allongée dans le lit.

— Ce que je veux dire, c'est... est-ce que tu penses encore parfois à... à lui ?

— À lui ? Je ne vois pas comment une femme normale et intelligente pourrait perdre son temps une seule seconde à regretter un monstre nazi.

— Les sentiments n'ont rien à voir avec l'intelligence.

— Je sais, mais la réponse est quand même non.

— On dit parfois, je ne sais plus où j'ai entendu ça, que dans tous les couples, il y a celui qui aime, et celui qui est aimé.

— C'est un Français qui l'a écrit. Mais ce n'est pas toujours vrai. J'espère que tu n'y crois pas.

Elle tendit le bras pour lui caresser les cheveux. Sentant qu'il tremblait, elle continua. Quand enfin il redressa la tête, il lui mit une petite boîte dans la main.

— Ouvre.

C'était un écrin de velours, de la taille d'une bague, et elle sentit l'émotion lui piquer les yeux. Il était tellement attentionné...

— Ouvre, répéta-t-il.

La lumière de la lampe vint étinceler sur un rubis entouré d'une fine rangée de diamants.

— La bague de maman, dit-elle sans pouvoir retenir ses larmes.

— J'ai essayé de bien m'en souvenir pour qu'on te la copie. Bien sûr, ce n'est pas elle, mais tu peux faire semblant.

— Mon chéri, je ne mérite pas tout ça.

— Qu'est-ce que tu me racontes ? Bien sûr que tu le mérites, ma femme bien-aimée !

Où avait-il été dénicher une expression aussi vieillotte ? En cette époque cynique, plus personne ne parlait de cette manière. On n'embrassait plus les mains des gens non plus, mais, obéissant à une impulsion soudaine, elle lui prit les mains et les embrassa, l'une après l'autre.

Une douleur familière lui transperçait le cœur, mélange bien connu de tendresse et de pitié. Elle se souvint qu'un jour, tristement, il s'était demandé, ou plutôt il lui avait demandé, si elle ne voulait pas un autre enfant. Elle lui avait refusé ce bonheur trop longtemps, et aujourd'hui elle le regrettait. Si seulement elle avait pu ressentir alors, et pouvait ressentir aujourd'hui, l'amour passionné qu'il éprouvait pour elle !

Le bébé commença à s'agiter avec de petits gémissements. Quand il se mit à pleurer, Joël le prit dans ses bras.

— Jane est mouillée, je crois, ou alors peut-être qu'elle a faim...

— Les deux, probablement. Passe-la-moi.

Et, pendant qu'elle lui changeait ses couches, ses pensées prirent un tournant qu'elle se reprocha aussitôt. « Pourquoi ce désir insatiable de perfection ? Ça n'a aucun sens. Après tout ce que tu as vécu, avec tout ce que tu vois autour de toi, tu devrais être plus sensée. Avant que Joël ne te pose cette question, tu étais heureuse, paisible. Regarde bien ce bébé, cet homme. Lève les yeux et imprègne-toi de la paix et de la tranquillité qui t'entourent... »

— À quoi penses-tu, cette fois ? demanda Joël.

— Je regarde les étoiles qui se reflètent dans le lac. Il fera beau demain.

Il sourit.

— Il fait beau tous les jours, répondit-il.

10

Dans le nord, l'année dansait au rythme du thermomètre.

La neige tombait, s'épaississait, s'empilait la nuit quand la température tombait en dessous de zéro. À la fin de l'hiver, c'était le dégel, mais on n'était pas à l'abri des tempêtes qui soufflaient au début du printemps. Caroline attendait avec impatience que la glace fonde sur les trottoirs pour pouvoir sortir Jane et l'exhiber dans tout Ivy.

Lore se moquait d'elle.

— Le bébé ne s'assoit pas encore, et tu parles déjà de bac à sable. À t'entendre, on croirait que c'est le premier bébé qui voit le jour sur terre.

— Pas le premier, le second, intervint aussitôt Joël.

Il mettait un point d'honneur à toujours mentionner Ève quand on parlait de Jane. Ève comprenait très bien pourquoi, car elle n'était pas naïve. Elle savait que, contrairement aux autres lycéennes de seize ans, une tragédie planait sur sa tête, et qu'elle aurait eu de bonnes raisons d'être jalouse du bébé qui venait de naître. Mais même si elle l'enviait parfois d'arriver dans un monde si simple, elle ne tombait pas dans ce piège.

Au fond, se disait-elle souvent, il s'agissait moins de sa tragédie à elle que de celle de deux autres personnes. C'était l'histoire de sa mère, et celle d'un homme qu'elle n'arrivait pas à nommer. Parfois, à l'occasion d'un événement ou d'une remarque, elle se demandait combien de fois par an, en toute honnêteté, elle pensait à lui. Fort peu... mais elle avait beau essayer de le bannir de son esprit – car mieux valait accepter ce qu'on ne pouvait pas changer –, elle n'y parvenait pas tout à fait. D'abord, trop de monde à Ivy était au courant. Elle s'apercevait souvent que, à des changements de conversation trop brusques, on connaissait son histoire. Cela partait d'une bonne intention, on voulait l'épargner, mais on la mettait mal à l'aise. Parfois, elle s'interrogeait sur ce qu'elle ressentirait si elle le rencontrait ; mais cette seule éventualité lui inspirait des frissons d'angoisse. Il n'était rien pour elle. Elle avait un père, un vrai, qui s'appelait Joël.

Quant à sa malheureuse mère, elle ne lui en voulait plus du tout. Plus rien ne subsistait de son premier accès de colère, à part la compassion, et elle avait bien juré de ne jamais se laisser piéger comme elle. Ève ne comprenait pas comment sa mère avait pu être assez naïve, assez oie blanche, pour croire de cette manière aux mensonges d'un homme. Pauvre maman, quel bébé elle avait été, à dix-huit ans ! Ève, à seize ans, en savait déjà beaucoup plus long qu'elle.

« Maman est très heureuse d'avoir un bébé, pensait-elle avec plaisir. On voit bien qu'elle est ravie, parce qu'elle reste à la maison pour s'occuper de Jane. Ma petite sœur est adorable, elle sourit tout le temps. Je ne savais pas que les bébés répondaient aux sourires aussi jeunes. J'adore ses petites joues rebondies, pleines de fossettes, et sa grande bouche rose sans dents. J'ai l'impression qu'elle va ressembler à papa. Ce n'est pas grave, parce que, même si on ne peut pas dire qu'il soit terriblement beau, il a un gentil visage et on l'aime au premier coup d'œil. Tous mes copains l'adorent. Ils accourent tous à la maison, et je suis très fière de mes parents parce que c'est rare d'être aussi bien accueilli. On dirait que les parents des autres ont peur qu'on leur casse leurs affaires. Enfin, bref, toute la bande vient ici, et Jane les amuse quand on la sort dans le jardin pour prendre l'air. Ils adorent aussi les cookies de Lore, il faut dire. Elle en fait toujours plein en rentrant de l'hôpital. C'est drôle, mais elle n'a jamais l'air fatiguée. »

— Moi, fatiguée ? s'étonnait Lore. Je suis robuste, tu sais, et depuis un bon bout de temps. J'ai bercé ta mère dans son landau et toi dans ton berceau. Maintenant, c'est au tour de Jane, et si je suis encore là le jour où tu auras des enfants, j'en ferai autant pour eux.

En juin, quand Jane eut six mois, on l'installa au jardin pour ses siestes. Les roses s'épanouissaient déjà dans un parterre circulaire planté autour du cadran solaire. En rentrant de son travail, Joël aimait trouver Caroline en train de lire près du landau, le chien endormi à ses pieds.

— Ça me plaît que tu te reposes un peu, remarqua-t-il un jour.

Depuis que je te connais, je peux compter sur les doigts de la main les fois où je t'ai vue assise à ne rien faire.

— Je vais bientôt retourner travailler. Je compte juste rester à la maison jusqu'à ce que Jane soit en âge d'aller au jardin d'enfants. Tout se passe bien au bureau ? Je ne suis pas indispensable, mais je ne peux pas m'empêcher de m'inquiéter un peu.

— Ne crains rien. Tu as bien appris son métier à Vicky. Le comptable vient régulièrement vérifier son travail, ce qui n'était pas nécessaire avec toi. De cette façon, je suis tranquille, et nous nous en sortirons très bien en attendant ton retour. Jane a davantage besoin de sa maman que nous, pour l'instant.

L'été s'étirait, tout en langueur. Le soir vers 8 heures et demie, quand il faisait encore assez jour, Caroline et Joël prenaient le café sous les arbres ; ils auraient voulu que cette heure enchantée dure toujours. Ils savouraient le calme, juste avant que le chœur des insectes nocturnes ne s'élève, appréciaient la senteur des fleurs et des pins. Dans la rue, éclataient des voix jeunes et joyeuses : Ève et ses amis passaient devant le jardin ; la musique de Lore leur parvenait, affaiblie, flottant vers eux par les fenêtres ouvertes. Puis tout retombait dans le silence.

Et Joël s'exclamait :

— Ce que tu as l'air jeune ! On te donnerait vingt ans. Tu n'as pas une seule ride.

— Mon chéri, il fait presque noir, tu dois à peine distinguer mon visage. En revanche, je crois que je viens de te voir mettre du sucre dans ton café.

— Un quart... non, un huitième de cuillère, avoua-t-il, l'air fautif.

— Ce n'est pas sérieux, tu devrais avoir honte.

— Tu as raison. Mais ça ne m'arrive presque jamais, tu sais. Je ne recommencerai pas.

— J'espère bien. Tu ne peux pas te permettre de tomber malade. Tu as des responsabilités, maintenant, pense à Jane.

— Et à vous toutes. J'ai bien l'intention de vivre jusqu'à cent ans. J'ai une santé de fer, comme toi. Tu es en acier trempé.

— Trop aimable.

Ils plaisantaient, affectueux, unis. Pendant tout l'été, ils passèrent leurs soirées sous les arbres, puis en septembre, quand le froid les chassa, ils s'installèrent au salon pour discuter de leurs projets.

Et des projets, ils en avaient beaucoup : Ève allait partir pour l'université, mais avant, ils entreprendraient le voyage tant retardé qu'ils ne voulaient plus remettre. Pourquoi ne pas emmener Jane, après tout ? Le moment venu, elle marcherait déjà bien et ils pourraient raccourcir les étapes pour ne pas se fatiguer, en voir peut-être un peu moins, et rentrer plus tôt.

— Lore, Ève et moi, nous pourrons nous relayer pour la garder pendant que les autres font du tourisme, décréta Caroline.

— Je n'arrive pas à croire qu'elle aura déjà un an dans quelques mois. J'ai l'impression qu'elle marchera avant. Beaucoup d'enfants marchent tôt.

— On fera une fête et on lui achètera un petit gâteau avec une bougie pour elle toute seule, comme pour Ève.

Cette fête-là serait une fête digne de ce nom. Pour Ève, ils ne connaissaient pas encore grand monde à Ivy. Les Ricci étaient venus, et Vicky était montée pour se joindre à eux. Il n'y avait pas eu d'autres invités car les Schulman étaient en voyage. Cette fois, ce serait différent.

Les couleurs de l'automne prirent des tonalités chaudes et profondes. L'érable, devant la fenêtre du bureau de Joël, à L'Orangerie numéro trois, se para de jaune clair. En levant les yeux de son travail un beau jour, Joël s'aperçut que le vent en aurait arraché les dernières feuilles avant le lendemain. Le téléphone sonna. Plus tard, il devait se rappeler cet instant dans tous ses détails : les feuilles mortes, le *Wall Street Journal* encore fermé, une tasse, un petit pain à moitié consommé.

— Bonjour, dit Al Schulman. Tu es occupé ?

— Tu ne me déranges jamais, Al.

— Oui, mais as-tu le temps de passer me voir au cabinet ?

— Mais... oui... Tout de suite ?

— Pas forcément, dans l'après-midi si tu préfères. Je voudrais te parler, et je n'ai pas envie de le faire par téléphone.

Joël ressentit une vague inquiétude, une angoisse sourde.

— Pourquoi ? Qu'y a-t-il ?

— Joël, ne t'affole pas. Viens et je t'expliquerai.

— Dis-moi au moins de quoi il retourne.

Al Schulman poussa un soupir.

— C'est Caroline, il y a un problème inattendu. Mais ne t'inquiète pas avant de m'avoir vu. Je te connais.

— Quel problème ? Bon sang, Al, parle ! Tu me fais tellement peur que je risque de foncer dans le décor en allant chez toi. Qu'est-ce qu'elle a ?

— Un mélanome malin.

— Non...

Silence.

— Tu es sûr ?

— Calme-toi, Joël. Ce ne sera pas forcément très grave.

— Ne me parle pas comme à un idiot. Tu crois que je ne sais pas ce que c'est ?

Caroline. Pourquoi fallait-il que cela arrive maintenant, quand tout allait si bien, quand ils vivaient au paradis ?

— J'arrive, dit Joël en frissonnant malgré la chaleur du soleil qui lui tombait sur les épaules.

Plusieurs malades patientaient, mais on le fit entrer tout de suite. Il traversa la salle d'attente en quelques enjambées, referma la porte du bureau derrière lui et lança aussitôt :

— Dis-moi. Je veux tout savoir.

— Quand elle est venue pour sa visite annuelle, j'ai remarqué une tache dans son dos. Pas très grande, sombre et irrégulière. Ça ne m'a pas plu. J'ai donc fait un prélèvement que j'ai envoyé au laboratoire. Les résultats sont arrivés une semaine plus tard, et ils n'étaient pas bons... Je n'ai rien voulu dire avant d'obtenir une confirmation, mais je n'avais guère de doutes, malheureusement. J'ai essayé un deuxième laboratoire qui a donné des résultats identiques. Assieds-toi, Joël. Écoute, nous allons faire tout notre possible pour la sauver. Il y a tout de même un peu d'espoir. Écoute-moi.

— Je t'écoute.

Il avait la bouche sèche. Ses mains tremblaient et il se noua les doigts pour les immobiliser.

— J'ai aussi fait une analyse sanguine qui a tout confirmé.

— Tu le lui as annoncé ?

— Non.

— Elle doit se demander ce que tu cherches.

— Elle le sait très bien.

Al jouait avec son stylo. Il tapotait sa feuille avec la plume, puis le basculait entre ses doigts pour taper au même endroit avec le capuchon. Joël sentit monter l'exaspération. Mais qu'il arrête cinq minutes ! Il y avait de quoi vous rendre fou !

— Pourquoi crois-tu qu'elle s'en doute ?

— Elle est très intelligente.

— Tu dis qu'elle a des chances de s'en sortir. Qu'est-ce qu'on peut faire ?

— Il faut espérer qu'il n'y aura pas de métastases. Nous avons fait une radio des poumons, elle est bonne. C'est bon signe.

— Tu veux dire qu'il n'y a que ça à faire ? Espérer que ça ne se répandra pas ?

Pour toute réponse, Al Schulman hocha la tête. Des cris et des rires montaient de la rue jusqu'à eux ; c'était l'heure du déjeuner pour les écoliers. Jane, pensa-t-il. Et sa mère...

— J'ai entendu dire que parfois la grossesse pouvait accélérer la progression des cancers au début. C'est vrai ?

— Tout le monde n'est pas d'accord sur ce point. Et puis quelle différence ?

— J'aurais dû la remarquer, cette tache dans son dos ! Ou peut-être que je l'ai vue sans y prêter attention.

— Ça ne change rien non plus, tu sais. Nous suivrions de toute façon la même stratégie.

— C'est-à-dire ?

— Nous allons refaire une radio thoracique, et puis nous allons la surveiller de près. Je veux aussi vous voir ensemble, tous les deux.

— Pourquoi as-tu attendu si longtemps ?

Il était hors de lui et avait besoin d'extérioriser sa colère.

— Tu aurais dû m'en parler tout de suite !

— Ça n'a pas pris longtemps. Rien que deux semaines. Je ne voulais pas que subsiste le moindre doute avant de t'alerter. Il me fallait aussi le temps de te préparer pour que tu puisses tenir bon, pour elle. Sans vouloir te vexer, Joël – tu connais mon amitié –, Caroline a plus de force de caractère que beaucoup de gens. Plus que toi et plus que moi. Veux-tu que je passe vous voir ce soir ?

Lorsqu'ils se levèrent, Al posa une main sur l'épaule de Joël.

— Je devais te mettre au courant de tous les risques, mais il ne faut pas s'affoler. Si la maladie ne se répand pas, ce qui arrive très souvent, tout ira bien. Et si elle se répand... Eh bien nous verrons quand nous y serons, inutile d'y penser maintenant.

— Écoutez ça.

Ève leva les yeux pour regarder Joël et Lore par-dessus son livre.

— « C'était la saison de lumière, c'était la saison des ténèbres, c'était le printemps de l'espoir, l'hiver du désespoir. » C'est de Dickens. Ça me fait penser à nous.

Il n'y avait rien à ajouter. Le silence retomba. Lore reprisait du linge, Joël regardait son journal sans le lire, et Caroline était à l'hôpital. L'espoir, pensait-il, est un mensonge cruel, une tricherie.

Pendant tout l'automne, elle avait semblé en pleine forme. En décembre, elle avait organisé un bel anniversaire pour la première année de Jane en invitant une douzaine de bébés du voisinage. Il y avait eu des cadeaux, des traces de glace un peu partout, et beaucoup de photos Polaroïd. Mais, en janvier, elle avait attrapé un rhume qui n'en finissait pas et qui l'avait fait tousser pendant un mois entier, si fort qu'elle en avait mal aux côtes. En février, son refroidissement avait dégénéré en pneumonie, et on l'avait fait entrer à l'hôpital avec une forte fièvre. Le 1er mars, une radio avait montré des ganglions au-dessus du cœur. Un chirurgien oncologue avait pratiqué une biopsie, et plus aucun doute n'avait subsisté. Tout était allé vite, très vite.

Mains crispées sur les genoux, anesthésié par la douleur et l'incompréhension, Joël restait souvent prostré dans la même attitude, ne se rendant qu'occasionnellement compte de sa transe. L'horloge à balancier battait les secondes. C'était une vieille et haute horloge que Caroline avait trouvée et restaurée. Il se souvenait du jour où ils l'avaient placée dans le hall. Caroline était aux anges.

— Regarde-moi ce trésor. Tu as vu la date ? J'adore sa sonorité. Bong !

— Mon Dieu, murmura-t-il. Mon Dieu.

Ève se leva pour le prendre dans ses bras. Il sentit des cils mouillés sur sa joue.

— Je crois que j'entends Jane, déclara Lore en rangeant sa couture. Elle réclame encore parfois un biberon le soir, mais je ne vais pas céder. Elle a assez mangé à l'heure du dîner.

Ses gestes, sa voix étaient énergiques. À sa façon, elle signifiait que la vie devait continuer.

La fin du printemps arriva. Caroline savait bien qu'elle ne revenait chez elle que pour attendre la mort. De son grand fauteuil moelleux, près de la fenêtre, elle contemplait la tempête qui balayait le lac. Au large, un bateau – que pouvait-il bien faire sur l'eau par ce temps ? – tachait la surface pâle d'une traînée gris acier. Les arbres du jardin ployaient sous la violence de la pluie.

— J'ai trente-sept ans, murmura-t-elle.

Elle s'étonnait de devoir mourir si jeune et se souvint que, peu de temps auparavant, elle s'était trouvée trop vieille pour avoir un enfant.

Maintenant, le bébé marchait dans toute la maison comme un château branlant. Elle était drôle, avec les cheveux bruns bouclés de Joël et une obstination qui ne rappelait aucun de ses parents. On n'aurait jamais deviné à les voir que Jane et Ève étaient de la même famille, et encore moins qu'elles avaient la même mère.

« Que va-t-elle devenir ? Lore et Ève vont l'élever. Ou Lore toute seule, la plupart du temps, puisque Ève va partir à l'université. Je veux qu'elle fasse des études, comme j'aurais dû en faire si le destin n'en avait pas décidé autrement. Heureusement, elles ne manqueront d'argent ni l'une ni l'autre.

« Je me demande par quel miracle je peux retenir mes larmes en pensant qu'elles vont grandir sans moi. Toutes mes perceptions sont émoussées ; même la musique a perdu son pouvoir. Peut-être est-ce ainsi que la nature épargne ceux qui sont condamnés... »

Face à elle, dans le fauteuil jumeau, Lore tricotait de la layette pour Jane. La minuscule jupe blanche était à peine plus grande qu'une serviette de table. Comme toujours, la présence de Lore lui apportait un immense réconfort ; mais maintenant s'y mêlait de la culpabilité car Lore avait pris un congé sans solde pour rester près d'elle.

— L'hôpital doit te manquer, remarqua Caroline.

— Non, j'aime bien rester à la maison. Ça me change.

— Je ne te crois pas un seul instant.

— Qu'est-ce que tu racontes ?

— Tu te souviens, Lore, quand nous avons cru que tu avais un cancer ? Tu avais plein de symptômes, tu souffrais beaucoup, alors que je n'ai eu aucun signe avant-coureur, et voilà où j'en suis.

— Oui, mais tu irais bien mieux si tu mangeais quelque chose. J'ai fait de la soupe de pois cassés pour le dîner et un canard rôti. Pour se rétablir, on doit se nourrir comme il faut, et ça me fera beaucoup de peine si tu ne manges pas.

« Oh, Lore, quand cesserez-vous, toi et Joël, de raconter des histoires ? Enfin, si vous y tenez, je veux bien jouer ce petit jeu. Il n'y a qu'Ève qui soit capable de regarder la vérité en face. »

— Tu t'occuperas de Jane quand je serai partie ? avait-elle demandé à Ève.

— Mais bien sûr, maman. Tu as vu, je la promène dans sa poussette tous les jours après la classe.

Elle emmenait sa petite sœur au bord du lac, sur le même chemin que Caroline avait emprunté avec elle d'abord avec la poussette, puis à pied. Caroline la revoyait, tenant la laisse de Peter, avec le vent qui s'engouffrait dans sa petite robe d'été et faisait voleter ses longs cheveux noirs. Parfois les passants s'étaient arrêtés pour l'admirer et lui sourire...

« J'ai beaucoup de souvenirs, et pourtant cela semble bien peu de chose, songea Caroline. On voudrait pouvoir se rappeler tout, chaque heure précieuse, mais on ne retrouve que de rares images, certaines si belles qu'on en a les larmes aux yeux, d'autres si terribles qu'on a du mal à retenir des sanglots. Puis on se regarde dans la glace, on voit des yeux rougis et pleins d'angoisse, et on se met de la poudre pour essayer de cacher ses cernes. »

— N'aie pas honte de pleurer, lui avait dit Ève un jour. Le soir, dans ma chambre, moi aussi je pleure. Je suis sûre que ça arrive aussi à Lore et à papa quand ils sont seuls.

Elle avait regardé cette grande jeune fille qui se tenait devant elle, calme et sérieuse, avec tant de tristesse dans ses yeux immenses. Ève était très belle. Et soudain, Caroline l'avait revue, debout au milieu de la cuisine le soir terrible où la vérité avait éclaté, révoltée, les poings serrés de chaque côté de sa petite jupe, son corps fluet encore à peine formé.

Souvent Caroline pensait à la différence de ses sentiments pour ses filles. Aucune ombre ne planait sur la tête de Jane. C'était la fille de Joël, tandis que Ève...

— Épouse un homme comme ton père, avait-elle dit brusquement à Ève.

— Comme... comme papa ?

— Bien sûr, comme papa. Il te faut un homme bon, digne de confiance. Mais d'abord, va à l'université. Et si tu as envie de t'inscrire en Californie, il faut le faire.

— Je ne sais pas pourquoi, mais la Californie m'attire depuis toujours. L'océan Pacifique, ça fait rêver.

— Je te comprends. J'ai toujours eu envie d'aller voir les montagnes à l'Ouest. Ève, tu t'en sortiras, tu verras.

— Je sais, maman chérie. Il le faudra bien.

Les saisons continuèrent à défiler sur le lac. Maintenant, en été, la surface de l'eau semblait chauffée à blanc comme une plaque de métal par un soleil implacable, au point qu'on aurait pu craindre de s'y brûler la main. Le mois d'août était un mois désolant. Les feuilles fatiguées pendaient mollement, et l'herbe était sèche comme de la paille.

Caroline, allongée dans une chaise longue en osier, à l'ombre, regardait Jane jouer dans le bac à sable. À présent elle devait laisser à d'autres, Ève, Lore, le soin de s'en occuper.

Plus personne ne jouait la comédie. Ce n'était pas tant ce qu'on disait que ce qu'on ne disait pas qui lui indiquait que Lore et Joël avaient fini par reconnaître l'approche de la mort. Ils n'asseyaient plus Jane sur ses genoux car, trop vigoureuse, elle la fatiguait avec ses bonds, ses gestes incontrôlés, son insistance à lui tirer les cheveux. On ne parlait plus du voyage dans l'Ouest. Les conversations restaient gaies mais neutres.

Lore cousait. Elle rétrécissait une robe devenue trop large pour Caroline. Beaucoup de monde venait lui rendre visite, et Lore comprenait son désir de rester « présentable », comme aurait dit leur mère, femme si respectable.

— Lore, promets-moi de t'occuper de mes enfants, lança soudain Caroline sans préméditation.

Elle le lui avait déjà demandé, mais la réponse avait toujours été une dérobade : « Ne dis pas des choses pareilles. Tu ne vas pas mourir. »

Cette fois, Lore dit simplement :

— Oui.

Elle posa sa couture en détournant les yeux. Après un silence, elle reprit :

— Tu es toute moite, tes cheveux te collent au cou. Ève doit rapporter de l'eau de Cologne. Viens, on rentre. Il fait un peu plus frais à l'intérieur.

Joël voulait mettre l'air conditionné dans la chambre, mais c'était inutile. Le ventilateur faisait l'affaire.

— Écoute, un jour, il y aura l'air conditionné partout, avait protesté Joël. En attendant, nous pouvons bien nous offrir ce plaisir dans une seule pièce.

Mais elle ne voulait pas boucher la fenêtre. Elle voulait contempler le lac.

— C'est un besoin, expliqua-t-elle. J'aime voir les gens marcher sur le chemin, j'aime voir passer les nuages.

Il n'émit plus d'objection et acheta un ventilateur très puissant qui les rafraîchissait en vrombissant quand ils étaient au lit.

Les nuits passaient lentement. Ils dormaient mal. L'un ou l'autre s'assoupissait, puis, s'éveillant, disait ce qui lui passait par la tête.

— J'aurais voulu que mes parents te rencontrent, dit-elle une fois. Ils auraient été heureux pour moi.

Et lui :

— Tu as tout été pour moi. Tout, ma chère, très chère femme.

Elle rêvait, mais les images vacillaient, puis éclataient en mille fragments colorés avant de disparaître : le piano à queue noir et étincelant de sa mère, les stores orange, la moustache grise du docteur Schmidt – « Vous êtes forte, vous prendrez le dessus », avait-il dit – et la robe de lin rose d'un été si lointain...

— Qu'est-ce qu'il y a ? demanda Joël.

— Rien, rien.

— J'ai cru t'entendre pousser un cri.

— Moi ? Tu crois ? Je ne sais pas pourquoi.

À la fin de l'été, elle cessa de descendre au rez-de-chaussée. C'était trop dur de remonter. Elle sentait sa fragilité à ses bras et ses jambes fatigués. Et puis elle délaissa le fauteuil près de la fenêtre pour rester toute la journée au lit. On le déplaça afin qu'elle puisse voir la lumière d'automne enflammer les arbres. Les cris des corbeaux qui descendaient vers le sud parvenaient jusqu'à elle. Elle écoutait une abeille bourdonner à la fenêtre et se rendormait. Elle regardait dehors, puis s'assoupissait.

Un jour, elle crut entendre Joël qui parlait à Ève, ou à Lore, ou aux deux à la fois. On aurait dit qu'il pleurait.

— Mon Dieu, faites qu'elle ne souffre pas trop longtemps. Ou faites que le temps s'arrête pour que je puisse la garder.

Il y eut d'autres voix, aussi, un murmure vibrant, comme s'il y avait beaucoup de monde en bas. Elle ne savait ni qui ni pourquoi, mais cela n'avait pas d'importance. Les voix s'affaiblirent, comme si elles étaient très lointaines.

La mort, quel gâchis, se dit-elle, alors qu'il me reste tant à faire...

1959

Ève

11

— Ta mère tenait à ce que tu y ailles, dit Joël. D'ailleurs, tu parles d'aller à l'université en Californie depuis des années.

Ils se promenaient le long du lac avec Jane dans sa poussette ; Peter, le chouchou de Jane, trottait à leur côté comme d'habitude. Ève se tourna pour voir derrière elle le grand sapin bleu qui signalait la maison de loin. Depuis quelques mois, elle se sentait déchirée. Ici vivait sa famille, les gens qu'elle aimait. La maison la rassurait, d'autant plus qu'aucune des affaires de sa mère n'avait bougé. Mais les murs ne renvoyaient plus que du silence et l'écho de la voix disparue. Il ne régnait ici qu'une gaieté forcée et mensongère.

Lore aussi la pressait de partir.

— Va à l'université, il faut faire des études supérieures. Moi, regarde comme j'ai gâché ma vie. Bon, d'accord, je suis infirmière, c'est un beau métier, mais pense à tout ce que j'aurais pu apprendre : l'art, la littérature, l'histoire... Ne fais pas l'imbécile, Ève, profites-en.

— J'ai une idée, déclara un jour Joël. Nous n'avons qu'à faire le trajet ensemble avec le break. Une fois en Californie, je vendrai la voiture, puisque nous n'aurons plus besoin d'en avoir deux, nous te laisserons là-bas et nous rentrerons en avion.

Papa avait raison. Il ne fallait pas hésiter. Maman ne lui avait-elle pas toujours conseillé de foncer ?

— Par où préfères-tu passer ? demanda-t-elle. Par le nord, par les montagnes Rocheuses, comme dans l'histoire que maman racontait sur les deux explorateurs... ? Ils s'appelaient comment, déjà ?

— Lewis et Clark.

Soudain, Ève sentit son enthousiasme s'éveiller. Des images d'Indiens et d'Espagnols lui vinrent à l'esprit, ainsi que des musiques étrangères ; elle vit des visages bruns, des tissus à rayures, des turquoises, de l'argent.

— Si nous passions plutôt par Santa Fe ?

— Très bonne idée. Ta mère aurait aimé. Elle a toujours eu envie de mieux connaître les Indiens. Nous verrons tout ça à travers elle.

Il verra toujours tout à travers elle, songea Ève.

De la fenêtre de sa chambre à l'université, Ève suivit des yeux le break qui, après un demi-tour, descendait l'allée sous les palmiers. Elle eut une dernière vision de Lore sur la banquette arrière, avec Jane dont elle n'aperçut que quelques boucles sur l'épaule de Lore. Peter devait être dans son panier à leurs pieds, dormant paisiblement, comme il avait eu la bonne idée de le faire pendant toute la traversée du continent. Vicky était à l'avant, à côté de papa.

C'était Lore qui avait voulu que Vicky les accompagne.

— Je ne pense pas que ça va l'amuser, avait protesté Ève.

— Ça nous aiderait. Elle pourrait s'occuper de Jane pendant que nous allons à l'opéra de Santa Fe, par exemple. La saison est très bonne cet été.

Comme Ève ne répondait pas, Lore avait remarqué :

— C'est drôle, je ne croyais pas avant que tu la détestais à ce point.

— Je n'ai jamais dit ça.

— Ça crève les yeux.

— Non, pas du tout, tu te trompes.

En fait, Lore ne se trompait pas, mais Ève aurait eu peur de se ridiculiser en expliquant pourquoi... Vicky faisait du charme à son père. Et son père, ce cher papa, ne s'en rendait certainement pas compte. Ève, elle, parce qu'elle était une femme, n'en doutait pas : la gaieté, la démarche aguicheuse, la sollicitude constante.

Dès que papa conduisait, Vicky s'asseyait à côté de lui. Quand c'était Lore qui prenait le volant, Ève s'installait à l'avant, et papa et Vicky allaient à l'arrière avec Jane et le chien. En y songeant, Ève sentit la colère monter. Pour qui se prenait-elle ? Et puis elle était vulgaire avec son plâtras de fond de teint rose, ses yeux de hibou trop noircis et ses bâillements continuels. Devant la splendide chaîne de montagnes de Sangre de Cristo, elle avait pris un air blasé et exaspéré, comme pour dire : « Bon, ce n'est pas mal, mais il n'y a pas de quoi en faire un plat. »

La voiture disparut au coin de la rue. Ève se retrouvait seule, déchargée d'un coup de toutes les obligations de la vie de famille. Pour la première fois de son existence, elle arrivait dans un endroit où elle ne connaissait personne et où personne ne la connaissait. Elle resta assise à la fenêtre, les yeux posés sur les palmiers, fascinée par leur forme exotique et leur verdeur dépaysante, pour qui était habitué aux feuilles rouges et jaunes de l'automne.

Elle avait une chambre pour elle toute seule. Son père avait tenu à lui offrir ce confort pour qu'elle puisse dormir et travailler en paix, parce qu'elle se levait et se couchait tôt. Il n'avait reculé devant rien pour son plaisir, lui donnant bien plus que le nécessaire, d'après Lore, qui, spartiate dans l'âme, avait exprimé son désaccord haut et fort. Autour d'elle s'étalaient tous ses trésors, encore rangés dans des valises du plus beau cuir, commandées dans un magasin de luxe à New York. Elle avait des skis, au cas où elle aurait envie de passer un week-end de sports d'hiver au Nouveau Mexique, un surf pour essayer ce sport, ce dont elle n'avait pas la moindre envie, et puis une raquette de tennis. Il y avait aussi une cafetière électrique, un ventilateur, une radio, un édredon à fleurs en soie, une machine à écrire, un superbe appareil photo, et elle portait au poignet une montre en or. La penderie ne contiendrait jamais tous ses vêtements, à moins de les tasser. Maman n'aurait jamais laissé papa la gâter autant.

Elle se leva et sortit d'un sac la photo de sa mère dans son joli cadre. Elle la plaça sur la vieille commode à côté du portrait de famille où l'on voyait sa mère, son père, Lore et Jane dont le bon sourire de bébé découvrait des dents minuscules. Un flot de souvenirs la submergea : les voisins qui se succédaient à la porte avec fleurs et petits plats, exprimant leur pitié pour le bébé ; les lettres de condoléances étalées sur la table de la salle à manger ; les traits tirés de Lore ; et papa, assis sans rien faire, le regard dans le vide.

Un terrible sentiment de solitude s'empara d'elle. Pourtant, ici, elle était bien entourée. Toutes les chambres étaient pleines. Des voix passaient dans le couloir. Mais à qui appartenaient-elles ? D'où venaient-elles, vers où se dirigeaient-elles ?

Elle examina encore la photo qu'elle connaissait dans ses moindres détails : la courbe du sourcil, le pli de la jupe – en taffetas, elle s'en souvenait bien, gris argenté –, le rubis à la main gauche. Elle se rappela sa fureur contre sa mère, il n'y avait pas si longtemps que cela, finalement. « Maintenant, j'ai l'âge qu'avait Caroline Hartzinger quand elle est tombée amoureuse du monstre qui m'a engendrée... »

De tels états d'esprit ne durent jamais, à moins qu'on ne veuille se laisser dépérir, ce qui n'était pas le cas d'Ève. Au bout d'un moment, elle trouva le courage de rassembler assez d'énergie pour « commencer par le plus facile » et rangea ses affaires. Ensuite, elle alla voir qui logeait dans la chambre d'à côté et dans celle d'en face. Il était temps de s'installer. On l'avait plantée ici, et ce serait ici qu'elle prendrait racine.

À Noël, Ève fut ravie de rapporter chez elle le récit des succès de son premier semestre. Ses notes, comme à l'accoutumée, étaient excellentes.

— Ta mère aurait été très heureuse, remarqua Joël avec satisfaction, et je suis fier de toi. Mais dis-moi, trouves-tu le temps de te distraire ?

— Oh ! oui. Je prends des cours de danse, et je me suis fait de bonnes amies. Nous sommes allées à plusieurs au Mexique un week-end. C'était extraordinaire et j'ai envie d'y retourner. Ce qui me fascine le plus, c'est l'archéologie. Nous avons vu des ruines mayas dans le Yucatán, c'était magnifique. En rentrant, je me suis inscrite à des cours d'archéologie.

— Et les langues vivantes ?

— Je continue la littérature française et allemande. Je n'ai aucune difficulté, évidemment. Tu diras peut-être que je suis paresseuse, et c'est vrai, mais je garde aussi ces matières pour une raison pratique : en cas de besoin, je pourrai toujours enseigner les langues. Je me sens aussi capable de faire des traductions, je crois.

— C'est ce qu'on appelle avoir la tête sur les épaules !

Ève constata avec soulagement que l'atmosphère de la maison était moins sombre. Sans doute, songea-t-elle, était-ce en grande partie grâce à Jane. Sa sœur, petit personnage pas plus haut que trois pommes, avait son caractère bien à elle et se révélait intelligente, entêtée, curieuse de tout.

— Il y a quoi, dans ton livre ? C'est Humpty Dumpty ? demanda-t-elle alors que Ève étudiait un chapitre de biologie. Pourquoi le monsieur il a un « padrapluie » ? Pourquoi papa il peut pas manger des bonbons ?

— Elle ne te ressemble pas, disait souvent Joël. Tu étais vive, mais tu n'avais pas sa force de caractère. Lore estime que c'est parce que je la gâte trop. C'est possible, mais je ne vois pas où est le mal. Ce n'est pas bien grave, et je la trouve adorable.

— En tout cas, moi, tu me gâtes, papa. Il n'y a pas une seule étudiante qui soit arrivée à l'université avec autant de belles choses que moi.

— Du moment que tu apprécies ce que tu as, et je sais que c'est le cas, je refuse de dire que tu es gâtée.

Savourant son cigare dans sa chaise longue, Joël continua.

— Et comment sont les garçons, là-bas ? Sympathiques ?

— Très. J'ai des partenaires de tennis, je suis invitée à des fêtes le samedi soir, mais je n'ai pas d'amoureux, si c'est ce que tu veux savoir. J'attends encore le coup de foudre.

— Mais je ne parlais pas de ça ! Tu es encore bien trop jeune. Ève, je t'en conjure, ne fais pas de bêtise.

L'atmosphère se tendit, mais la gêne se dissipa vite car Joël passa à un autre sujet.

— Que penses-tu de notre petite Jane ? Elle a beaucoup changé depuis la dernière fois que tu l'as vue, non ?

— À dire vrai, je pense que c'est grâce à elle qu'on sourit un peu plus ici.

Elle se mit à rire.

— Hier, je l'ai emmenée se promener avec son gros jouet à roulettes qui n'arrête pas de se renverser. Je voulais aller sur le chemin du lac, mais elle a absolument tenu à passer par l'autre côté. J'ai vite compris pourquoi : elle m'a amenée tout droit à la boutique de bonbons de la Grande Rue.

— Et, bien entendu, tu lui en as acheté...

— Oui, j'avoue, à ma grande honte. Mais je n'ai pris que deux bouchées au chocolat.

— Je sais qu'elle n'est pas très facile. Je me demandais comment nous allions nous débrouiller sans toi, en fin de compte nous nous en sortons très bien. Naturellement, Lore a repris son travail, mais j'ai embauché du monde au bureau, ce qui permet à Vicky d'aller chercher Jane à la crèche et de la garder l'après-midi en attendant que Lore ou moi nous rentrions. Je préfère la laisser à Vicky qu'à quelqu'un que je ne connais pas. C'est mieux, non ?

— Bien sûr, répondit Ève, qui pensait tout le contraire.

— Je trouve qu'il y a quelque chose de peu sincère chez elle, se plaignit-elle à Lore un peu plus tard.

— Peu sincère ? Je ne vois pas...

— J'ai... l'impression qu'elle joue la comédie. Son rire sonne faux. On dirait un ricanement, et je déteste la façon qu'elle a d'exhiber ses dents.

— C'est qu'elles sont très jolies. On dirait une rangée de grains de maïs sur l'épi. Si j'avais des dents comme elle au lieu de mes chicots, je te prie de croire que moi aussi je les montrerais.

— Non, ce n'est pas ce que je veux dire. C'est son rire qui n'est pas naturel.

— Je ne sais pas... Et puis, naturel ou pas, Jane l'aime bien. Les soirs où elle reste dîner avec nous, elle nous amuse, ça fait du bien à ton pauvre père. Elle t'agace, mais ce n'est pas bien grave. Tu n'es quasiment jamais là. Maintenant, tu vis ta vie.

C'était vrai, Lore avait raison. Quand on partait de chez soi, qu'on préparait son avenir, qu'on acquérait son indépendance, on devait accepter de se détacher de sa famille. C'était une donnée psychologique élémentaire. « Ne fais pas le bébé ! Tu n'es pas responsable de Jane, c'est papa qui s'en occupe. Et puis Vicky ne fera aucun mal à ta sœur, ce n'est pas comme s'il voulait l'épouser ! »

Ces petits tracas mis à part, Ève passa un Noël très agréable. Et remportant de tendres souvenirs, elle retourna en Californie.

12

Ève rencontra Tom Tappan lors de sa deuxième année à l'université un jour où, ce qui était pourtant rare, elle broyait du noir. Il l'avait abordée alors que, tremblante, elle sortait d'un cours d'histoire de l'Europe contemporaine pendant lequel une étudiante qu'elle connaissait à peine avait raconté l'histoire de sa famille, des Juifs persécutés pendant la guerre. Ses parents avaient pu fuir en Amérique, mais ses grands-parents avaient trouvé la mort dans un camp de concentration. Lorsque l'enseignant avait demandé si d'autres étudiants avaient des histoires comparables, Ève avait répondu. Mais elle l'avait très vite regretté, car l'autre étudiante, évidemment, l'avait attendue à la sortie pour continuer la conversation.

— Et tes autres grands-parents ? Eux aussi, ils ont disparu dans les camps ?

Que faire d'autre que mentir ?

— Oui, avait répondu Ève.

Depuis, elle n'arrêtait pas de trembler. Elle avait faim, mais fuyant la compagnie et les bavardages, elle était sortie, ses livres sous le bras, comme si elle avait l'intention d'aller travailler à l'ombre.

Elle s'assit, dos à un palmier. Elle en avait assez qu'on la force à se souvenir de son histoire, plus qu'assez ! Il était grand temps qu'elle s'en remette, ou alors qu'elle chasse l'épisode de son esprit une fois pour toutes. Mais était-ce possible ? Pouvait-on vraiment oublier qui était son père ? Surtout quand il s'agissait d'un homme qui vous remplissait d'horreur et de honte. Pendant de longues périodes, elle parvenait à ne pas penser à lui, mais toujours, tôt ou tard, un incident réveillait son angoisse, comme aujourd'hui. Inévitablement aussi, elle se demandait ce que sa mère avait pu éprouver, ce qu'elle cachait derrière son visage serein.

— Vous ne vous sentez pas bien ?

Ouvrant les yeux, elle avisa un jeune homme, debout devant elle, qui la regardait.

— Non, ça va, merci. Je suis juste un peu fatiguée.

— Vous n'aviez pas l'air de vous reposer, mais plutôt de souffrir.

— Non, ça va, je vous assure. Merci quand même.

Il continuait de la scruter avec une curiosité si sincère qu'elle en fut gênée. Et quand il posa ses livres dans l'herbe et s'assit, près d'elle mais pas trop, elle s'en irrita.

— Je m'appelle Tom Tappan, déclara-t-il, attendant qu'elle se présente à son tour.

Lorsque ce fut fait, il lança :

— Vous êtes très belle.

— Merci, mais vous, vous êtes complètement fou.

— Un peu excentrique, peut-être, admit-il en riant, mais pas fou. Vous devriez me montrer un peu plus de respect, je vais bientôt achever ma thèse. En archéologie. J'enseigne à mi-temps et je suis plus âgé que vous. Qu'est-ce qui vous fait rire ?

— J'avais deviné que vous n'en étiez plus à la licence. Vos cheveux sont bien coupés et votre pantalon a été repassé.

— Non contente d'être belle, vous êtes observatrice et vous ne manquez pas d'humour. Parce que vous êtes vraiment belle, j'insiste. Vous devez bien le savoir. Je n'essaie pas de faire le malin. Je peins. Je ne suis que peintre amateur, mais c'est mon passe-temps favori. Ne craignez rien, je me spécialise dans les paysages et les marines, donc je ne vais pas vous demander de poser pour moi. Cela dit, votre visage est d'un ovale parfait. Je ne voudrais pas vous faire peur, je ne suis pas un fou dangereux, je vous jure. Si je vous ennuie, vous n'avez qu'un mot à dire et je m'en vais tout de suite.

À tout autre moment, elle aurait mal pris cette intrusion bizarre, elle le lui aurait fait comprendre avec une froideur étudiée. Toutefois, en cet instant de dépression, tant de chaleur et de franchise lui avaient fait du bien.

— Vous ne me dérangez pas.

D'une certaine façon, il lui rappelait son père. Mais non, à part les cheveux châtain clair bouclés et le regard gentil, ils n'avaient rien de commun. L'homme qui la dévisageait était bien plus grand, et puis son père n'aurait jamais abordé une femme qu'il ne connaissait pas.

— Ève, je dois aller donner un cours. Je remplace le prof. Il a de la chance de m'avoir comme homme à tout faire. Quand il rentrera, lundi, vous pourrez aller lui demander ce qu'il pense de moi. J'espère que vous irez. C'est le professeur Mills, bureau 309. Il vous rassurera sur mon compte.

Ève n'eut pas le temps d'aller demander si on connaissait Tom Tappan – ce qu'elle n'aurait d'ailleurs jamais fait – car, avant le lundi suivant, un autre événement prit le pas sur le reste. Une lettre de son père arriva.

« Chère Ève, lut-elle, je t'écris au lieu de te téléphoner car je crains que tu ne prennes mal ce que je dois t'annoncer. Au moins, une lettre te laissera le temps de réfléchir et de digérer la nouvelle.

« Hier, j'ai épousé Vicky. Nous avons pris la décision très vite, il n'y a donc eu aucune célébration, juste une cérémonie très simple devant un juge à la mairie. Même Lore n'était pas présente. Les deux témoins étaient un jeune juge, ami de Vicky, et, à ma grande surprise, Gertrude. Je n'aurais jamais cru que Vicky accepterait sa présence, mais elles semblent s'entendre un peu mieux depuis quelque temps.

« Ève, ma chérie, je veux que tu comprennes bien que cela n'a et n'aura jamais rien à voir avec ce que je ressentais pour ta mère. Personne sur terre ne pourra jamais prendre sa place. Jamais plus je ne pourrai aimer. Je ne me suis remarié que pour me sentir moins seul, et pour Jane, car les deux années qui viennent de s'écouler sans notre Caroline ont été un enfer de solitude. J'essayais de ne rien montrer quand tu rentrais, mais j'ai traversé des moments très durs.

« Vicky ne travaillera plus au bureau. Elle va rester à la maison pour s'occuper de nous. C'est une femme pleine de qualités, travailleuse et chaleureuse, qui sera une bonne mère pour Jane. Tu sais que Lore est très prise à l'hôpital, même si elle vit avec nous. Elle s'entend bien avec Vicky, comme tu le sais, et elles adorent toutes les deux Jane. Lore a plus de cinquante ans. Ce n'est pas si âgé que ça, mais il me semble qu'elle vieillit, et bien qu'elle ne se plaigne jamais, je me dis qu'elle ne peut plus courir après une petite diablesse de quatre ans.

« Quant à moi, je ne me sens plus tout jeune. C'est à cause du deuil, sans aucun doute. Et puis il y a mon diabète qui s'aggrave. Je n'ai pas toujours autant d'énergie que je le voudrais pour m'occuper de Jane.

« J'espère que tu comprendras. Je ne t'appellerai que d'ici un ou deux jours pour te laisser le temps d'assimiler tout ça. Mais si tu veux, tu peux téléphoner tout de suite. Je t'aime, papa. »

Ève jeta la lettre par terre. Vicky ! De toutes les femmes d'Ivy, pourquoi avait-il fallu qu'il choisisse celle-là, s'il tenait à se remarier ? La seule idée que Vicky allait vivre dans la maison de sa mère, toucher les affaires de sa mère, l'écœurait. « Ce sera une bonne mère pour Jane. » Quoi ? Il voulait que Vicky soit la mère du bébé de maman ? Il était devenu complètement fou ! Comment avait-il pu ? Comment avait-il osé ?

Prenant soin de fermer la porte à clé pour éviter que quelqu'un n'entre à l'improviste, elle décrocha le téléphone et appela le numéro personnel de Lore.

— Tu as reçu la lettre, dit aussitôt cette dernière. Je l'entends à ta voix.

— Oui, je viens de la recevoir. Il a fallu que je la relise trois fois pour être sûre que je ne rêvais pas.

— Écoute, ma chérie, ce n'est pas aussi terrible que tu as l'air de le croire. Ton père était très seul, et la solitude est une maladie. Il faut voir les choses comme ça.

— Mais pourquoi une femme aussi horrible ?

— Lui, il l'aime bien.

— Comment fait-il, après maman ?

— Elle était là, sous son nez. Il n'allait pas essayer de chercher quelqu'un, tu sais. C'était le bon moment, elle est joyeuse, elle lui change les idées. Il avait très mauvais moral, il faisait pitié.

— Lore ! On dirait que tu es contente ! Je n'y crois pas. Dire que maman n'est morte que depuis deux ans !

— Je comprends. Mais à quoi cela sert-il de te rendre malade ? Je ne suis pas folle de joie non plus, mais c'est fait et nous n'y pouvons plus rien.

— Il veut qu'elle devienne la mère de Jane !

— Non, non, il ne faut rien exagérer. Jane est déjà à la maternelle. Elle va passer le plus clair de son temps à l'école, maintenant. Ne t'inquiète pas pour elle.

— Maman en mourrait de tristesse, si elle était là.

— Je peux t'assurer que ta mère savait s'arranger au mieux des circonstances quand on ne pouvait pas les changer. Écoute-moi. Ce n'est pas comme si Vicky était une mauvaise femme. Elle ne ressemble ni à Caroline ni à toi, c'est vrai, mais elle n'est pas méchante. Accepte-la, pour ton père, et pour te faciliter la vie. Fais tes études, prends ton indépendance, chérie. Tu as bien de la chance d'être à cinq mille kilomètre d'ici, acheva-t-elle avec un rire.

Lore n'avait pas tort. Elle avait même toujours raison. Elle donnait de si bons conseils... Mais c'était plus facile à dire qu'à faire. Pourquoi son père ne l'avait-il pas au moins avertie à l'avance ? « Si j'avais su qu'il se sentait seul, j'aurais choisi une université plus proche de la maison. Mais maintenant... »

Elle descendit pour se rendre à la bibliothèque ; là, elle pourrait retrouver ses esprits sans être dérangée par des amis ou par le téléphone. Le soleil, bas à l'horizon, dardait des rayons aveuglants entre les branches. Avançant tête baissée pour se protéger les yeux, elle faillit heurter de plein fouet un homme qui marchait vite, tête baissée lui aussi.

— Tiens ! s'exclama Tom Tappan. J'allais essayer de vous trouver. J'ai voulu vous téléphoner, mais ça ne répondait pas.

Elle n'avait qu'une envie : être seule...

— Qu'est-ce qui se passe ? demanda-t-il. Ne me dites pas que tout va bien parce que je ne le croirais pas. Vous avez une de ces expressions...

Elle hocha la tête.

Après une seconde de réflexion, il reprit :

— Je suis désolé. Je ne devrais pas vous poser de questions, mais vous aviez l'air si perturbée la dernière fois qu'en vous revoyant dans le même état, c'est sorti tout seul. J'ai tendance à me mêler de ce qui ne me regarde pas.

Il avait pris un ton si repentant qu'elle fut obligée de répondre, alors qu'elle n'aurait jamais cru pouvoir adresser la parole à quiconque.

— Mes ennuis d'aujourd'hui sont différents de ceux de la dernière fois. Quelle semaine !

— Je connais ça. À propos, vous n'êtes pas allée mener d'enquête sur mon compte. Pourquoi ?

— Ce n'était pas nécessaire.

— Là, il y a au moins deux interprétations possibles. Dois-je comprendre que, si vous n'avez rien de mieux à faire, vous accepterez d'aller boire un verre au café du coin ?

— Un verre de quoi ?

Tom la dévisagea, passant de ses mocassins à son pull jaune et à son rang de petites perles. Il sourit.

— J'imagine que vous préférez le Coca.

Elle acquiesça, et pour la deuxième fois depuis leur rencontre, elle se dit qu'après tout on se sentait beaucoup mieux en compagnie quand cela n'allait pas.

Bien entendu, elle n'avait aucune intention de confier ses soucis à cet inconnu qui en périrait d'ennui. Pourtant, dans l'heure qui suivit, Tom apprit tout sur la lettre de Joël et les événements qui avaient conduit à prendre cette décision.

— Je me sens perdue, conclut-elle. J'ai l'impression d'être déracinée, de partir à la dérive. Je ne sais plus ce que je dois ressentir, ce qu'il faut que je fasse.

— Il ne faut rien faire du tout. Ou plutôt si. En rentrant dans ta chambre, décroche ton téléphone et appelle ton père pour lui souhaiter beaucoup de bonheur et lui dire que tu l'aimes.

— Je suis encore trop en colère.

— Ça n'empêche que tu l'aimes, ce n'est pas contradictoire. Quand tu parles de lui, il y a énormément d'amour.

Les yeux d'Ève s'humidifièrent, et il détourna la tête avec tact pendant qu'elle s'essuyait les paupières.

— Tu es très tendre, remarqua-t-il, et si tu lui fais de la peine, tu t'en voudras beaucoup, tu seras très malheureuse, et tu auras mauvaise conscience.

Elle dut admettre qu'il avait raison. Ils sortirent dans les rues et marchèrent longtemps sans but avant de reprendre le chemin de l'université. Quand ils arrivèrent au campus, le soleil avait disparu.

— Nous n'avons pas dîné, remarqua Tom.

— Ça m'est égal. Je n'ai pas faim. Va dîner, toi, si tu veux.

— Non, je n'ai pas faim non plus.

Ils se turent. Dans les bâtiments, les lumières s'éteignaient déjà, et Ève se souvint qu'elle devait respecter le couvre-feu.

— Il faut que je rentre pour minuit, annonça-t-elle.

— Je vais surveiller l'heure. Je ne voudrais pas que tu aies des ennuis.

Ils s'assirent de nouveau sous le palmier où il l'avait abordée la première fois. À l'évidence, ils n'avaient ni l'un ni l'autre envie de se quitter.

Brusquement, Ève rompit le silence.

— Je vais l'appeler. Je ne veux pas que papa devine ce que je pense de son mariage, ni de Vicky. Grâce à toi, je me rappelle tout ce que je lui dois. Il m'a aidée quand j'en avais besoin. Il nous a toujours soutenues...

Elle s'interrompit.

— C'est horrible, je n'ai parlé que de moi toute la soirée ! J'ai dû t'ennuyer à mourir, et tu n'as rien eu le temps de dire sur toi.

— On aura bien le temps de parler de moi. Tu avais besoin de raconter tes problèmes, ça t'a fait du bien, non ?

Oui, beaucoup de bien. Jamais, depuis des années, elle ne s'était autorisée à se livrer ainsi à quelqu'un. En psychologie, on appelait cela le « refoulement ». Le silence lui avait très bien convenu ; elle n'avait éprouvé aucun besoin de parler d'elle avant la lettre. Et donc, par cette douce soirée, elle se raconta.

Elle parla à Tom Tappan de l'histoire de Caroline et de Walter. Elle lui décrivit tout et tout le monde, de la petite maison brune à la belle demeure du lac, lui parla des Orangeries, de Lore, de Jane et du chien Peter.

Ensuite, il lui décrivit sa vie, mentionna sa famille dans le Midwest et son bungalow sur la plage où il préférait vivre, ne venant en ville que pour travailler. Il lui confia aussi ses velléités artistiques, mais surtout sa fascination pour l'Amérique centrale.

— Je suis heureux que tu sois allée là-bas, déclara-t-il. Tu as vu Uxmal et Chichén Itzá, les sculptures, les serpents, les aigles et le grand jaguar sacré. Tu connais tout ça, tu sais de quoi je parle. Il faut que j'y retourne. J'en ai encore pour un ou deux ans avant de terminer ma thèse, et puis je me joindrai à une équipe de fouilles au Guatemala. Il y a des quantités de trésors à découvrir là-bas. Il reste des merveilles au fond de la jungle dans des zones encore inexplorées. Une civilisation entière, un peuple qui avait ses jeux de ballon, ses danses, sa religion, son art et pratiquait des sacrifices humains. Il faut que j'approfondisse tout ça, c'est une passion. C'est l'œuvre de ma vie.

— J'ai l'impression de te connaître depuis longtemps.

Ève se surprit elle-même en s'entendant lancer ce commentaire.

Il consulta sa montre.

— Sans compter notre première brève conversation, nous nous connaissons depuis exactement quatre heures et dix minutes. Revenons-en à toi. Que veux-tu faire de ta vie ?

— Je ne sais pas encore très bien. Il y a tant de choses à apprendre, et je ne fais que commencer. Je suis inscrite à un cours d'archéologie, un cours pour débutants, mais parfois je pense plutôt à me spécialiser en littérature européenne. Peut-être, à la fin de mes études, aurai-je envie d'ouvrir une très belle librairie, avec des livres rares, de collection, qu'on ne trouve pas partout. Ou alors... je suivrai l'exemple de ma mère et je reprendrai son entreprise. Maman avait l'ambition d'ouvrir des restaurants dans tout le pays. Tout ce que je sais, c'est que je vais faire quelque chose d'important... d'important pour moi, au moins, ajouta-t-elle pour rattraper ce qu'il pouvait y avoir de puéril dans cette réflexion.

Dans la pénombre, elle aurait pu ne pas voir son sourire, mais elle le décela vite dans sa voix.

— Moi, dit-il, je sais ce que tu vas faire : tu vas venir au Guatemala avec moi.

Au bout d'un an, la prédiction de Tom ne semblait plus extravagante. Ève trouvait même tout naturel d'envisager de partir avec lui. Personne n'ignorait plus qu'ils étaient ensemble. On voyait le couple partout à l'université, mais ils restaient discrets quand ils allaient au bungalow de Tom, au bord de la mer.

Il l'appelait sa « cabane », et c'en était un peu une, avec ses murs de bois gris, délavés par le soleil, sur lesquels grimpait de la vigne des sables. L'intérieur, très dépouillé, meublé simplement, était propre, ensoleillé, avec une belle vue de l'océan, qu'Ève trouvait romantique.

Souvent, elle s'installait sur la grande terrasse pour travailler, étalant sur la moitié de la table ses livres et ses cours, tandis que face à elle, Tom occupait le reste de l'espace avec ses peintures. Il avait toujours une œuvre en cours sur son chevalet. À l'horizon, on voyait des bateaux ; les mouettes planaient dans le ciel en poussant des cris.

La nuit, quand les oiseaux se taisaient, ils s'allongeaient au chaud dans leur lit en écoutant la brise, le vent ou la tempête. Souvent, lorsque Tom s'était endormi, car il dormait plus vite et plus profondément qu'elle, Ève restait éveillée ou somnolait, se laissant emporter par ses souvenirs. Pour la première fois, elle se dit qu'elle comprenait vraiment sa mère. « Comme j'étais bête, ignorante, puritaine, dans mon enfance, quand je lui ai reproché ce qui s'est passé avec... avec *lui*. » Désormais elle savait que sa mère avait éprouvé le même sentiment qu'elle quand Tom la prenait dans ses bras, la même douleur quand elle ne le voyait pas pendant quelques jours qui traînaient comme des années. « Oui, maintenant, je comprends. Il compte pour moi plus que tout au monde. Je ne peux pas le quitter des yeux. Et c'est arrivé si vite ! En quelques heures, c'est tout... Pour ma mère, cela a dû être pareil. Mais lui, il l'a trahie. Comment a-t-elle pu survivre à ça ? Si Tom m'abandonnait, j'en mourrais. »

À Ivy, elle avait parlé de Tom à Lore et à son père, mais non pas à Vicky. Elle ne parviendrait jamais à se confier à Vicky. Il fallait déjà s'estimer heureuse que les relations restent courtoises en surface. Pour la tranquillité de son père, elle était prête à beaucoup de concessions... Elle était contente qu'il semble aller bien, et soulagée, aussi, de ne plus avoir à s'inquiéter pour lui. D'ailleurs, plus elle restait longtemps loin d'Ivy, moins elle s'y sentait chez elle, et plus elle s'en détachait. Son cœur, maintenant, était ici, sur les bords du Pacifique, ou plutôt partout où Tom se trouvait.

Dans un an, elle obtiendrait son diplôme et partirait au Guatemala avec lui. Les ambitions de Tom étaient devenues les siennes. Elle poursuivait son cursus d'archéologie et pourrait aussi un jour passer un diplôme dans cette matière. Qui savait où leur passion les conduirait pour leurs recherches ? Le monde n'avait pas de frontières, c'était une grande boule bleue qui tournait autour du soleil. Rien que d'y penser, elle en aurait chanté de bonheur.

13

Lors de sa dernière année à l'université, peu de temps avant ses examens finaux, Ève fut rappelée à Ivy de toute urgence. Au téléphone, Lore se montra très directe.

— Joël a eu une attaque hier soir. Mais ne te fais pas trop de souci, je t'en prie. Ce n'est pas grave.

Des visions d'horreur surgirent dans l'esprit d'Ève.

— Il est paralysé ?

— Non, il est juste un peu gêné d'un côté. Il n'a pas perdu l'usage de la parole et il peut encore marcher.

— J'arrive tout de suite. Je vais prendre un vol de nuit.

— Ne panique pas. Tu n'as pas besoin de te précipiter ce soir. Ce n'est pas si grave que ça, je t'assure. Tu verras par toi-même.

Tom la conduisit aussitôt à l'aéroport. Il avait pris soin d'ajouter quelques livres de cours dans le sac de voyage.

— Tu auras peut-être du temps si tu n'as pas grand-chose à faire là-bas. Autant en profiter pour réviser, conseilla-t-il. Tu salueras Joël de ma part ; dis-lui que j'ai déjà l'impression de faire partie de la famille.

« Il a vraiment l'air d'un mari », pensa Ève en le regardant lui faire signe à l'aéroport, jusqu'à ce qu'ils se perdent de vue.

Le temps de prendre ses correspondances et d'attendre ses vols, elle n'atteignit Ivy qu'après midi. Il lui sembla que le taxi n'arriverait jamais. Même l'avion des grandes lignes lui avait paru lent. Pleine de crainte et d'espoir, elle monta les marches du perron si vite qu'elle trébucha, puis appuya un coup léger sur la sonnette.

Ce fut Vicky qui lui ouvrit.

— Tiens, tu es là ? s'exclama-t-elle, ses yeux de hibou écarquillés de surprise. Quelle idée, ce n'était pas la peine de venir de si loin !

L'ancienne colère mal étouffée était prête à resurgir.

— Tu penses que papa n'en vaut pas la peine ?

— Tu viens quand tu veux, tu es la bienvenue... Il va très bien, c'est tout. Il est en haut, il fait sa sieste, c'est pour ça que je sors une heure.

« Tu n'as pas besoin de te justifier, ni d'ailleurs de me dire que "je viens quand je veux" pour voir mon père. C'est aussi chez moi, ici, ne l'oublie pas. »

— Je monte me laver et me changer, déclara-t-elle en se contenant, j'ai passé la nuit en avion.

— Ne le réveille pas.

— Bien sûr que non.

« Quand avons-nous commencé à nous détester ? Ou peut-être le mot est-il trop fort... Dire qu'elle me gardait quand j'étais petite, pendant que maman et Lore étaient à leur travail ! »

Marchant à pas feutrés, elle jeta un coup d'œil discret dans la chambre. Il lui vint aussitôt à l'esprit que sa mère ne reconnaîtrait pas la pièce. La nouvelle épouse, c'était naturel, avait acheté un lit neuf, un monument blanc et or tendu de soie brillante couleur corail. Mais Vicky ne s'était pas arrêtée là. Depuis la dernière visite d'Ève, toute la décoration avait été refaite en corail et rose. Un miroir couvrait tout un mur. Elle se demanda ce que son père, de son lit de douleur dans la chambre de Caroline, pouvait bien penser de ces changements.

Il ouvrit les yeux.

— Je ne dors pas, dit-il.

— Pourtant, je n'ai pas fait de bruit.

— Je t'attendais. Quand j'ai entendu la sonnette, j'ai senti que c'était toi.

En se penchant pour l'embrasser, elle vit qu'il avait les larmes aux yeux. Ses joues rondes s'étaient creusées. Comment pouvait-il avoir tant changé en quelques mois ? C'était inconcevable de le voir ainsi, affaibli, cloué au lit, lui qui avait toujours été fort, qui protégeait les autres.

Sa voix était à peine plus qu'un murmure.

— Je savais que tu viendrais, mais tu n'aurais pas dû, c'est trop loin.

— J'avais envie de te voir, papa.

— Comment va Tom ? Quand vas-tu nous le présenter ?

— Il viendra la prochaine fois, c'est promis. Il a envie de te rencontrer, mais ça tombait mal parce que ce sont bientôt les exa...

Elle s'interrompit, se maudissant de son manque de tact. Il ne fallait pas insister sur son besoin d'accourir alors que son avenir se jouait à l'université.

Mais il n'avait rien remarqué et lui demandait si elle avait vu Jane.

— Non, je n'ai encore aperçu que Vicky.

— Lore a dû l'emmener se promener. Elle vient ici presque tous les jours après le travail. Tu sais que Lore a déménagé ? Elle a pris un appartement.

Ève, bien entendu, était au courant. Voilà longtemps que Lore se plaignait des soirées bruyantes organisées par Vicky. Lore se demandait comment Joël tolérait cela.

— Jane est adorable, dit Ève pour passer à autre chose.

— Oui, approuva Joël avec un sourire. Elle est très différente de toi à son âge. Elle est turbulente... peut-être un peu comme certains de mes frères.

— Possible. En tout cas, elle te ressemble.

— La pauvre, j'espère bien que non.

— Papa ! Je ne vois pas ce qu'il y a de si terrible à te ressembler. Elle est trop mignonne, avec ses boucles.

— Ève, j'ai refait mon testament, je veux que tu le saches.

— Tu es bien trop jeune pour parler de testament...

— Ne dis pas de bêtises. On peut mourir à n'importe quel âge.

Tous deux tournèrent la tête vers le portrait de Caroline dans son beau cadre de bois sombre, posé sur la commode de Joël. Au moins, Vicky lui avait laissé ce souvenir.

— Il était temps que je remette un peu d'ordre dans mes affaires. Je n'avais pas réalisé à quel point l'entreprise s'était développée depuis mon dernier testament. Quand on y pense, c'est un peu miraculeux. Il y aura largement de quoi vivre pour tout le monde quand je partirai... pour toi et Jane, pour Vicky et Lore.

— Je t'interdis de partir où que ce soit, sauf en Californie pour venir nous voir, moi et Tom. Il va te plaire. Il est intelligent, et drôle, et gentil.

— J'espère bien qu'il est gentil ! Quand je le verrai, je le lui dirai. Il faudra que nous fêtions ça. Je vais me rétablir très vite, tu vas voir.

— Mais bien sûr.

En pensant à ce qui pourrait arriver, Ève sentit le chagrin lui étreindre la gorge. Elle approcha une chaise du lit et tint la main de son père en bavardant avec lui. D'un commun accord, ils n'abordèrent que des sujets agréables. Lorsque Vicky les interrompit avec sa bruyante gaieté de commande, Ève descendit.

— J'ai envie d'appeler le docteur Al pour qu'il me mette au courant, dit-elle à Lore.

— Il ne soigne plus Joël. Vicky a fait venir ses médecins à elle. D'après elle, Al est trop vieux.

— Trop vieux ? Même s'il avait deux cents ans, je lui ferais confiance. Tout le monde sait que c'est le meilleur de tout l'hôpital. Tu le dis toi-même.

— Absolument. Mais essaie de le lui expliquer, à elle. Quand elle ne veut pas entendre... On pourrait aussi bien essayer de discuter avec le réfrigérateur ou la cuisinière.

— C'est qui, le « réfigétateur » ? Vicky ? demanda Jane, qui venait d'arriver du jardin.

— Laisse parler les grandes personnes, chérie. Tu as vu qui était là ?

Un verre de lait et un cookie – l'un des énormes biscuits aux pépites de chocolat de Lore – étaient posés pour Jane sur la table de la cuisine. À la vue d'Ève, Jane les ignora, poussa un cri et se précipita, bousculant la table et le lait, pour se jeter dans ses bras.

— Ève ! Il est où, mon cadeau ?

Le dernière fois qu'elle était venue, à Noël, Ève lui avait offert une magnifique poupée et un puzzle. Cette fois, dans sa hâte, elle n'avait rien apporté.

— Chérie, dit-elle en la serrant dans ses bras, je n'ai pas eu le temps de te trouver quelque chose hier. Je suis désolée.

— Tu m'aimes pas.

— Quand je te disais qu'elle était trop gâtée..., intervint Lore.

— Non, c'est plus profond que ça, protesta Ève.

Pourtant il était absurde de chercher des sens cachés dans le moindre mot. Comme si elle était la seule à pouvoir comprendre Jane ! Malgré tout, tous les changements avaient bien dû affecter sa petite sœur.

La serrant fort dans ses bras, elle promit :

— Demain, on ira toutes les deux t'acheter un beau cadeau, d'accord ? Où est Peter ?

— Dehors. Il aime bien rester dans le jardin. Moi aussi, je vais aller avec lui.

— Sors avec ton lait et ton biscuit, tu peux goûter sur les marches, suggéra Lore. Attends, je vais t'aider. Prends aussi un biscuit pour Peter, autrement il va encore te voler le tien.

Elle accompagna Jane puis revint dans la cuisine.

— Elle est épuisante. Très intelligente. Elle comprend tout. L'autre jour, elle m'a dit que Vicky ne l'aimait pas.

— C'est vrai ?

— Je n'ai rien remarqué de particulier. Mais on sent que la petite la dérange. Et si je le sens, je t'assure que Jane s'en rend compte aussi.

— Et papa, il a remarqué quelque chose ?

— Comment veux-tu que je le sache ? Il est trop réservé, trop courtois, pour se plaindre de sa femme auprès de moi, même s'il en avait envie.

— Mais tu penses qu'il a des reproches à lui faire ?

— Tu veux mon avis ? Je crois qu'il a des regrets. À mon sens, il se rend compte qu'il a commis une grosse bêtise, sur un coup de tête, et maintenant il se sent coupable, le pauvre !

— C'était à prévoir, mais ça ne sert à rien de le dire, il est trop tard.

— C'est vrai.

Avec un soupir, Ève formula sa préoccupation principale :

— Va-t-il se rétablir ?

— Je n'ai pas de boule de cristal.

— Mais tu as l'expérience, avec l'hôpital.

— Tous les cas sont différents.

— Tu n'avais pas l'air de trop t'inquiéter, au téléphone.

— Je ne voulais pas t'affoler. Enfin, son hémorragie cérébrale n'a pas été trop grave... Dans des cas semblables, on sait qu'un jour ou l'autre il y en aura une deuxième, mais il peut s'écouler plusieurs années dans l'intervalle. Espérons que ce sera le cas pour ton père.

— D'abord maman, et maintenant papa... Ce soir, je vais chez les Schulman pour parler au docteur Al.

— C'est inutile, tu vas le voir ici. Il rend visite à Joël tous les soirs, en ami. Vicky n'est pas contente, mais ça ne l'empêche pas de venir.

Ève s'installa avec le docteur Al, comme elle l'appelait, dans la véranda ; elle lui donnait toujours son titre car son père affirmait qu'à son âge on devait respecter ses aînés. La pièce avait été repeinte en rose bonbon. De l'étage, leur parvenaient un brouhaha de conversations et des éclats de rire tonitruants.

— C'est beau, la jeunesse, remarqua le docteur Schulman, les sourcils un peu froncés. Enfin, peut-être cela le distrait-il... Je ne sais pas... J'imagine que ça ne lui fait pas de mal, et ils sont pleins de bonnes intentions.

— Ce n'est pas son style.

— Les temps changent, Ève.

Elle aurait eu envie de monter pour les jeter dehors, de vider de tous ces gêneurs la chambre de son père. Ensuite, s'il l'avait souhaité, elle lui aurait joué de la musique, doucement, comme il l'aimait, ou elle lui aurait fait la lecture car il adorait cela. Surtout maintenant...

— Lore m'a dit qu'il n'y voyait plus bien.

— Oui, il a des troubles de la vue, avec des points aveugles dans son champ visuel. Ça s'appelle de la rétinopathie diabétique.

— C'est-à-dire ?

— Eh bien, le diabète est associé à des problèmes vasculaires qui peuvent provoquer des saignements dans la rétine, ou mener par exemple à l'amputation d'une jambe. Heureusement, Joël n'a pas de problèmes de cet ordre, mais l'affection vasculaire peut aussi provoquer des crises cardiaques ou des hémorragies cérébrales, et c'est ce qui est arrivé à ton père.

— Je voudrais que ce soit toi qui le soignes encore ! C'est scandaleux qu'on t'en empêche.

— Ça ne change pas grand-chose, Ève, n'en faisons pas une histoire. Je n'ai pas besoin d'être appelé auprès de lui officiellement pour savoir ce qui ne va pas.

— Alors, que va-t-il se passer ?

— Il peut très bien se rétablir en quelques semaines... comme rechuter.

— Rechuter ?

— On ne peut pas savoir, Ève. Il n'y a plus qu'à prier de tout notre cœur.

La semaine s'écoula. Les jours se succédaient, tous semblables. L'état de Joël restait stationnaire. Ève redoutait que cette attente, comme la fois précédente, ne soit qu'un prélude à la mort. Son père était trop jeune pour mourir.

Parfois, pourtant, il lui semblait qu'il s'éteignait. Il dormait beaucoup, et, comme s'il était trop épuisé pour hausser la voix, il parlait si bas qu'on avait du mal à l'entendre. Puis elle se persuadait qu'elle se trompait, qu'elle ne faisait qu'imaginer ce qu'elle craignait le plus.

Tom téléphonait souvent, lui conseillant de revenir se présenter à la session de rattrapage. Elle pourrait toujours rentrer à Ivy si la situation s'aggravait. Le jour où Joël se leva pour faire quelques pas dans la maison, Al Schulman approuva cette suggestion. Vicky aussi la poussait à partir, mais, pensa Ève, Vicky, évidemment, avait hâte de se débarrasser d'elle.

Le matin de son départ, alors qu'elle préparait son sac et avait déjà commandé un taxi pour aller à l'aéroport, Lore frappa à sa porte. Elle avait les traits tirés.

— Joël nous a quittés, annonça-t-elle. Vicky a appelé le médecin juste après minuit. Elle n'a pas voulu te réveiller. Il a eu une crise cardiaque, ça n'a duré que quelques minutes.

Dans le bureau de Joël, sous la rangée de photos que Caroline avait choisies pour lui, Ève, Lore et les Schulman se retrouvaient enfin au calme. Il y avait eu foule aux funérailles, et encore foule à la maison. À présent, à part les amis de Vicky qui s'étaient réunis avec elle dans la véranda, tout le monde était reparti. On avait emmené Jane pour jouer avec les petits-enfants des Schulman.

— Ils avaient beaucoup d'amis..., remarqua Emmy Schulman en soupirant. Quel couple extraordinaire, Caroline et Joël ! Avec tout ce qu'ils ont dû endurer...

Elle poussa un nouveau soupir.

— Je me souviens, reprit-elle, de leur petit appartement au-dessus de chez Gertrude. Ta mère, Ève, était toute jeune et jouait les braves, mais on voyait qu'elle était aussi perdue que si elle avait débarqué sur la planète Mars. Aujourd'hui, la moitié de la ville vient leur rendre hommage. J'imagine que tu vas repartir d'ici un ou deux jours. Il faut que tu repasses les examens que tu as manqués.

— Non, intervint son mari, il faut qu'elle attende l'homologation du testament. Le rendez-vous devrait être au début de la semaine prochaine.

— Ce n'est pas la peine, protesta Ève. C'est... c'est macabre d'attendre pour compter l'argent qu'il a laissé. Pauvre papa, ça me révulse.

— C'est la vie. La mort fait partie de la vie.

— Je n'ai pas été obligée de faire cela quand maman est morte.

— Ce n'était pas pareil. Ton père était là, et maintenant, tu es plus âgée, tu es adulte, tu dois prendre tes responsabilités.

— Quand même, je trouve ça affreux. Que faut-il que je fasse ?

— Tu vas aller chez le notaire et écouter ce qu'on dira.

— Lore, j'espère que tu viendras avec moi chez O'Malley et Fried.

— Joël a changé de notaire, révéla cette dernière. Vicky s'est débarrassée d'eux. Le nouveau est un jeune homme qui est venu il y a quelques mois, un jour où Joël ne se sentait pas assez bien pour aller en ville. Je ne me souviens plus de son nom.

De la véranda, où se trouvaient encore les amis de Vicky, leur parvint un grand éclat de rire. Ève et Lore échangèrent un coup d'œil.

— Tout a bien changé, remarqua Ève avec tristesse.

— Oui, tout a bien changé.

Les feuillets de papier neuf bruissaient entre les mains du jeune notaire. La lecture du testament s'éternisait et il restait encore plusieurs pages à lire. L'esprit d'Ève vagabondait, porté au loin par la voix monotone et les phrases alambiquées du jargon juridique. Son regard se posa sur les tristes livres de droit à la tranche brune qui garnissaient les étagères, puis passa subrepticement à Vicky, en grand deuil de la tête aux pieds ; sa petite toque noire, semblable à celle de Jackie Kennedy, était perchée sur un haut chignon cimenté par la laque, dont aucun cheveu ne pourrait voler au vent.

Finalement ses yeux s'arrêtèrent sur ses propres mains, croisées sur son élégant tailleur bleu marine. Son père le lui avait acheté quand elle était partie pour l'université, quatre ans auparavant ; elle le considérait toujours comme son plus bel ensemble, et elle ne s'en séparerait jamais. Jamais.

Elle tenait aussi plus que tout au rubis qui ornait son doigt. Lore lui avait donné la bague le lendemain de l'enterrement.

— Joël m'avait demandé de te la garder. Tiens, voilà le papier de l'assurance. N'oublie pas de payer les primes. Si j'étais toi, je la mettrais en lieu sûr, dans un coffre à la banque. Elle a trop de valeur pour que tu la sortes tous les jours.

— Maman ne la quittait jamais... La pierre n'est pas voyante du tout.

— Non, elle est même très raffinée, c'est vrai.

Ève voulait la porter, comme sa mère. Elle se moquait qu'elle vaille un million de dollars ou dix cents. Elle la garderait jusqu'au jour où elle la donnerait à Jane, parce que c'était le père de Jane qui l'avait offerte à leur mère. Les yeux rivés sur la pierre, l'examinant, admirant la façon dont elle piégeait la lumière et la renvoyait fragmentée en étincelles, elle resta ainsi jusqu'à ce que le bourdonnement de la voix du notaire s'éteigne.

— Vous avez le droit de lire le testament toutes les deux. J'en ai une copie pour chacune d'entre vous.

Ève n'en était encore arrivée qu'à la moitié que Vicky avait déjà terminé, plié son double et l'avait enfoui dans son sac à main en crocodile. Le regard d'Ève s'égara sur les chaussures assorties. Vicky avait très vite changé de style, tant mieux pour elle. L'important à présent était de se concentrer sur le testament. On aurait pu croire qu'il avait été compliqué à plaisir pour perdre le lecteur plutôt que pour l'éclairer.

Elle reprit depuis le début, tenace, lisant phrase après phrase sans se laisser distraire par les toux impatientes ou les craquements de chaise. Lorsqu'elle atteignit la fin, son cœur battait à se rompre.

— Je dois me tromper, dit-elle, mais j'ai cru comprendre que Jane et moi, nous ne recevions que vingt-cinq mille dollars chacune, avec un fonds suffisant pour financer les études de Jane à l'université. Lore reçoit vingt-cinq mille dollars aussi. Je fais erreur, sans doute ?

— Mais non, vous avez bien lu, répondit le jeune notaire correct et neutre, avec son costume, sa cravate assortie, sa coupe de cheveux bien propre et ses yeux bruns sans caractère. C'est écrit en toutes lettres.

— Je ne comprends toujours pas. Que devient tout le reste ?

Soudain, une bouffée de rage l'envahit.

— Vous ne voulez pas dire, reprit-elle, que l'entreprise, les propriétés...

— Il n'y a aucune ambiguïté. Prenez les pages deux et trois : « Le reste va à ma femme, Victorine, en pleine propriété... etc. »

— Le reste, c'est-à-dire tout excepté vingt-cinq mille dollars pour Jane, Lore et moi, et le financement des études de Jane ? Je ne vois pas pourquoi papa aurait fait ça ! La maison, les restaurants de maman... Papa a toujours reconnu que c'était grâce à elle que les Orangeries existaient... Alors, tout ça irait à...

Elle se tourna vers Vicky, qui, les mains sur son sac à main neuf, ne releva pas la tête.

— Pourquoi mon père aurait-il fait une chose pareille ? répéta-t-elle.

Le jeune notaire correct répondit à cette question par une autre question.

— Qui sait ? Lui seul aurait pu nous éclairer.

— Mais il a dit... Il m'a dit il y a à peine quelques jours qu'il nous laissait largement de quoi vivre, à Jane et à moi. Je vous cite ses paroles, telles quelles.

— Eh bien, vingt-cinq mille dollars, c'est une coquette somme. Du moins, c'est ce que penseraient beaucoup de gens.

Une animosité souterraine s'était introduite dans la pièce. Le dialogue se déroulait comme un duel, avec des attaques et des parades successives. Ève pensait à cent à l'heure. L'autre soir, quand les Schulman l'avaient invitée à dîner, le docteur Al, comme cela lui arrivait souvent, avait parlé du passé, se remémorant les débuts des Orangeries, la croissance phénoménale de l'entreprise.

— C'est incroyable ce qu'ils ont accompli ensemble. Elle avait l'imagination et l'ambition nécessaires à la réussite, et lui le sens des affaires, et de l'ambition aussi.

Ève persista.

— C'est bien le testament définitif ? Il n'existe pas d'autre document ?

— Non, il n'y a rien d'autre. Il s'agit des dernières dispositions en date. Il annule toutes les précédentes.

— Je vois.

Elle était abasourdie, folle de rage ; non pas contre son père, car ce n'était pas l'œuvre de l'homme qu'elle connaissait, mais contre les deux complices qui avaient tout pouvoir sur elle et qui, en silence, attendaient tranquillement qu'elle s'en aille. Elle se leva sans ajouter un mot et partit.

Ce soir-là, elle raconta aux Schulman ce qui était arrivé.

— Ensuite, je suis allée directement chez O'Malley et Fried. Je n'avais pas de rendez-vous, mais ils m'ont tout de suite reçue, tous les deux, et ils ont été très gentils. Ils sont prêts à me représenter, mais avez-vous la moindre idée du prix que coûterait un procès ? Ça peut durer des années. Vicky aura les moyens de tenir jusqu'au bout, mais moi sûrement pas.

Les Schulman, conscients de la tension qui régnait dans la maison qui appartenait désormais à Vicky, rendaient visite à Ève avec Lore dans le bureau de Joël.

— Tu devrais tout de même essayer, conseilla le médecin.

— C'était affreux. Tu as eu raison de ne pas y aller, Lore. Vicky me donnait envie de lui taper dessus.

— J'admets que ça m'est déjà arrivé.

— Pourtant, tu la défendais presque toujours.

— Oui, c'est vrai. Elle n'a pas eu de chance dans la vie, et j'ai toujours eu pitié d'elle. En plus, pour être juste, elle a un certain charme. Avant, je veux dire, mais plus maintenant.

— Nous nous égarons, intervint Al Schulman. Oublions Vicky un instant. Revenons-en au principal. L'important, c'est qu'il y a eu fraude et vol.

— Mais papa a signé le testament !

— Le pauvre homme n'y voyait pas assez clair pour lire ce qu'il signait. Et même s'il avait eu bonne vue, il n'avait pas assez d'énergie pour se concentrer. Non, c'est une escroquerie, il n'y a pas d'autre mot, et il ne faut pas les laisser faire.

— Je n'aurais jamais cru ça de Vicky, tout de même, reprit Lore. Elle n'est pas facile, et Dieu sait que je n'ai pas toujours apprécié sa conduite, mais là, ça dépasse les bornes.

— Quand on pense aux propriétés..., poursuivit le médecin. Rien que le terrain de l'autoroute pour l'Orangerie numéro six vaut une fortune. Ce terrain à lui tout seul...

Emmy ouvrait de grands yeux.

— Alors tout appartient à Vicky ?

— Il paraît..., dit Ève.

— Joël ne s'est rendu compte de rien, il n'a pas vu ce qu'il signait, j'en suis persuadé, déclara Al Schulman comme s'il avait lu dans les pensées d'Ève et voulait la rassurer.

Le chien entra, resta sur le pas de la porte à les contempler, puis il repartit en trottant.

— Il cherche Joël partout, expliqua Lore. Pauvre bête, il revient sans arrêt dans la chambre comme s'il se demandait pourquoi Joël n'est plus là.

— J'imagine, intervint Ève avec amertume, qu'il fait partie des meubles et que maintenant il appartient aussi à Vicky.

Elle regarda tout autour d'elle, les livres de sa mère en trois langues, les coussins au point de croix de Lore, et, par la fenêtre, la vue du lac que la disparue avait tant aimée.

— Que vas-tu faire ? demanda Emmy.

Lore répondit à sa place.

— Elle va se marier. Ça ne t'ennuie pas que je le dise, au moins, Ève ? À nos vieux amis. Ce n'est pas un secret pour eux.

— C'est vrai ? Bravo, Ève, c'est merveilleux ! s'exclama Emmy.

— Joël m'avait déjà tout raconté, révéla le docteur Schulman. Il était fou de bonheur pour toi. Il pensait que ce jeune homme te convenait admirablement. Un chercheur, m'a-t-il dit.

— Mais pas un chercheur sans le sou, Dieu merci, observa Lore. La sécurité financière, ça n'a jamais fait de mal à personne. Et à présent que nous savons ce qu'il y a dans le testament, ce ne sera pas de trop.

— Je m'en fiche, protesta Ève. J'aimerais Tom même s'il n'avait pas d'argent. Ah ! si seulement il pouvait être là...

— Bien sûr que ça ne compte pas, approuva Al Schulman, c'est normal. Mais revenons-en au testament. Il faut absolument que tu essaies de le contester, Ève. À la place de ce jeune notaire, je n'en mènerais pas large. Tu pourrais le faire radier de la profession.

— Comment ça ? demanda Lore.

— C'est évident ! Ce testament est plein d'omissions. Qu'en est-il par exemple des provisions pour l'éducation de Jane ? On ne laisse pas un enfant mineur sans tuteur.

— Je suis sûre que papa avait prévu ça. À ma majorité, il m'a nommée tutrice.

— Plus dans les nouvelles dispositions. Il faut les contester, répéta le médecin. Je te conseille vivement de le faire. Tu ne crois pas, Emmy ? Et toi, Lore ?

— Mais bien sûr, répondit Lore, seulement j'ai peur qu'il ne soit difficile de prouver qu'il y a eu une escroquerie. Joël était sain d'esprit jusqu'au bout.

— Quand je pense, gémit Emmy, qu'ils étaient là, dans la pièce d'à côté, à comploter pour tout voler à Ève et à Jane !

— Ça arrive tout le temps, répliqua son mari. Parfois les voleurs s'en tirent, parfois ils se font prendre. Mais quoi qu'il arrive, il faut se battre, Ève.

— Comment m'y prendre avec mes examens, mon diplôme et le reste ? objecta-t-elle alors que les idées tourbillonnaient, confuses, dans sa tête. Je devrais être présente pour les auditions, les appels... Et puis il faudrait pouvoir financer tout ça. De toute façon, je n'ai pas le courage de me lancer dans une bagarre qui risque de durer des années.

— Qui va s'occuper de Jane ? demanda soudain Emmy.

— Je ne sais pas, s'écria Ève. Je ne peux pas la laisser ici. Je ne veux pas l'abandonner à cette femme !

— Il faudra sans doute aussi que tu intentes un procès pour obtenir sa garde, remarqua Al Schulman. Vicky est l'épouse, et légalement c'est à elle d'accueillir l'enfant. De plus elle a un toit pour l'abriter, alors que, toi, tu n'as rien. Je joue l'avocat du diable, bien sûr.

— Je suis sa sœur. Si Vicky veut la garder, je la lui prendrai de force. Je récupérerai mon argent et je me sauverai en Australie avec Jane s'il le faut, ou... ou...

— Ne t'inquiète pas pour ça, déclara Lore. Elle te laissera Jane sans difficulté. Et même, à mon avis, elle ne sera que trop ravie de se débarrasser d'elle. Un enfant de cet âge, cela prend beaucoup de temps.

— Vous l'auriez vue ce matin, dans le bureau du notaire... On aurait dit un chat qui a trouvé un pot de crème. Depuis l'enterrement, dès qu'on se croise dans la maison, elle me regarde de travers comme si elle voulait que je débarrasse le plancher.

— Elle joue les châtelaines, ironisa Lore.

Ève se leva d'un bond.

— Je vais lui parler. Je vais lui dire ma façon de penser. Dès demain matin, je joue cartes sur table avec elle.

Le médecin leva un doigt d'avertissement.

— Non, Ève, attention, envoie-lui plutôt ton avocat. Ne lui dis rien directement.

— Docteur Al, je sais que tu as raison. J'ai été volée, et c'est vrai que je devrais me battre. Mais dites-moi ce que vous en pensez vraiment... Lore, que ferais-tu à ma place ?

— Je suis plutôt d'accord avec toi, mais j'hésite à prendre position parce que je ne suis pas juriste et que j'ai peur de me tromper. Enfin, personnellement, je crois qu'on ne peut jamais savoir comment va tourner un procès. Tu pourrais très bien perdre. Dans ce cas précis, il est même probable que tu perdras. Donc, avec toutes mes excuses au docteur Al, je pense, tout bien réfléchi, que si j'étais toi, Ève, j'oublierais cette vilaine affaire et m'occuperais de réussir ma vie.

Le bruit métallique et syncopé des basses montait du plancher. Un infernal charivari l'avait tenue éveillée pendant des heures, mais ce bruit ininterrompu était pire que tout.

« De toute façon, songea Ève, je n'aurais pas pu dormir. Le docteur Al a raison. C'est évident, ça crève les yeux, on ne peut faire plus clair : on lit souvent ce genre de fait divers dans les journaux. Les jeunes infirmières qui abusent de leurs patients séniles, les médecins complices de la famille. Le notaire de Vicky est probablement son amant, ou peut-être n'en tire-t-il qu'un avantage financier. C'est un scandale, je devrais les traîner en justice, les exposer aux yeux de tous... Mais ce combat me gâcherait la vie. Pour obtenir justice, il me faudrait gravir une montagne gigantesque et dangereuse avant de trouver la paix au sommet. Rien ne prouve que l'aventure se finirait bien. Si je perds le procès, ma situation sera mille fois pire que maintenant.

« Lore considère que je devrais passer à autre chose, penser à ma vie. Tom m'attend... »

La porte de sa chambre s'ouvrit. La lumière du couloir tomba sur le lit, éclairant le réveil qui marquait minuit. C'était Jane dans son pyjama imprimé d'éléphants.

— Où est mon papa ? demanda-t-elle. Je le cherche partout.

— Ma chérie, tu sais bien qu'il est parti. Tu devrais être en train de dormir.

— Il est allé où ? Je veux y aller aussi.

— C'est impossible. Il est allé très très loin, et on ne peut pas le rejoindre. Moi non plus, je ne peux pas.

— Pourquoi ?

Que fallait-il lui dire ? Quel conseil aurait donné un psychologue ? Ève ne savait plus à quel saint se vouer. Il fallait improviser.

— Parce que... parce qu'il faut être vieux pour aller là-bas. Tu es trop jeune, et moi aussi.

Le drôle de petit personnage perspicace s'approcha du lit. Elle avait les joues mouillées, son nez coulait, et elle observait Ève avec méfiance.

— Tu sais où il est mais tu ne veux pas me le dire. Vicky dit qu'il est au ciel, mais c'est pas possible.

— Mais si, c'est vrai ! Seulement, pour y aller, il faut attendre son tour, et c'est très très loin, tu comprends ? Viens au lit avec moi, ajouta-t-elle en voyant le petit visage humide se tordre et les larmes jaillir. Tiens, voilà un mouchoir en papier. Entre au chaud avec moi... Ou plutôt non, viens, je vais te raccompagner dans ton lit. Il faut que tu dormes, il est tard.

Jane poussa un hurlement.

— Je veux mon papa ! Je veux pas aller dans mon lit, ni dans le tien, ni dans celui de Vicky. Je suis descendue à la musique pour trouver mon papa et elle a été méchante avec moi. Je veux pas aller dans son lit, je veux pas !

— Mais je ne te dis pas d'aller avec elle.

— Je veux Lore.

— Lore est rentrée chez elle après ton dîner. C'est l'heure de dormir. Viens, je t'emmène.

— Je veux pas ! Non ! hurla Jane.

On ne devait jamais acheter les enfants avec des friandises, c'était la règle numéro un en matière d'éducation, mais enfin, aux grands maux les grands remèdes.

— Si je te donne un cookie, tu iras te coucher comme une grande ?

Jane réfléchit.

— J'en veux deux, au chocolat. Je n'aime pas les autres.

— D'accord, va vite dans ton lit pendant que je vais te les chercher à la cuisine.

Calmée par le chocolat, elle s'allongea et son petit corps se détendit.

— Il est où, Peter ?

— Dans son panier, à la cuisine.

— Il peut dormir avec moi ? Tu veux bien ? Vicky ne veut pas.

— Mais bien sûr qu'il peut dormir avec toi si tu en as envie. Maintenant tu éteins la lumière et tu dors, promis ?

Ève se souvint vaguement qu'on ne devait pas non plus marchander avec les enfants. Elle attendit le résultat.

— Bon, d'accord, je dors.

Elle descendit donc chercher Peter, et s'apprêtait à ressortir de la cuisine en peignoir, le chien dans les bras, lorsque la musique cessa net. Les invités de Vicky s'attroupèrent dans l'entrée en se lançant de bruyants au revoir. Dès qu'elle entendit la porte claquer, Ève sortit de la cuisine et se précipita dans l'escalier, espérant éviter Vicky. Malgré son désir de lui dire ce qu'elle pensait, il était bien trop tard pour se disputer ce soir. Mais elle ne fut pas assez rapide.

— Où vas-tu avec le chien ? cria Vicky d'en bas.

— Je vais le mettre dans la chambre de Jane. Elle pleure, elle a envie de dormir avec lui.

— Il ne faut pas céder à tous ses caprices. Joël lui a donné cette mauvaise habitude, cela doit cesser. Le chien perd ses poils partout sur les tapis. D'ailleurs pourquoi ne dort-elle pas, à cette heure ?

— Il y avait trop de bruit, répliqua Ève. Moi non plus, je ne pouvais pas dormir.

— Ridicule. Quand on est en bonne santé, on doit pouvoir dormir même avec un peu de musique.

La sang d'Ève ne fit qu'un tour, et elle oublia son intention d'attendre le matin pour éclater.

— Tu appelles ça « un peu » de musique ? Personne n'aurait pu dormir avec ce vacarme.

— Je suis désolée que tu n'apprécies pas mes goûts musicaux, Ève. Mais après tout, c'est normal, non ? Je n'ai pas eu une éducation aussi distinguée que la tienne.

— Cette remarque est vraiment immonde, et tu le sais très bien.

— Je t'interdis de me dire que je suis immonde. Tu en as, du culot ! Depuis la mort de Joël tu prends ta tête de dégoûtée dès que tu me regardes.

— Mais je suis dégoûtée. Complètement dégoûtée par ton escroquerie et par ce faux testament que tu as fait signer à mon pauvre père.

— Comment ça, faux testament ? Tu es folle ! Alors, comme ça, tu pensais qu'il allait tout te laisser ? J'étais sa femme, que ça te plaise ou non. Il faut te faire un dessin ?

Ève vit rouge.

— Non, inutile. Tu étais sa femme, d'accord, mais maintenant tu es veuve, et tu devrais savoir qu'on ne fait pas des fêtes à tout casser quand son mari vient de mourir... On attend au moins un an !

— Comme si je faisais la fête ! Tout ça parce que quelques amis sont venus pour me remonter le moral ! Tu voudrais que je fasse quoi ? Que je passe mes soirées toute seule à pleurer ?

— Je me fiche bien de ce que tu fais. Tu peux même brûler la maison si ça te chante, du moment que je ne suis plus dedans.

— Pourquoi voudrais-tu que je la brûle ? demanda Vicky avec un rire. Sûrement pas ! Au contraire, si je reste ici, je vais l'agrandir. Il n'y a pas assez de place pour recevoir.

Les deux femmes, Ève au milieu de l'escalier, et Vicky au pied des marches, se fixaient avec haine. Mais soudain, un souvenir coupa la colère d'Ève. Elle revit la petite maison brune, le jardin et sa treille, où elle jouait dans le bac à sable avec Vicky qui la gardait pour se faire de l'argent de poche.

Pourquoi en étaient-elles venues à se détester à ce point ?

— La maison n'est pas assez grande pour toi, Vicky ?

— Plus elle sera grande, mieux je me porterai. Bon, redescends le chien à la cuisine.

— Non. Jane le veut dans sa chambre.

— Tu oublies que maintenant, ici, c'est chez moi. Tu es mon invitée, rien de plus.

— Pas pour longtemps. Dès que j'aurai mon billet d'avion, je bouclerai mes valises.

De la chambre de Jane monta un grand cri.

— Ève ? Où tu es ?

Non, jamais elle ne pourrait laisser la petite ici.

— Tu as gagné, Vicky. Tu n'as eu aucun scrupule, et tu as gagné, mais je ne te laisserai pas tout. Je veux garder Jane. Je l'emmène avec moi, et tu n'as pas intérêt à m'en empêcher.

— Pourquoi voudrais-tu que je t'en empêche ? demanda Vicky en riant. Ma chère, je n'ai aucune intention de me battre pour la garder. Je la trouve très pénible. Garde-la et bon débarras.

Soudain, Ève fut prise de curiosité.

— Mais tu n'aimes personne ? À part toi, évidemment... Tu n'as même pas pitié de ce pauvre petit bout de chou ?

— Je ne suis pas un monstre, tout de même. Je sais que tu t'occuperas bien d'elle, et je suis sûre que de toute façon Joël aurait voulu que tu la gardes. Il ne me l'a pas dit, mais... J'imagine que Lore t'a expliqué qu'on ne s'entendait pas très bien, Joël et moi. Remarque, il n'y a qu'elle qui s'en soit aperçue.

— Bon, alors nous sommes d'accord.

Elle passa le reste de la nuit dans une chaise longue près de Jane, qui dormit paisiblement avec le chien.

Emmy Schulman et Lore vinrent le lendemain. Emmy, très inquiète, versa quelques larmes.

— Je ne vois pas comment tu vas te débrouiller. En plus, tu dis que pour passer tes examens de rattrapage, tu dois suivre huit semaines de cours supplémentaires... Qui va garder la petite ? Ma chérie, tu ne vas jamais t'en sortir. C'est épouvantable. Si Caroline savait ça ! Sa belle maison et tout son travail partis en fumée !

À présent qu'elle avait pris sa décision, Ève s'activa pour tout empaqueter. Elle prépara une caisse de jouets et une autre de photos et de livres, choisissant les ouvrages favoris de Caroline, et les envoya en express. Pour les vêtements de Jane, elle avait acheté une grande valise. Elle emportait tout, tout de suite. Elle dut ensuite penser à Peter, se demandant s'il était assez petit pour rester sous son siège dans un panier, ou s'il devrait voyager dans une cage.

— Il sera sûrement mieux dans un grand conteneur, intervint Lore. On n'aura qu'à demander au vétérinaire de lui donner un tranquillisant avant le voyage.

— Tu n'emmènes pas le chien aussi ! s'exclama Emmy. Lore, dis quelque chose, elle ne se rend pas compte.

— Tu t'inquiètes pour elle plus que moi. Ève a l'esprit pratique, tu sais. Elle ressemble à sa mère. Et puis son fiancé a de l'argent, il va l'aider.

— Il m'aidera, mais pas parce qu'il est riche, répliqua Ève. En fait, c'est sa famille qui est riche, je crois. Lui, il n'accepte rien de ses parents. Il travaille dur et mène une vie très simple.

Après le premier coup de fil d'Ève pour l'appeler à l'aide, Tom avait tout réglé. Elle allait quitter sa chambre à l'université et emménager au dernier étage de la maison d'un vieux couple sympathique.

Comme la situation devait être provisoire, pour l'été, ils acceptaient de s'occuper de Jane et du chien pendant que Ève suivrait ses cours. Le week-end, Ève et Jane iraient chez Tom, dans son bungalow au bord de la mer.

— Il les connaît, ces gens ? demanda Emmy.

— Pas directement, mais il a des amis qui les connaissent. Tom est allé les voir, et il dit que c'est parfait.

— Que se passera-t-il dans deux mois ?

— Je verrai à ce moment-là.

— J'espère que tu t'organiseras un peu à l'avance, tout de même.

— Mais oui, bien sûr.

Après le départ d'Emmy, Lore commenta :

— Elle est bien gentille, mais elle a tendance à être déprimante.

Ève ne songeait plus qu'à quitter la maison du lac. Au fond, ce n'était qu'une coquille, qui avait contenu Caroline et Joël, mais, à présent qu'ils étaient partis, cette demeure avait perdu son âme. Il n'y restait plus que des objets morts qui reprendraient un sens différent au fil des ans en passant d'un propriétaire à l'autre, offerts ou vendus aux enchères.

Pourtant, ce n'était pas le moment de pleurnicher, songea Ève en fourrant les dernières peluches dans la caisse à jouets. Elle n'avait pas le temps de se laisser aller.

D'ailleurs, à son chagrin se mêlait une grande exaltation qui montait à mesure que le départ approchait. Elle voyait des images de bonheur : Tom à l'aéroport avec son magnifique sourire, son regard pétillant et ses belles dents ; ses amis étonnés en l'apercevant avec un enfant ; le bungalow, la plage, les vents de l'océan la nuit.

Jane aussi était ravie. Elle avait trouvé une trouée où aucun arbre ne cachait le ciel, et elle y restait des heures, la tête en l'air, à regarder passer les avions. En apprenant que Lore ne les accompagnait pas, elle avait d'abord été malheureuse, mais en recevant la promesse que sa tante viendrait lui rendre visite, elle se rassura. Tout s'arrangeait.

Vicky, maintenant que la situation était réglée, essayait même de se rattraper.

— C'est bête de voyager en classe touriste avec Jane et tous tes bagages à main. Inutile de faire tout ce trajet serrées comme des sardines. Je vais t'offrir des billets en classe affaires, ce sera mon petit cadeau d'adieu.

— Nous serons très bien, affirma Ève, mais merci de la proposition.

Ainsi, tout était dit. Que pouvait-il se passer dans la tête de Vicky ? Avait-elle tout de même des remords, ou pensait-elle vraiment n'avoir fait que protéger ses droits d'épouse ? C'était un mystère.

Lore se contenta de hausser les épaules.

— Ne te tourmente pas, tu ne t'en sortiras jamais si tu essaies de trop comprendre les gens. Ta propre histoire familiale devrait t'avoir guérie. Les Hartzinger, ta mère... tu vois ce que je veux dire.

Oui, en effet. Mieux valait penser au bleu du Pacifique.

— Je me demande si je reverrai un jour Ivy, dit-elle.

— Quoi ? Tu m'abandonnes ?

Mais Lore savait que non. Ève, déchirée entre son besoin de partir et la peine que lui causait cette question angoissée, serra Lore sur son cœur.

— Tu viendras nous voir. Tu passeras chez nous de longues, longues vacances. Tu verras, tu vas adorer le climat et tu ne voudras plus t'en aller.

Tôt, le matin du départ, la camionnette de location arriva pour parcourir le long trajet jusqu'à l'aéroport. Ève, Jane, leurs montagnes de bagages et le chien furent casés à l'intérieur, tandis que Lore, qui retenait ses larmes, leur faisait signe depuis le pas de la porte. La voiture s'éloigna vers l'autoroute, laissant Ivy derrière au loin.

Aux premiers tours de roue, le soleil apparaissait tout juste en bas du ciel. Après quelques kilomètres, il fit un bond étonnant, s'éleva, zébra le dôme obscur, et jeta une gerbe d'étincelles qui s'accrochèrent aux branches des arbres encore noirs.

— Regarde, Jane ! s'exclama Ève en tendant le doigt. Regarde ! C'est la première fois que tu vois ça. C'est le soleil qui se lève.

14

La chambre avait été aménagée dans une portion de grenier, avec la charpente apparente. De chaque côté, s'ouvraient des fenêtres qui laissaient entrer la brise et donnaient sur le jardin. Deux lits jumeaux tendus de jolis couvre-lits blancs occupaient le mur du fond. Des étagères accueillaient les quelques livres de cours d'Ève, et une grande maison de poupée à toit rouge se dressait dans un coin de la pièce.

— C'était la chambre de notre fille, expliqua Mme Dodge. Maintenant, nous la louons à des étudiants. Elle est réservée à partir de la mi-septembre, mais vous n'en avez besoin que pour l'été, c'est bien cela ? J'espère que vous vous y plairez.

— Elle est très jolie, je suis ravie, assura Ève.

— Voilà longtemps que nous n'avons pas eu de petite fille à la maison. Vous verrez, Jane et moi nous nous entendrons très bien pendant que vous travaillerez. Notre fils vit à deux pas d'ici, et ses garçons ont l'âge de Jane. Ils sont très gentils, Jane, ce sont des jumeaux. Tu vas bien t'amuser avec eux. Alors il paraît que la petite est votre sœur... Votre ami, M. Tappan, nous a avertis. Il avait l'air de se faire du souci pour vous, et il tenait à ce que vous soyez bien installée.

— Oui, c'est un excellent ami.

Manifestement curieuse, Mme Dodge aurait sans doute aimé qu'on lui livre plus de détails. On voyait qu'elle était gentille, et après les événements de la semaine passée, son accueil faisait chaud au cœur.

— Mon Dieu ! Je ne pensais plus à l'heure ! Nous avons trois heures de retard sur vous. Vous devez mourir de faim.

— Je veux un hamburger, annonça Jane du tac au tac.

— Tom nous emmène dîner dehors, expliqua Ève. Va te laver

les mains. Je m'occuperai des valises après et je te donnerai ton bain.

Dès que Jane eut disparu dans la salle de bains, Ève confia :

— Elle est très perturbée par la mort de notre père, mais je ne pense pas qu'elle vous fatiguera. Le chien non plus, d'ailleurs, ajouta-t-elle, se souvenant de Peter, que Tom avait dû aller promener dès leur arrivée.

— M. Tappan a prévu un panier pour lui. J'ai oublié de vous le monter.

Tom avait pensé à tout : il avait apporté des fleurs, des bonbons, et même, donc, un panier pour Peter. Dès l'instant où elles étaient sorties avec armes et bagages de l'avion, il les avait entourées de son amour.

Le soir, après un dîner rapide, Ève se dépêcha de coucher Jane et ils s'assirent sur le banc, au fond du jardin des Dodge.

— Attends un peu que je te regarde, dit-il. Je ne t'ai pas eue un instant à moi tout seul entre l'aéroport et le fast-food.

— Il fait trop sombre.

— Non, j'ai ma lampe de poche. Lève la tête.

Quand elle eut obéi, il lui déclara qu'elle était plus belle que jamais.

— Tu as quand même l'air un peu fatiguée. Ça a dû être très dur, là-bas.

— Oui, horrible. Papa va beaucoup me manquer. Nous étions à cinq mille kilomètres l'un de l'autre, mais je savais qu'il serait là dès que j'aurais besoin de lui. Le reste, la dispute après l'enterrement, tout ce que je t'ai raconté, ça ne compte pas tant que ça. Par rapport à la vie et à la mort, c'est dérisoire.

— Tu ne regrettes pas tout cet argent ?

— Non. Le procès aurait demandé des années, et ça nous aurait fait du mal, à toi et à moi. On ne retrouve pas les années perdues.

Tom lui prit les mains et se pencha vers elle pour l'embrasser. À la fin d'un long baiser, il murmura :

— Non seulement je ne veux pas perdre des années, mais je ne veux pas perdre une seule minute. Il aurait fallu deux chambres à un lit là-haut, au lieu d'une seule chambre à deux lits.

— Tu dis des bêtises. Mme Dodge ne t'aurait jamais laissé rester toute la nuit. Je ne pense même pas qu'elle t'autoriserait à monter.

— Comment allons-nous nous débrouiller, alors ? On ira chez moi tous les soirs ?

— Je ne peux pas. Elle ne s'occupe de Jane que pendant mes heures de cours. Il n'est pas prévu qu'elle la garde la nuit.

— C'est ma faute. Quel imbécile ! J'aurais dû y penser.

— Nous devrons attendre les week-ends.

— La semaine va me sembler très longue.

— Ce n'en sera que meilleur.

En effet, les retrouvailles furent à la hauteur de leur attente. Tom s'était surpassé pour les accueillir. Il avait acheté un bac à sable, des seaux et des pelles, des ballons de plage et des bracelets gonflables pour que Jane puisse nager au bout de la crique, là où l'eau était peu profonde. Le premier jour, ils pique-niquèrent sur le sable. Le chien alla nager avec Jane, et Tom prit une photo pour l'envoyer à Lore.

— J'ai l'impression, remarqua Tom en riant, d'être un jeune père qui envoie une photo de sa fille à ses cousins de province.

— J'ai envie de voir Lore, dit Jane.

— Mais tu t'amuses bien, ici, protesta Ève.

— Moi, je l'aime, Lore. J'aime Tom aussi.

— Ah oui ? Pourquoi ? demanda-t-il.

— Parce que tu m'as acheté un bac à sable et des bonbons.

— Petite peste ! Tu le sais que tu es mignonne ?

Ils étaient allongés à l'ombre de la vigne et surveillaient Jane et le chien. La crique était déserte, à part les éternelles mouettes qui planaient au-dessus de l'eau. Une impression de liberté merveilleuse s'était emparée d'Ève, un bonheur bizarre et neuf qu'elle n'avait encore jamais éprouvé.

Elle voulut décrire à Tom son état d'esprit mais ne trouva pas la tâche facile.

— Ça vient de beaucoup de choses différentes... d'être avec toi, ici, dans cet endroit si serein. Ici, l'air est plus pur, comme si l'avenir allait être différent, sans contraintes. Tu comprends ce que j'essaie de dire ? Et puis il y a autre chose. À Ivy, tout le monde connaissait mon histoire familiale.

Elle hésita, puis reprit :

— Tu vois comme j'ai encore du mal à en parler... Et les rares personnes qui ne savaient rien étaient vite mises au courant par quelqu'un. Ça me collait à la peau. Peut-être, ici, arriverai-je à m'en débarrasser pour de bon. Tu crois que c'est possible ?

— Je ne sais pas, ma chérie.

Cette nuit-là, après que Jane se fut endormie, ils fermèrent leur porte. Ils avaient l'impression que des années s'étaient écoulées plutôt que des semaines. Quand leur désir fut apaisé, ils se reposèrent, s'endormirent, puis en s'éveillant se tournèrent de nouveau l'un vers l'autre. Ève était dans les bras de Tom quand la porte claqua contre le mur.

— Y a du bruit dehors ! cria Jane. Je veux mon papa. On m'a pris mon papa, je veux le voir !

Ève se leva et lui tendit les bras.

— Viens, ma chérie. Le bruit que tu as entendu, ce n'est qu'un petit coup de tonnerre. Ne sois pas triste. Papa ne serait pas content que tu pleures ou que tu aies peur.

— Ça fait rien, je veux papa.

— Ouille ! maugréa Tom, car Peter, en bondissant sur le lit, venait de lui atterrir sur le ventre. Charmante visite nocturne !

— Je la raccompagne dans sa chambre. Viens, Jane, tu retournes au lit. Je te recouche et je reste te parler un petit peu. Après, tout le monde se rendort.

— Je veux dormir ici avec Peter.

— Mais non, c'est le lit de Tom.

— Ben toi, tu y dors bien.

— Gagné..., soupira Ève.

— Tu l'as dit, intervint Tom. Jane, retourne te coucher. Tu es trop grande pour te conduire comme ça.

— Non, je ne veux pas. Je ne suis pas grande.

— Viens, Jane. Peter, viens, toi aussi.

Ève ramena l'enfant dans sa chambre et s'allongea à côté d'elle sur les couvertures, avec Peter de l'autre côté.

— Papa pense à toi, murmura-t-elle. Il sait que tu es avec Peter et moi. Lore aussi pense à toi. On va appeler Lore demain, et tu pourras lui raconter ce que tu fais avec Mme Dodge et les jumeaux, la plage, tout ce que tu voudras, d'accord ? Maintenant, écoute les vagues. Ça fait un joli bruit, non ? On dirait de la musique qu'on chante tout bas. L'orage est parti, c'est calme, écoute...

Tom était encore réveillé quand, frissonnante dans la fraîcheur de la nuit, Ève revint se coucher. Elle se rendit compte qu'il était fâché.

— Demain, fais-moi penser à mettre un loquet à notre porte. Tu te rends compte, si elle était entrée quelques minutes plus tôt ?

Étendue près de lui, Ève commençait à sentir une angoisse sourde monter en elle. « Je me fais toujours trop de souci, se reprocha-t-elle. Lore doit me rappeler chaque fois que, juste après mes examens, je suis toujours persuadée d'avoir tout raté. Quand je tache ma robe, je suis sûre qu'elle est bonne à jeter. Malgré ce petit incident, nous avons passé une excellente journée. Évidemment, il a fallu surveiller Jane sans arrêt. C'est normal, quand on est à côté de l'eau, on ne peut pas relâcher son attention une seconde. Mais en ville, il y a d'autres dangers... Quand on s'occupe d'un enfant, on n'est jamais tranquille. »

— Elle est adorable, cette petite, déclara Mme Dodge. Turbulente, mais adorable.

« Turbulente » était le mot qu'avait employé Joël pour la décrire.

— Quand les garçons veulent se bagarrer avec elle, Jane sait se défendre. C'est rare, chez les filles. Elle, elle ne se laisse pas faire. Mais ce n'est jamais elle qui commence. Ma belle-fille a remarqué la même chose quand elle va jouer chez eux. La seule fois où Jane a fait une colère, c'est le jour où mon fils est rentré chez lui et que les garçons ont couru dans ses bras en criant « papa ». On a dû la ramener ici et j'ai eu du mal à la calmer.

— Jane a souffert, commenta Ève, pensant à la voix brusque de Vicky. Je vous suis très reconnaissante, madame Dodge. Je pars toute la journée avec l'esprit tranquille grâce à vous.

— Comment vont les études ?

— Très bien. En fait, ce n'est qu'une formalité. Il faut simplement que je suive mes cours de rattrapage pour passer mon diplôme.

— Et ensuite, c'est le grand saut dans la vie active... Vous visez quel genre d'emploi ?

« Le grand saut dans la vie active... » Qu'allait-elle faire ? Iraitelle dans les jungles du Guatemala ? Avec Jane ? Jane et ses cheveux bouclés, comme ceux de Joël, et une nature timide sous des dehors bravaches. « Elle doit aussi beaucoup ressembler à notre mère. Sa personnalité va encore se développer, il y a des aspects cachés en elle, comme une fleur en bouton avant l'éclosion. Mais que vais-je bien pouvoir faire d'elle ? »

Elle n'avait pas répondu à la curiosité naturelle de sa logeuse, et tâcha de trouver une esquive.

— Je ne suis pas encore sûre, c'est une décision importante.

— Ah oui, c'est bien vrai.

— Dites-moi, madame Dodge, je me demandais si cela vous ennuierait de la surveiller certains soirs. Il y a des concerts à l'université, et j'ai manqué un film...

Elle s'interrompit. En fait, Tom s'était plaint – plutôt gentiment, il fallait le reconnaître – d'avoir raté quelques spectacles intéressants et de ne plus jamais pouvoir sortir avec elle.

— Je suis désolée, ma petite, mais c'est impossible. Nous ne sommes plus tout jeunes, et je me fatigue vite. Et puis M. Dodge aime bien que je regarde la télé le soir avec lui.

Le lendemain, en allant à la bibliothèque, Ève vit Tom venir vers elle par la plus grande des coïncidences ; l'immensité du campus rendait ce genre de rencontre fortuite très improbable. Mais la vie n'était que hasard. Les choses... les feuilles, les oiseaux, les gens tourbillonnaient dans l'existence et s'entrechoquaient de façon aléatoire. Ainsi, un jour, en l'espace d'un instant, il l'avait vue assise sous un palmier. S'il avait traversé la pelouse à un autre endroit, rien n'aurait été pareil.

Aujourd'hui, il avançait vers elle de sa démarche tranquille, le visage levé vers le soleil comme pour mieux en sentir la chaleur. Le petit sourire familier jouait sur ses lèvres.

— Tiens, tiens, dit-il. Heureusement que j'ai une photo de toi, ou je pourrais oublier à quoi tu ressembles. On ne s'est pas vus depuis dimanche.

— Je n'ai pas changé. Nous ne sommes que mercredi.

— C'est long. Tu as parlé à Mme Dodge ?

— Elle ne veut pas la garder.

— Zut.

— Moi aussi, ça m'embête. Beaucoup, même. Mais je ne vois pas de solution.

Il écarta les mains pour montrer son désarroi.

— Écoute, Tom, tu n'as qu'à y aller tout seul. Ce n'est pas tous les jours qu'on a des concerts de jazz de cette qualité, ici. Vas-y, ça m'est égal.

— Ce n'est pas drôle d'y aller tout seul.

— Même les couples mariés doivent se distraire l'un sans l'autre de temps en temps. Je me souviens que ma mère sortait parfois sans mon père, et lui sans elle.

— En parlant de couples mariés, tu ne devineras jamais ce que je viens d'apprendre. Il y a une rumeur qui court sur nous. Un petit malin a lancé le bruit que Jane était notre fille illégitime, que nous avions gardée cachée.

— C'est idiot ! Enfin, je ne vois pas comment éviter ce genre de commérage. Où que nous vivions avec elle, il y aura toujours un imbécile pour penser ça.

Il sembla à Ève que le sourire de Tom s'était effacé.

— Va au concert, demain, j'y tiens ! dit-elle gaiement. Je t'assure, ce n'est pas grave du tout. Comme ça, tu pourras me raconter. S'il y a un disque, achète-le-moi.

— D'accord, comme tu voudras.

Ils restèrent quelques instants les yeux dans les yeux, s'envoyant des messages silencieux.

— Je ne peux même pas te téléphoner, se plaignit-il.

— Je sais, c'est dur.

— C'est tout de même fou qu'il n'y ait pas le téléphone dans ta chambre.

Il regarda sa montre.

— Il faut que j'y aille, j'ai un cours salle 309 dans cinq minutes.

— D'accord. À vendredi, alors. Mon dernier cours est à 4 heures.

— Je passerai te prendre, et on ira chercher Jane.

Il s'éloigna, mais Ève vit qu'il s'arrêtait au coin et revenait vers elle.

— Je ne pourrais pas vivre sans toi, déclara-t-il presque brutalement.

Sans ajouter un mot, il tourna les talons, et cette fois partit pour de bon.

À la bibliothèque, Ève resta assise devant un livre fermé. « Où que nous vivions avec elle », s'était-elle entendue dire. Cette petite phrase, qui sur le moment n'avait eu l'air de rien, prenait, en y repensant, une inquiétante dimension. En effet, où décideraient-ils d'aller ? Soudain, elle se rendit compte qu'elle avait eu tort de traverser le continent sans projet précis. Elle avait agi sur un coup de tête, comme une irresponsable. Elle s'était imaginé que tout irait bien simplement parce que Tom serait là. Mais elle s'était trompée.

Éperdue, elle avait fui Ivy pour se jeter, folle de bonheur, dans les bras de Tom. Ils avaient fait l'amour mais n'avaient discuté de rien. Tom n'avait toujours pas parlé d'avenir, et elle jugeait inquiétant qu'ils ne soient pas encore mariés. « Admets, ma chère, que tu ne te serais jamais conduite comme ça hors mariage si tu avais été plus près de chez toi. Si ton père l'avait su ! Et si Lore était au courant ! Ève est comme sa mère, dirait-on, elle fait la même bêtise. »

Oui, il fallait qu'ils discutent sérieusement. Samedi soir au bungalow, une fois Jane couchée, elle interrogerait Tom sur ses intentions. Il ne restait que quelques semaines avant la fin du trimestre d'été. Le moment venait de prendre des décisions.

Mais n'était-ce pas plutôt à l'homme de proposer le mariage ? Illogique ou pas, les femmes préféraient qu'on les courtise...

Le samedi, ils sortirent pêcher en mer. Tom était bien équipé car il adorait cela, et Ève l'avait déjà accompagné plusieurs fois. Elle plaignait beaucoup la malheureuse bête asphyxiée qu'on arrachait à l'eau, mais n'étant pas femme à critiquer les plaisirs des autres, elle participait à ces expéditions de bon cœur. Malgré cela, elle détournait toujours les yeux vers l'horizon, à la limite entre le ciel et l'océan. Tom savait ce qu'elle ressentait. Ils se comprenaient.

Pourtant, aujourd'hui, il n'avait pas saisi la situation.

— La sortie va durer des heures, avait-elle essayé d'expliquer, et je ne pense pas que ce soit bon pour Jane. Je n'ai jamais vu personne emmener des enfants.

— Les autres doivent avoir des solutions pour les faire garder.

Encore une fois, elle avait eu l'impression que Tom se montrait un peu plus coupant que nécessaire... mais elle pouvait se tromper. Quoi qu'il en soit, elle n'était pas parvenue à le convaincre, et elle se retrouvait seule avec Jane dans la cabine du bateau.

Au départ, Jane avait été fascinée par l'embarcation, les cordages, la salle des machines, les gens qui montaient à bord armés de leur appareil photo, avec leur ciré et leur panier de pique-nique. Les passagers et les passagères – il y avait fort peu de femmes – avaient lancé les commentaires d'usage, se demandant sans doute pourquoi cette petite fille se trouvait à bord.

— Regardez comme elle est adorable avec son béguin.

— Je n'avais rien d'autre pour protéger son visage du soleil, expliqua Ève.

— Qu'elle est mignonne ! Elle ressemble à ma petite-fille, remarqua l'un des pêcheurs amateurs.

— Je parie que tu vas attraper le plus gros poisson de toute la mer, jeune fille.

Après ces quelques réflexions joyeuses, le moteur avait démarré en toussant, le bateau était parti dans une embardée et avait pris de la vitesse. Ballotté par les vagues, il se soulevait puis retombait d'un coup comme dans certains ascenseurs. On ne voyait plus rien par les vitres de la cabine aspergées par les embruns.

— Je veux sortir, clama Jane.

Sur le pont, le vent était si fort qu'il coupait le souffle, et qu'un passager trop léger aurait pu s'envoler. Ève agrippa la main de Jane.

— Génial, non ? cria Tom du nid d'aigle, juste au-dessus d'elles.

Ève était loin d'avoir la même opinion. Elle était même sûre qu'une tempête se préparait.

— La mer est trop agitée ! cria-t-elle pour se faire entendre.

Le vent dut emporter sa réponse car Tom ne réagit pas.

— Je veux retourner à l'intérieur, gémit Jane. Il fait trop froid.

Oui, il faisait beaucoup trop froid pour elle. Ève se reprochait d'avoir accepté d'accompagner Tom, mais il avait déjà dû aller seul au concert cette semaine...

— Quoi ? Vous retournez dans la cabine ? cria-t-il.

— On a froid.

— Restez, profitez de l'air.

— C'est trop pour nous. Et puis avec le vent, on s'entend à peine.

— Je voudrais mettre cet air pur en bouteille pour le ramener à terre !

Ne savait-il pas qu'elle aurait volontiers bravé vent et tempête avec lui sur le pont si elle n'avait dû s'occuper de Jane ? Avec un sourire, elle lui fit un signe de la main.

— À plus tard, dans la cabine !

À l'abri, elle proposa à Jane de lui lire une histoire.

— J'ai apporté trois livres de Babar. Par lequel on commence ?

Les livres, charmants et originaux, étaient bien écrits. Heureuse, la tête de Jane appuyée contre elle, Ève apprécia les réactions intelligentes de son auditoire.

— Babar est très gentil avec la vieille dame.

— Qu'est-ce qui te fait dire ça ?

— Parce que c'est un éléphant, et que s'il voulait, il pourrait l'écraser en s'asseyant dessus.

« Comme elle est petite, et vulnérable... et elle est trop innocente pour se rendre compte de sa fragilité. Elle n'a plus personne, sauf Lore et moi. En fait, elle n'a que moi. »

Le bateau gîtait, tanguait si fort qu'un paquet glissait par terre, projeté d'un côté à l'autre de la cabine. Sans doute des sandwiches laissés sous une banquette. De haut en bas, de bas en haut, comme une balançoire, le bateau montait et descendait, offrant parfois la vision d'un horizon qui chavirait.

— J'ai chaud, se plaignit Jane.

— Tu avais froid tout à l'heure, et il fait à peine meilleur à l'intérieur.

— Je veux enlever mon manteau.

Elle transpirait. Quand elle se mit à crier : « J'ai mal au ventre, j'ai mal au ventre ! » Ève comprit tout de suite.

— Allonge-toi sur le banc, ordonna-t-elle, et ferme les yeux.

Un jour, des années auparavant, sur le lac, à Ivy, elle avait souffert d'un horrible mal de mer à bord d'un voilier. Plus tard, c'était devenu une plaisanterie familiale : « Le mal de mer, un sort pire que la mort. » Mais, sur le moment, cela n'avait rien de drôle.

Le copilote, alerté par les pleurs de Jane, sortit de la timonerie pour leur prodiguer des conseils.

— Il n'y a rien de tel qu'un sandwich au poulet. J'en ai toujours en réserve. Ça te dit, mon petit ? Un bon sandwich au poulet ?

— Non ! hurla Jane.

— Je t'assure que c'est très bon. Il vaut mieux manger.

L'instant suivant, Jane fit le contraire, lâchant son petit déjeuner sur son manteau, le pull d'Ève et le plancher tout propre.

— Désolée, gémit Ève, inquiète pour Jane et gênée d'avoir sali. Donnez-moi un seau, je vais nettoyer tout de suite.

— Ne vous en faites pas. La petite n'y peut rien. Occupez-vous d'elle, je me charge du ménage.

Jane hurlait à pleins poumons.

— Je suis malade. Papa ! Lore !

— Je suis là, moi. Ne pleure pas, chérie. Je sais que tu te sens mal, mais ça ira beaucoup mieux si tu veux bien t'allonger et si tu te calmes.

— Je déteste le bateau, je veux rentrer.

— Nous allons encore loin ? demanda Ève.

— Nous n'irons pas plus au large. Nous devons longer la côte vers le nord et vers le sud pour chercher le poisson. Sur le pont, ils ont déjà ramené de belles pièces.

— Nous devrons rester encore longtemps en mer ?

— Nous rentrons à 14 heures. Vous avez payé pour ça.

Il n'était que 10 h 30. Restait à espérer que Jane ne vomirait plus. Elles devraient prendre leur mal en patience.

Une demi-heure plus tard, alors que Jane avait fini par accepter de s'allonger et venait de s'endormir, Tom descendit. Il trouva Ève recroquevillée et tremblant de froid. N'ayant rien d'autre à lire, elle s'occupait à traduire dans sa tête Babar en allemand puis à le retraduire en français.

— Que se passe-t-il ? s'exclama-t-il en les voyant.

Quand elle l'eut mis au courant, il commenta :

— On n'aurait jamais dû l'emmener.

— Je sais, se contenta-t-elle de répondre alors que le bateau grimpait en haut d'une montagne vert sombre et redescendait de l'autre côté à la vitesse d'une avalanche.

Jane se réveilla en marmonnant :

— Je veux Lore. Lore...

— Je croyais qu'elle t'aimait plus que tout au monde, remarqua Tom.

— C'est vrai, mais je ne la voyais que pendant les vacances. Jusqu'à présent, elle n'avait jamais quitté Lore.

— Je veux rentrer à la maison, je n'aime pas le bateau ! hurla Jane.

Tom secoua la tête.

— Elle n'aime jamais rien.

— Tom, on ne peut pas lui demander de tout aimer. Personne ne passe sa vie à rire. Et puis elle vient de vivre des choses très dures, et...

Elle s'interrompit brusquement. Ils parlaient de Jane comme si elle n'était pas là, alors qu'elle comprenait à coup sûr tout ce qu'ils disaient.

— Il fait mauvais, il commence même à pleuvoir, remarqua Tom en secouant des gouttes d'eau de son ciré.

— On va rentrer, alors ?

— Non, à moins que tout le monde n'en ait envie, ou à moins qu'une vraie tempête ne se lève.

— Et si on leur demandait de nous ramener à terre ?

— Ève, voyons, nous avons tous payé un prix exorbitant pour passer cinq heures en mer. On ne peut pas demander ça.

— Je rembourserai tout le monde.

— Ne dis pas de bêtises. Laisse Jane dormir, enfile mon ciré et viens sur le pont avec moi.

— Là, c'est toi qui dis des bêtises. Tu ne peux pas rester sur le pont par ce temps sans ciré. Reprends-le.

— Non, toi, mets-le.

À quoi rimait cette dispute absurde ? Mais Ève savait très bien d'où venait le malaise...

Tom remonta sur le pont, la laissant pensive et malheureuse. Le ciré resta par terre, là où il l'avait jeté. Jane avait arrêté de pleurer et observait Ève avec attention.

— Tom est en colère, affirma-t-elle.

Ève ne répondit rien. Non, il n'était peut-être pas vraiment en colère, mais il était un peu trop entêté. Tant pis, elle aussi avait de la suite dans les idées. Ses bras étaient bleus de froid, pourtant elle n'aurait mis son ciré à aucun prix. À ce petit jeu, ce n'était pas lui qui gagnerait... mais gagner quoi, au juste ?

Elle se leva, alla à la timonerie et tendit le ciré à l'aimable second, lui demandant poliment d'aller le rapporter à Tom.

— Il l'a oublié dans la cabine, prétendit-elle.

Ensuite elle s'allongea, serrant sa petite sœur contre elle pour se tenir chaud. Jane dormait et Ève n'avait pas bougé, trop glacée et malheureuse pour s'assoupir, quand les passagers descendirent à grand bruit dans la cabine, maudissant la tempête. Une pluie dense s'était mise à tomber, et le bateau retournait au port.

— La sortie est complètement ratée, remarqua Tom, surtout pour toi.

— Je ne me suis pas plainte, rétorqua-t-elle, très froide.

— Tu n'en as pas besoin, ton expression parle pour toi. Tu es aussi têtue que moi.

— C'est vrai.

Ils rentrèrent donc, prirent une douche chaude, et mangèrent presque en silence les sandwiches qu'ils auraient dû joyeusement partager sur le bateau. Vers le milieu de l'après-midi, la pluie cessa, et Ève et Jane allèrent sur la plage chercher des coquillages tandis que Tom sortait son chevalet.

Voilà deux week-ends qu'il travaillait à un paysage marin. L'entreprise était ambitieuse : des vagues avançaient en longs rouleaux parallèles vers un promontoire rocheux où elles se brisaient en une brume scintillante, et le tout au crépuscule... « Il aime la difficulté, se dit Ève. Je commence à comprendre ce trait de caractère chez lui. La tempête de ce matin, la jungle du Guatemala, et, même en peinture, ce sujet auquel seul un Turner pourrait rendre justice. Qu'essaie-t-il de prouver en se lançant ces défis ? » s'interrogea-t-elle avec un certain agacement.

Il peignait encore quand elle revint de promenade avec Jane. Devinant qu'il ne voulait pas être dérangé, ce qu'elle comprenait fort bien, elle rentra avec Jane et l'aida à préparer des madeleines pour le dîner.

— C'est pour une fête, décréta Jane. On fait des gâteaux quand on invite des gens. Je vais mettre ma belle robe.

Ève avait apporté la robe de Jane pour le week-end, croyant qu'ils sortiraient dîner dehors. Tom avait parlé de les emmener dans le meilleur restaurant de fruits de mer à cent kilomètres à la ronde. Mais il n'en avait plus été question. N'importe, Jane pouvait bien mettre sa belle robe.

Les inquiétudes d'Ève la rendaient fébrile. Il fallait crever l'abcès. Cette bouderie ne pouvait pas durer.

Elle l'attendait, une fois Jane couchée, quand il rentra avec son matériel de peinture.

— On ne peut pas continuer comme ça, déclara-t-elle. On fait les imbéciles depuis 10 heures ce matin. On vient de gâcher douze heures de notre vie à se faire la tête.

Malgré son intention de rester calme, et malgré sa voix ferme, ses yeux se remplirent de larmes.

— Moi aussi, ça me donne envie de pleurer, remarqua-t-il, à la grande surprise d'Ève. J'en pleurerais de honte. Tout l'après-midi, en peignant, j'ai eu envie d'aller te parler, mais comme je voyais que ça n'allait pas, je n'ai pas su par où commencer. Je sais que ce n'est pas une bonne excuse.

Il la prit dans ses bras.

— Je te demande pardon. D'accord ? On oublie tout ? C'était idiot.

Bien sûr, tout était pardonné. C'était leur première dispute, si on pouvait appeler ainsi cette courte querelle. Elle allait dire : « Il faut qu'on parle de nous, qu'on se décide », quand il poursuivit :

— Je suis peut-être un peu tendu parce que je n'ai pas l'habitude de vivre avec des enfants. Je sais que ce n'est pas ta faute. Je suis désolé.

— Je n'étais pas de très bonne humeur non plus.

— Elle est adorable quand elle est sage.

— Je crois qu'elle commence à s'habituer. Je trouve qu'elle est de plus en plus calme.

— Bon. On va se coucher ?

Le moment n'était pas bien choisi pour parler de choses sérieuses.

— Allez, au lit, répondit-elle.

— Au lit... mais pas pour dormir.

— À cette heure ? demanda-t-elle en riant.

— Pourquoi pas ? À n'importe quelle heure ! Toi et moi, Ève, à n'importe quelle heure.

Les deux corps, si merveilleusement faits l'un pour l'autre, se mêlèrent, s'unirent, ne devinrent plus qu'un, s'envolèrent, puis redescendirent dans la douce nuit en flottant vers le repos. Ce ne fut que bien plus tard, au moment de sombrer dans le sommeil, qu'Ève se souvint d'avoir ressenti une inquiétude, ombre vague qui avait rôdé dans les recoins de sa conscience, mais sans se rappeler pourquoi...

Elle se réveilla en sursaut ; il faisait grand jour. De la pièce principale lui parvenaient des voix, la basse furieuse d'un homme et les cris d'un enfant. Elle sauta hors du lit, attrapa son peignoir et se précipita.

Ils étaient devant le tableau de Tom. Tom avait l'air d'un géant à côté de la petite fille en pleurs. Et soudain elle vit la cause du tumulte. Au premier plan, à l'endroit où il s'était donné le plus de mal pour rendre l'impression d'une écume irisée, s'étalait une grande tache rouge de peinture encore humide.

— C'est un bateau ! criait Jane. C'était pour faire plus joli.

Tom scruta Ève, jeta un coup d'œil au désastre, puis se tourna de nouveau vers elle. De toute évidence, il ne savait plus quoi dire. Parfois, quand on a été victime d'un acte de violence gratuit, on est si surpris qu'on en perd l'usage de la parole. Et pourtant, sans trop savoir pourquoi, Ève eut une soudaine envie de rire.

Elle parvint à se contenir et s'adressa à Jane avec sévérité.

— Regarde, tu as abîmé le tableau de Tom.

— Mais non ! Je l'ai arrangé. Il n'y avait pas de bateau, alors j'en ai mis un.

Elle tapa du pied tandis que des torrents de larmes dégoulinaient sur ses joues.

Oh non ! Par un si beau dimanche matin, il fallait que cela recommence !

— Ce tableau n'était pas à toi, Jane. Que dirais-tu si quelqu'un s'amusait à gribouiller sur ton nouveau Babar ?

— C'est pas pareil !

— Si, c'est pareil. Quand quelque chose est à quelqu'un d'autre, ce n'est pas à toi. Il ne faut pas toucher aux affaires des autres.

— Tu perds ton temps, grommela Tom, c'est comme de souffler dans un violon. Moi, je connais une autre méthode.

— Ah ! Bravo... Et à quoi ça servirait, tu peux me le dire ? Viens ici, Jane, que je te mouche. Ensuite tu demanderas pardon à Tom et tu lui diras que tu ne recommenceras plus jamais.

— Non, il est méchant. Il est très, très méchant.

— Non, il n'est pas méchant. Tu lui as fait de la peine parce que tu as abîmé son tableau. Je t'en prie, excuse-toi, ça arrangera un peu les choses.

— Pas si sûr, maugréa Tom. C'est une vraie peste, c'est tout.

— Non, je ne suis pas une peste ! hurla Jane.

— Je sais que tu ne t'attendais pas à hériter d'elle, commenta Ève, mais que veux-tu que j'y fasse ?

— Tu pourrais la faire garder par quelqu'un d'autre.

Jane les observait tour à tour, comme à table la veille au soir. On n'imaginait pas qu'un regard d'enfant puisse être aussi perçant. « Elle essaie de comprendre ce qui se passe entre Tom et moi », pensa Ève.

— Tom ne m'aime pas, lança Jane à cet instant précis.
— Bien sûr que si, il t'aime.
— Non, je sais que non.
— Bon, ce n'est peut-être pas le moment de discuter de ça. Tu es encore en pyjama. Va t'habiller. Appelle-moi si tu as besoin d'aide.
— Je peux remettre ma belle robe aujourd'hui ?
— Oui, si tu veux.
Tom s'était mis à étaler du rouge sur l'océan crépusculaire à grands coups de pinceau. Elle le suivit dehors, jusqu'à la poubelle, où il jeta son œuvre en claquant bruyamment le couvercle.
— Je suis navrée, Tom, vraiment, dit Ève, au comble du désespoir.
— Quel amour d'enfant ! Quelle joie de tous les instants !
— Je t'assure qu'elle est très mignonne. Au fond elle est adorable. Tu devrais entendre tous les compliments que Mme Dodge fait sur elle. Il lui arrive juste de traverser de mauvais moments de temps en temps.
— Ève, que vas-tu faire d'elle ? Il faut que tu trouves le moyen de t'en débarrasser.
— Tu veux que je me débarrasse de Jane ? Je ne peux pas le croire.
— Et pourquoi ? C'est pour ton bien, tu sais.
— Ah ? Et elle, alors ? Elle n'a pas connu sa mère et elle vient de perdre son père. Comme elle ne comprend pas ce que c'est que la mort, elle a l'impression que papa l'a abandonnée, et maintenant, tu voudrais que je l'abandonne, moi aussi ?
— Tout ce que je dis, c'est que, de temps à autre, il faudrait que tu penses à toi.
— Je ne te reconnais pas quand tu dis des choses pareilles.
Après cette nuit, comment pouvaient-ils s'affronter de cette façon, en ennemis, comme des chiens prêts à se sauter à la gorge ?
— À t'entendre, reprit Tom, on dirait que je te demande de l'abandonner sur les marches d'une église. Je te conseille simplement de lui trouver une bonne pension. Je sais que c'est cher, mais je serais ravi de financer sa garde pendant que nous partirons faire nos fouilles, comme prévu.
— Tom, que ce soit clair : je ne vais pas partir à l'étranger en laissant une gamine de six ans avec des gens qu'elle ne connaît pas.

D'ailleurs, je ne pense pas que ça existe, les pensions pour les enfants de cet âge.

— Nous y voilà. Tu as décidé de ne pas partir avec moi. Après deux ans de projets, tu étais prête à te défiler sans un mot.

— J'avais l'intention de rester avec toi ici, de trouver du travail. Je n'ai jamais songé à me « défiler », comme tu dis !

— Ce n'est pas ce que nous avions prévu.

— Le problème, c'est que nous n'avons ni l'un ni l'autre pensé à nous consulter. Nous avons des torts tous les deux. Nous avons bêtement imaginé que nous étions d'accord.

Elle tremblait, suppliante, puis elle jeta sa fierté aux orties.

— Tu n'as jamais parlé mariage, jamais dit que tu voulais fonder une famille.

— Je pensais que c'était évident.

Il ramassa une poignée de graviers dans un pot de cactus et se mit à les lancer un à un par-dessus la barrière.

— En fait, Ève, c'est l'arrivée de la petite qui a tout gâché. Elle t'accapare sans arrêt, ou presque.

Il avait raison... ou presque. Pourtant, elle devait se défendre.

— Que voulais-tu que je fasse ? Des milliers de mères travaillent tout en s'occupant de leurs enfants.

— Oui. Mais tu n'es pas sa mère.

— Je le sais bien, répondit-elle, pleine d'amertume.

En le voyant se baisser pour ramasser une nouvelle poignée de graviers, elle perdit patience.

— Arrête, tu veux ? Tu me rends folle.

— Il n'y a pas que moi qui te rende folle. Tu es loin d'être prête à assumer cette énorme responsabilité.

C'était tout à fait vrai. Et, pour la première fois, elle regretta l'argent de son père. Tout aurait été différent si elle avait hérité de sa juste part de la fortune familiale. Jane aurait pu rester à la maison du lac avec une bonne gouvernante et les visites de Lore tous les soirs. De cette façon, Ève aurait pu partir avec Tom, tout en revenant souvent passer de longues périodes à Ivy. Il n'y aurait eu aucun problème.

— Qu'est-ce qui nous arrive ? demanda Tom.

— Ève ! appela Jane à cet instant. Il y a un bouton de mes souliers vernis qui a sauté.

— Qu'est-ce qui nous arrive ? répéta Tom.

— Je sais ce qui m'arrive. Je suis épuisée. Tu devrais nous ramener chez nous. De cette façon, tu auras ton dimanche pour te reposer tranquillement.

Sa vie était sens dessus dessous, et elle ne savait pas comment arranger les choses. Elle était affreusement seule. Ses camarades d'université n'avaient pas assez d'expérience pour la conseiller. Et puis leur avis dépendrait de leur personnalité. Elle faillit plusieurs fois prendre le téléphone pour appeler Lore, mais laissa retomber sa main. Lore ne savait pas ce que c'était que d'aimer un homme. En la matière, elle était d'une innocence virginale. À qui parler, alors ? À Mme Dodge ? On devinait en elle beaucoup de bon sens. Mais non, à la réflexion, ce genre de décision se prenait seule.

D'ailleurs elle savait déjà ce qu'elle voulait. La suite ne dépendait que de Tom. Debout à la tête du lit de Jane, elle observait à la lueur de la veilleuse sa petite sœur endormie, Peter à ses pieds. Avec ses joues, ses menottes dodues, Jane était tout en rondeur, en douceur... elle était petite, toute petite. À l'intérieur de la tête bouclée qui reposait sur l'oreiller, une personnalité se formait, un être humain sensible, courageux, intelligent se développait. La fille de Caroline...

Une semaine s'écoula sans que Tom donne signe de vie. Il ne restait plus à Ève qu'un seul examen à passer. D'ici à quinze jours, les Dodge auraient besoin de la chambre. Que ferait-elle, alors ?

Tard un après-midi, en rentrant chez elle, elle croisa Mme Dodge qui lui annonça :

— Votre ami Tom a téléphoné.

Intriguée, comme depuis le début, la logeuse attendit sa réaction. N'en voyant aucune, elle transmit le message à Ève.

— Il vous fixe rendez-vous à 5 heures sur le campus aujourd'hui. Sous le palmier. Il dit que vous saurez lequel.

Cinq minutes avant l'heure du rendez-vous, Ève s'assit sous l'arbre. Les bâtiments et les pelouses étaient presque déserts en cette période creuse, entre la fin du trimestre d'été et le début du suivant. Ce calme sentait le départ. Elle devait recevoir son diplôme par la poste d'ici un jour ou deux. Ses années d'université étaient terminées, si bien terminées qu'elle n'avait même pas d'adresse où faire envoyer son diplôme. Dans l'embarras, elle avait donné celle de Lore.

Le vent se leva, bruissant à travers les branches du palmier. Il faisait frais, le ciel était bleu. Bleu... La mémoire jouait parfois de drôles de tours. À la plage, un jour, ils avaient longuement débattu de la couleur du ciel et de l'eau, nommant à tour de rôle toutes les nuances de la palette, du bleu céruléen au turquoise, en passant par le lapis-lazuli. Ces jours heureux et pleins de rires allaient-ils prendre fin ?

Elle ferma les yeux. « Quand je les rouvrirai, je le verrai venir à grands pas vers moi par le chemin qui passe derrière la bibliothèque. "Nous n'avons qu'à remettre à plus tard notre voyage au Guatemala, dira-t-il. Nous travaillerons ici ensemble en attendant que Jane grandisse un peu, et puis nous trouverons une solution qui nous conviendra à tous. Ne pleure pas, Ève." C'est ce qu'il dira, parce que je ne pourrai pas m'empêcher de pleurer, évidemment. Mais ce seront des larmes de bonheur. »

— Ève, qu'allons-nous faire ? demanda-t-il.

Le petit sourire familier avait disparu de ses lèvres et de ses yeux.

— J'espérais que tu allais me l'apprendre.

— J'ai une idée, mais j'imagine que tu ne seras pas d'accord. Nous pourrions l'emmener avec nous au Guatemala.

Bien sûr qu'elle ne serait pas d'accord ! Il s'en doutait. Et il n'avait même pas nommé Jane.

Il était resté debout devant elle, et cette position la transformait en inférieure, en mendiante. Elle se leva pour se retrouver à sa hauteur ; en fait, elle était presque aussi grande que lui.

— Tu veux emmener une petite fille de son âge sur un chantier de fouilles en pleine jungle ? Tu n'as rien trouvé de mieux ?

— Je voulais au moins te soumettre l'idée. Je n'ai pensé à rien d'autre.

— Tu ne veux pas retarder le départ ?

— J'attends déjà depuis un an que tu finisses tes études.

Ève sentit une douleur violente dans sa poitrine. Avoir le cœur brisé, pensa-t-elle, cela décrit bien ce qu'on éprouve. Elle ne répondit rien, se contentant de le regarder.

Il s'appuya au tronc de l'arbre.

— Je te l'ai dit le jour de notre rencontre. Les fouilles, c'est le rêve de ma vie. Je veux découvrir des civilisations disparues, les reconstruire à partir d'indices ténus, des tessons, des fragments de sculptures, des morceaux de calendriers, la position des étoiles...

— Je voulais vivre tout ça avec toi.

— C'est la faute de ta famille ! Ils t'ont étouffée. Le père monstrueux qui te hante, ta compassion pour ta mère, et maintenant cette obligation que tu ressens envers sa fille... alors que tu n'es pas responsable...

D'un coup, l'angoisse d'Ève se mua en colère.

— Si je ne suis pas responsable, demanda-t-elle avec feu, alors qui doit l'être ? Dis-moi !

— Je l'ignore... Nous ne nous en sortirons jamais.

— C'est la force irrésistible qui se heurte à la montagne immuable. Mais jusqu'à présent, je croyais que la force irrésistible, c'était l'amour.

— Je t'aime, Ève, tu le sais, mais...

— Mais pas assez, compléta-t-elle.

— Ne dis pas des choses pareilles.

— D'une certaine façon, je comprends ton désir, et je l'admire. Oui, je l'admire. Tu es un vrai chercheur, et tu dois aller là où ta curiosité te porte.

L'horloge du clocher sonna la demi-heure. Le temps s'écoulait sans attendre les deux pauvres mortels qui se débattaient pour façonner leur avenir. Ève eut soudain la sensation de suffoquer. Elle ne pourrait supporter de rester une minute de plus face à ce visage bien-aimé. Et, pourtant, la colère l'habitait encore. La colère et la pitié.

— J'ai pitié, avoua-t-elle. Pitié de nous deux.

Il lui tendit les bras mais elle recula. « Pars, qu'on en finisse, se dit-elle. Il n'y a pas d'autre solution. » Elle se sauva en courant. Et il n'essaya pas de la rattraper.

15

L'avion vira au-dessus du Pacifique, suivit la côte un moment, puis tourna vers l'est. C'était la fin de l'idylle californienne. Ève n'avait plus nulle part où aller et rentrait à Ivy.

— Reviens, avait dit Lore. Nous trouverons une solution. Tout finit toujours par s'arranger.

Elles avaient donc repris l'avion ; Jane, assise près du hublot, se tordait le cou pour ne rien perdre de la vue. Elle poussait des exclamations, et, comme toujours, soûlait sa sœur de questions.

— Qui est-ce qui habite là, en bas ? Où il va, le bateau ? Ils donnent des bonbons dans cet avion ?

Elle s'inquiétait pour Peter.

— Tu es sûre qu'ils ne vont pas le perdre ?

— Mais oui, il ne lui arrivera rien dans son conteneur. Il doit dormir. On le récupérera dès l'atterrissage.

Elle s'affolait en pensant à Vicky.

— On va la revoir, Vicky ? Je n'ai pas envie.

Non, elles n'allaient pas revoir Vicky. « J'ai eu tort, songeait Ève. J'aurais dû me battre pour défendre mes droits. Au lieu de ça, j'ai préféré m'en remettre à Tom. Ce n'était pas son argent qui me rassurait, mais lui, ce qui n'a rien à voir. »

La situation lui faisait penser à sa mère. Elle aussi avait fait confiance à un homme qui l'avait abandonnée. Mais cette trahison avait été plus terrible que celle de Tom, pensée qui, d'ailleurs, ne la consolait pas.

En prévision du long trajet, elle avait pris pour Jane un cahier de coloriage, des crayons de couleur, une poupée à habiller, les livres de Babar, et, pour elle, un journal et un roman. Entre ces activités, la pause du déjeuner, et peut-être quelques siestes, elles arriveraient à faire passer le temps. Elle aurait donné cher pour pouvoir s'assoupir. Par moments, quand elle sentait le désespoir monter, elle aurait voulu dormir pour toujours.

— Si je ferme les yeux, tu vas dormir aussi, Jane ? Tu ne me parleras pas pour me réveiller, d'accord ?

— D'accord, parce que tu es triste.

— Mais non, je ne suis pas triste. Qu'est-ce qui te fait dire ça ?

— Je t'ai vue pleurer hier.

— Tu sais bien que j'avais un rhume.

— Non, protesta Jane en secouant la tête. Je suis sûre que tu pleurais.

L'avion s'éleva, traversant la couche de nuages dans un ciel qui s'obscurcissait à mesure qu'elles volaient vers la nuit. Seule la nappe d'un gris sale la reliait encore à la Californie. Ève se demandait ce que Tom pouvait faire, s'il préparait déjà ses bagages pour partir dans la jungle, s'il ressentait la même colère qu'elle. S'il était aussi désemparé, aussi profondément blessé.

Elle dormit un peu, et regarda Jane assoupie, sa poupée neuve serrée contre son cœur. À l'escale, elle s'assura que Peter était bien transféré pour la correspondance, et elles attendirent leur vol. Elles atterrirent une dernière fois et trouvèrent un taxi qui accepta de les emmener à Ivy. Le trajet lui sembla durer aussi longtemps que le vol depuis la Californie. Le vieux taxi emprunta rocades et échangeurs. Il dépassa des centres commerciaux, des bowlings ; fila devant des néons rouges, des panneaux publicitaires déprimants qui incitaient à manger, à fumer, à s'acheter des vêtements, bref à consommer pour trouver le bonheur.

Puis, ils arrivèrent à Ivy. Ils passèrent son ancien lycée, le monument aux morts, noble et imposant, et, enfin, s'arrêtèrent en bas de l'appartement de Lore.

— Viens, chérie, Lore nous attend. Tiens la laisse de Peter pendant que je paie.

« C'est la déroute, pensa-t-elle. Je ne devrais pas éprouver ce sentiment de défaite, mais je n'y peux rien, c'est comme ça. »

Lore avait le sens de la mise en scène. La nappe qui couvrait la table pliante avait été brodée par ses soins. Les assiettes étaient des copies d'ancien en porcelaine de Limoges ; un petit pot de marguerites acheté au supermarché occupait le centre de la table.

— Pourquoi se priver ? commenta joyeusement Lore quand Ève la complimenta. Rien ne nous empêche de dîner comme des milliardaires.

Elle avait préparé du poulet et un gâteau qui emplissaient le studio des senteurs de la rôtissoire mêlées à celles du chocolat.

— J'ai envie de déménager, déclara-t-elle. Je suis tellement à l'étroit ici que j'ai dû entreposer la plupart de mes affaires : les meubles de la chambre à coucher de ta mère et tous mes livres, sans parler du reste.

Ève se dit que, pour éviter de parler des pénibles circonstances de son retour inattendu, Lore s'ingéniait à trouver d'autres sujets de conversation.

— Tu te souviens de la propriété des Wilmott ? La maison va être subdivisée en logements. Ils seront assez vastes sans être trop chers, d'après ce que je sais. Ça m'intéresse assez.

— Quelle bonne idée ! répondit-elle machinalement.

— On peut dire que la ville a changé depuis que tu es partie à l'université ! Jamais je n'aurais cru que ce serait possible à ce point en quatre ans. Tout va si vite, de nos jours ! Ivy est presque devenue une ville dortoir. Les gens partent travailler tous les matins et ramènent de bons salaires. Promène-toi un peu, tu verras ce que je veux dire. Il y a des magasins de luxe, nourriture, vêtements... Oui, ça a bien changé.

Jane les interrompit :

— Pourquoi on mange chez toi, Lore ? Pourquoi on ne rentre pas à la maison ?

Lore et Ève échangèrent un coup d'œil, ne sachant que répondre.

— On ne peut pas, murmura Ève avec douceur. Ce n'est plus chez nous.

— Pourquoi ?

— Parce que... parce qu'on est allées en Californie.

Jane réfléchit un peu.

— Je veux revoir le lac, déclara-t-elle brusquement. Tu te souviens, avant on se promenait avec Peter, et des fois avec Lore ? Mais on n'y allait jamais avec Vicky. Non, ajouta-t-elle, les sourcils froncés, jamais avec Vicky. Et après, j'avais droit à un cadeau.

Ève se rappela, sans rien en dire, qu'elle aussi allait se promener au bord du lac dans son enfance. La fatigue la terrassait ; son chagrin d'amour et sa peur de l'avenir l'épuisaient. Elle avançait à présent en terrain inconnu.

Elle avait pensé : « S'il me quitte, je n'aurai plus qu'à mourir. » Mais la mort ne venait pas comme cela.

Jane, la bouche pleine de gâteau, annonça :

— Je sais l'alphabet par cœur, tu veux que je te le récite, Lore ?

« Il faut que tu trouves le moyen de te débarrasser d'elle », avait-il dit.

— Bien sûr, ma chérie, répondit Lore avec un sourire affectueux. Mais tu ne veux pas nourrir Peter d'abord ? J'ai oublié d'acheter des biscuits pour chien, alors tu peux lui donner des restes de poulet. Attention, ne lui mets pas d'os, il risquerait de s'étrangler. Après, tu pourras allumer la télévision à côté de mon lit.

— Comment te sens-tu ? demanda Lore à Ève quand Jane eut quitté la pièce.

— Tu imagines. Je t'ai tout raconté au téléphone. la communication m'a coûté trente dollars. J'étais dans un état épouvantable.

— Ah, les hommes ! commenta Lore avec mépris.

— Ils ne sont pas tous pareils. Prends papa, par exemple.

— Oui, Joël était un homme bien. Il n'était pas comme les autres. Mais même lui, il...

Elles avaient beau essayer d'éviter le sujet, elles ne pouvaient guère le contourner plus longtemps.

— Comme je te l'ai dit, reprit Lore, tout a changé d'un jour à l'autre. Vicky, tu le sais, a vendu la maison en une semaine. Elle en a tiré une fortune, paraît-il. D'après ce que je sais, on la lui a achetée pour le double de ce qu'avaient payé Joël et Caroline. Les nouveaux propriétaires la font repeindre en jaune moutarde. Les Schulman sont furieux parce qu'ils vont devoir vivre avec ça sous le nez.

— La jolie maison de maman... Elle y a été si heureuse ! Je me souviens de la fête qu'ils ont donnée sur la pelouse pour la naissance de Jane. Et l'anniversaire de mes seize ans...

— Qu'est-ce qu'on y peut ? C'est la vie, Ève. On ne sort pas toujours gagnant...

— Nous avons eu tort, toi et moi. Nous n'aurions pas dû céder si vite.

— Tu aurais pu tout perdre. Enfin, c'est fait, c'est fait. La dernière nouvelle, c'est que la chaîne McMulligan a acheté les six Orangeries. Vicky est partie dans l'Arizona avec Gertrude. C'est fou ce qu'elles s'entendent bien, maintenant, ces deux-là. Mais évidemment, depuis que Vicky est riche et qu'elle tient les cordons de la bourse, c'est elle qui commande, et Gertrude file doux. Les gens cachent bien leur jeu, parfois, tu ne crois pas ?

Question de pure forme qui ne nécessitait pas de réponse.

Ce soir-là, Ève et Jane devaient dormir dans un hôtel où Lore leur avait retenu une chambre. Les Schulman, toujours aussi gentils, avaient proposé leur chambre d'amis, mais Ève avait prié Lore de décliner l'invitation. Chez eux, elle ressentirait trop son échec ; à l'hôtel, au moins, elle aurait un toit à elle.

— Tu veux bien garder le chien un petit peu, Lore ? Au besoin, j'emmènerai Jane avec moi pour chercher du travail. J'accepterai n'importe quel job qui me permettra de louer un deux pièces et de nous nourrir.

— Comment comptes-tu t'y prendre ?

— Je pense aller d'abord dans un centre d'orientation pour étudier la situation. En fait, je suis très mal préparée à la vie active. Un diplôme universitaire, même avec de bonnes notes, ça ne vous apprend aucun métier.

— Tu as envisagé d'enseigner les langues ? Tu parles le français et l'allemand aussi bien que ta langue maternelle.

— Mais je n'ai pas reçu de formation pédagogique, et je n'ai pas le temps de passer les examens.

— Tu n'en aurais pas besoin dans une école privée. Tu sais, continua Lore avec un petit sourire malin, je crois que j'ai une idée. La semaine dernière, je me suis occupée d'une patiente qui a été opérée de l'appendicite en urgence ; elle est professeur à la Dale Forest School, une école privée de Dale. On a un peu discuté, et je me suis informée pour toi. Ils n'enseignent pas encore les langues, là-bas. Ça vient d'ouvrir et ils ont encore pas mal de secteurs à créer. En plus, l'école devrait se développer vite. Beaucoup de gens qui viennent s'installer par ici ont des idées assez arrêtées sur l'éducation de leurs enfants.

— Ce doit être très snob.

— Pas forcément. Ça t'intéresse ?

— Tu es gentille, mais je n'ai pas la moindre chance d'être prise.

— Il ne faut pas dire une chose pareille. J'ai demandé à cette dame ce qu'elle en pensait, et elle te conseille de poser ta candidature. Il y a un nouveau chef d'établissement, un homme bien, paraît-il. Essaie, au moins. Tu n'as rien à perdre.

La Dale Forest School avait été installée dans une maison de style XVIIIe siècle en brique rouge qui avait appartenu à un magnat de l'acier. Entourée de bois et de prés, elle se dressait, austère et imposante, au milieu de son labyrinthe de haies vénérables et de ses vastes pelouses. Certains champs accueillaient à présent des annexes et d'autres avaient été aménagés en terrains de jeux.

Les dernières maisons du village, qui s'étendait depuis quelques années, atteignaient à présent la limite du domaine. Les rues étaient bordées de vieilles maisons victoriennes confortables, avec tourelles et longues vérandas.

Ève gara la voiture de Lore et remonta l'allée en tenant Jane par la main. C'était de la folie d'aller se présenter pour un emploi avec un enfant à la traîne, mais ce matin, elle n'avait pu trouver personne pour garder sa petite sœur.

— Je t'ai apporté un cahier de coloriage tout neuf, dit-elle. Reste assise là bien sagement, près de la porte, et ne bouge pas. Tu as compris ? Ne bouge surtout pas. Je n'en ai pas pour longtemps.

— Je veux aller avec toi !

— Non, sois mignonne. Promets-moi d'être sage.

Jane la contempla.

— Tu es triste, remarqua-t-elle, sérieuse comme elle savait l'être parfois.

Pour une fois, Ève consentit à l'admette.

— Oui, un peu.

— Ne sois pas triste. Je te promets d'être sage. Je ne bougerai pas.

La gorge serrée, Ève traversa le grand hall. Ce n'était vraiment pas le moment de pleurnicher. Elle se redressa et s'adressa à la réceptionniste avec assurance.

— J'ai rendez-vous avec M. Will Bright.

Le directeur de l'école avait un regard grave qui éveilla l'intérêt d'Ève. Elle l'observa, alors que, dans son appréhension, elle aurait plutôt été tentée de fixer le parquet, d'examiner les livres sur le bureau, ou de se laisser distraire par les couleurs flamboyantes du chêne qu'on voyait par la fenêtre. C'était un homme calme et patient, avec une petite barbe blonde qui attirait l'attention sur sa bouche... La portait-il pour se vieillir ?

— Avez-vous le même niveau en français et en allemand ?

— Je parle les deux langues aussi bien que ma langue maternelle.

— Il y a beaucoup moins de demandes pour l'allemand que pour le français, mais ce serait très bon pour nous de pouvoir proposer les deux,

Il attendit, sans la quitter des yeux. Ce devait être à elle de parler.

— Voulez-vous me soumettre à des tests tout de suite ? Je suis prête.

— Oui, nous vous en ferons passer, c'est une formalité obligatoire, mais pas immédiatement. Si vous me dites que vous parlez couramment ces langues, je vous crois volontiers. Avez-vous l'expérience de l'enseignement ?

— À mon avis, quand on connaît son sujet, ce ne doit pas être très difficile de l'enseigner. Je ne voudrais pas paraître prétentieuse, mais il me semble plus important de savoir de quoi on parle plutôt que d'avoir suivi des heures et des heures de cours de pédagogie sans être vraiment spécialiste dans sa matière. Je lis des articles partout qui dénoncent cette dérive de l'enseignement, de nos jours.

M. Bright eut un sourire.

— Bien, mais revenons-en tout de même un instant à la méthode. Mettons que ce soit votre première heure de cours, en français. Que faites-vous ?

— Je prends le manuel, leçon un, première page, et je le suis. Je lis la leçon avec les élèves, je l'explique, je réponds aux questions, et le lendemain je donne des exercices pour vérifier qu'ils ont compris.

— Pas mal du tout. À présent, c'est à vous. Vous n'avez pas de questions à me poser ?

Que s'attendait-il à entendre ? Trouverait-il indélicat de parler argent avant de discuter philosophie de l'éducation ? Mais, après tout, c'était pour gagner sa vie qu'elle sollicitait un emploi. L'été en Californie, le loyer, les billets d'avion et les autres dépenses avaient déjà plus qu'entamé l'héritage laissé par son père, et chaque jour d'hôtel faisait fondre davantage son petit capital. Elle fut prise de panique.

— J'imagine que je ne devrais pas commencer de cette façon, mais avant de continuer, il vaut mieux que nous parlions du salaire, dit-elle en baissant la voix avec gêne. J'ai terriblement besoin d'argent...

Il jeta un coup d'œil à la belle montre en or de la jeune femme. Son apparence ne trahissait en rien son embarras financier. L'élégant tailleur bleu marine qu'elle avait emporté à l'université ne paraissait pas avoir quatre ans, pas plus que son sac ou son chemisier de lin. Son père avait toujours affirmé que les vêtements de qualité, à l'usage, revenaient moins cher que les autres. Jamais il n'aurait pu imaginer cette scène, jamais il n'aurait pu prévoir qu'elle devrait un jour quémander un emploi.

Will Bright ne cacha pas sa curiosité.

— Racontez-moi, dit-il.

Elle lui livra donc son histoire dans les grandes lignes, expliquant en deux mots les circonstances de la mort de ses parents et l'escroquerie du testament.

— Je connais bien L'Orangerie, commenta-t-il. J'y vais très souvent depuis que je suis dans la région, c'est excellent. J'ai toujours rêvé de vivre à la campagne, mais depuis ma sortie de l'université, il y a dix ans, j'ai aussi voulu me consacrer à l'enseignement. Ces deux désirs ne semblaient pas compatibles jusqu'à ce qu'un cousin éloigné me lègue une vieille ferme, à quelques kilomètres d'ici, juste à l'époque où cette école cherchait un chef d'établissement. J'avais un bon dossier et...

Il s'interrompit pour reprendre aussitôt :

— Soyons clairs : l'enfant en question est bien votre petite sœur et vous êtes sa tutrice ?

— Oui, c'est bien cela. Et j'ai besoin que mes horaires puissent être aménagés pour pouvoir m'occuper d'elle correctement.

Elle se rendit compte qu'il était touché et lui répondait à regret.

— Notre école est trop récente pour avoir un gros budget. Nous n'offrons pas de très bon salaires.

Par la fenêtre ouverte, un concert de voix d'enfants monta dans le silence. Un vent d'automne apportait dans le bureau un parfum de pommes. L'atmosphère était sereine, familière ; une paisible lumière tombait sur les papiers empilés sur le bureau et sur un bouquet de soucis. On se sentait bien.

En relevant les yeux, elle rencontra une nouvelle fois le regard interrogateur, sympathique. À l'horloge murale, elle vit qu'il était 11 heures. L'entretien avait duré près d'une heure.

— Je n'ai pas besoin d'une fortune, assura-t-elle.

— C'est-à-dire ?

— Eh bien, je dois pouvoir en vivre, mais je n'exige pas un pont d'or.

Cette précision fit du bien à son amour-propre. Elle reprenait espoir.

— Écoutez, déclara-t-il, je vous préciserai avant la fin de la semaine ce que nous pouvons vous proposer. Ce sera à vous de décider si la somme vous suffit.

— Vous voulez dire que, si j'accepte, vous m'engagez ?

— Oui, à condition que vos tests de langue donnent satisfaction. Je suis prêt à miser sur vous. Où peut-on vous joindre ?

Elle donna l'adresse de Lore.

— C'est ma tante. Son appartement est trop petit, alors ma sœur et moi nous vivons à l'hôtel. Excusez-moi, mais j'ai laissé Jane dans le hall, reprit-elle en se levant d'un bond. Je ne m'inquiète pas, mais il vaut mieux que j'aille voir.

— Elle est toute seule dans le hall ?

Il se leva aussitôt et la suivit. Jane en était à sa dernière page de coloriage.

— Tu as mis longtemps ! s'écria-t-elle quand ils la rejoignirent.
— Je suis désolée. Monsieur Bright, je vous présente Jane.
— Quel drôle de nom ! commenta Jane en lui tendant la main, comme on le lui avait appris. C'est quoi, ton prénom ?
— Will. Tu trouves ça drôle aussi ?
Jane réfléchit un instant.
— Non, c'est joli, mais pas autant que Peter pour un garçon. Mon chien s'appelle Peter.
— Mes chiens à moi s'appellent Pat et Barney.
— Où ils sont ?
— Chez moi. C'est à la campagne, pas loin d'ici. Tu vas à l'école, Jane ?
Ève se dépêcha d'expliquer qu'elle comptait la mettre à l'école dès que leur situation serait plus stable.
— Il faut que je sache où nous allons habiter pour l'inscrire quelque part.
— Si vous travaillez pour nous, je peux vous suggérer une solution. Un de nos professeurs est propriétaire d'une maison dans la rue d'à côté. Il loue le dernier étage : quatre belles pièces. Dans ce cas, Jane pourrait venir à l'école ici. La scolarité est gratuite pour les enfants du personnel.
Elle le regarda. « Pourvu que je ne pleure pas de nouveau, même de gratitude. »
— J'espère vraiment que ça va marcher, dit-elle avec ferveur.
— Moi aussi.
Pour la première fois de sa vie, elle appela Lore à l'hôpital.
— C'est le rêve, mais ça arrive trop vite, expliqua-t-elle.
— Mais non !
— Si, c'est trop beau pour être vrai.
— Parfait, enchaîna Lore sans l'écouter, tu seras tout près, on pourra se voir souvent. C'est important, la famille. Il est comment ?
— Je ne sais pas, moi. Jeune, assez bien de sa personne, gentil.
— Alors tu te sens un peu mieux ?
— Il ne faut pas que je m'emballe trop vite, mais pour l'instant, je dois admettre que oui.
— Tu sais, j'ai l'impression que l'histoire se répète. J'ai vécu la même chose dans ma jeunesse, avec Caroline. Il y avait sans arrêt des hauts et des bas, et on devait toujours être prêtes à repartir de zéro. Oui, c'est fou ce que tu ressembles à ta mère, Ève, ma chérie.

1993

Jane

16

— Et tu sais déjà qu'il l'a épousée, conclut Jane.

— C'était lui ? Will ?

— Mais oui, Will Bright, le seul, l'unique. Il a dû tomber amoureux d'elle dès ce premier matin. D'ailleurs il le reconnaît lui-même, et ils viennent de fêter leur vingt-huitième anniversaire de mariage. J'ai hâte que tu la rencontres, David. C'est fou ce qu'elle est belle. Jamais on ne croirait qu'elle a cinquante-trois ans. Quand tu la verras, tu penseras qu'elle a mon âge, et je n'ai que trente-six ans.

— Vous vous ressemblez ?

— Pas du tout ! C'est le portrait de notre mère.

Ils tournèrent la tête en même temps vers le coin du salon, où, posée à côté d'un bouquet de roses comme sur un autel, se trouvait la photo d'une jeune femme élégante en robe sombre, une rangée de perles autour du cou.

— Ève est grande, comme elle. D'ailleurs, tous les enfants d'Ève sont grands. À côté, je suis une vraie crevette.

— Ça m'étonnerait. Ne te rabaisse pas ! Tu es merveilleuse, et je t'aime. Tu sais que tu es merveilleuse, au moins ?

Jane secoua la tête.

— N'exagérons rien. Entendu, je ne suis pas bête et j'ai travaillé dur, mais j'ai eu beaucoup de chance. Tu veux encore une crêpe ?

— Non, merci. Je vais reprendre du café et ça ira. On devrait changer la cafetière électrique. J'en achèterai une en ville.

Jane trouvait bien agréable cet intérêt qu'il montrait pour les tâches ménagères. Il répondit à son sourire, et ils restèrent encore un peu à table pour profiter de la tranquillité de ce dimanche matin chaud et ensoleillé.

Juste en face, un étage en dessous, ils voyaient la terrasse luxuriante d'un voisin, et, de biais, une petite portion d'avenue dix-sept étages plus bas. Derrière David se trouvait la chambre avec son lit à baldaquin métallique, drapé de mousseline blanche. Jane s'amusait souvent à acheter des objets incongrus, par exemple une « conversation » victorienne, chichiteuse et confortable, qu'elle encadrait d'une paire de vitrines en acier trempé, ou un photomontage noir et blanc de gratte-ciel new-yorkais qu'elle accrochait près d'un tissu rouge franc, imprimé de fleurs à la Georgia O'Keeffe.

L'effet était charmant. C'était le mot qui venait le plus souvent à ses visiteurs quand ils entraient pour la première fois chez elle : « Comme c'est charmant ! »

L'appartement était petit. À New York, si on voulait un espace convenable, cela coûtait une fortune. Déjà, elle payait un peu plus qu'elle ne pouvait se le permettre, mais elle en tirait tant de plaisir ! Quel bonheur d'être encore jeune, d'avoir un doctorat en psychologie, une bonne clientèle, et un amant merveilleux comme David, qui voulait l'épouser de surcroît. Que demander de plus ?

— Oui, répéta-t-elle, méditative, j'ai eu beaucoup de chance. Mon enfance avec Will et Ève a été merveilleuse. Ils m'ont rendue très heureuse dans leur petite ferme. Pourtant ça n'a pas été facile pour eux. Même avec deux salaires, l'enseignement ne vous enrichit pas, tu le sais comme moi. Surtout avec quatre enfants qui poursuivent leurs études à l'université. Ils en ont eu quatre, plus sympathiques les uns que les autres, je les adore.

Elle poursuivit en riant :

— D'après Ève, les gens croyaient parfois que j'étais leur fille illégitime, née quelques années trop tôt. La même chose est arrivée en Californie, quand elle était à l'université. Je m'en souviens à peine, et j'ai quasiment oublié l'homme dont elle était si amoureuse à l'époque et qui a failli lui briser le cœur. Oui... j'imagine qu'il n'a pas dû beaucoup apprécier qu'on le prenne pour mon père. Il n'aimait pas les enfants, c'est le moins qu'on puisse dire.

— C'est lui, le type qui a voulu se réconcilier avec elle plus tard ?

— Oui. Après un an au Guatemala, il lui a écrit une lettre pour la supplier de lui pardonner. Il avouait avoir commis une terrible erreur ; en fin de compte, l'archéologie n'était pas sa vocation. Ève lui manquait atrocement, il s'excusait et il avait honte.

— Mea culpa !

— Mais, à l'époque, elle s'intéressait déjà à Will. Oui, et moi aussi. Il comprenait très bien les enfants ; c'était un enchanteur, comme le joueur de flûte de Hamelyn. Son école était très libre ;

souvent, nous avions cours sous les arbres, nous écoutions de la musique et il nous parlait beaucoup de la nature. Nous faisions de grandes balades dans les bois, par exemple, et... Je ne t'ennuie pas trop, David ? Tu ne m'écoutes pas par politesse, au moins ?

— Mais pas du tout. Je me prépare à mon rôle de beau-fils... non, beau-frère, je veux dire. Il faut que je connaisse un peu l'histoire familiale.

— Eh bien, pour commencer, je peux te dire que je m'y connais très bien en oiseaux. Will est ornithologue amateur. Le samedi, il m'emmenait avec tous ceux qui étaient assez grands pour le suivre dans ses expéditions. Ève lui prêtait main-forte. Je ne sais pas si elle s'était portée volontaire ou s'il lui avait demandé de l'aider. Un peu des deux, j'imagine. J'ai cru comprendre par certaines allusions qu'au début ils étaient très timides l'un et l'autre. En tout cas, il a fallu qu'elle me traîne à toutes leurs excursions, et c'est comme ça que j'ai appris des tas de choses. Je sais par exemple à quelle époque les canards s'arrêtent chez nous pendant leur migration vers le Canada. Quand on croit entendre des coin-coin dans une mare au printemps, en fait ça ne peut être que des coassements de grenouilles... Tu vois, j'ai grandi dans cette atmosphère. Quand Ève a épousé Will et que nous avons emménagé chez lui, j'ai trouvé ça tout naturel. J'étais ravie. Je me suis bien amusée à leur mariage. Je n'avais même pas huit ans, et je portais une magnifique robe longue, vert pâle, que Lore m'avait fabriquée.

— En parlant de mariage, interrompit David, il est temps que nous sautions le pas. Les avocats, ça aime signer des papiers officiels, tu sais. Surtout depuis que je suis devenu associé de mon cabinet...

— Je n'ai aucune objection. Au contraire.

— Et si je t'offrais un très joli diamant ? Pour l'instant, je me sens riche.

Jane regarda sa main.

— Je préfère qu'on achète à la place une très jolie alliance, parce que j'ai déjà le rubis, et je veux le porter tous les jours.

— Tu y tiens à ce point ?

Elle revit le moment où Ève avait ôté la bague de son doigt pour la lui donner. C'était le jour de ses dix-huit ans, quand elle avait été jugée assez grande pour porter le bijou et en comprendre la signification. Quoi de plus beau que ce gage d'amour de son père à sa mère, alors que Caroline devait disparaître si peu de temps plus tard...

— C'est un symbole, expliqua-t-elle. Tu comprends ?

— Oui, ma chérie.

David tendit le bras entre les tasses à café pour lui prendre la main.

— Dis-moi, reprit-il, pourquoi m'as-tu fait attendre si longtemps ?

— Je ne sais pas. À cause de mon histoire familiale, j'imagine. L'erreur de ma mère doit être gravée dans mon inconscient. Ève a été très perturbée par les circonstances de sa naissance, et je suis sûre qu'indirectement j'ai été influencée, moi aussi.

— Vous avez un lourd passé.

— Non, pas moi, pas vraiment. C'est surtout Ève qui en souffre, mais elle est solide. C'est une femme très forte, très moderne ; elle a beau être née en 1940, elle a toujours été en avance sur son temps. Jamais elle ne parle de ce qu'elle a vécu. C'est grâce à d'autres que j'ai appris quelques détails, par des gens comme Emmy Schulman, qui a aidé mes parents quand ils étaient de pauvres réfugiés déracinés. Et puis, bien sûr, il y avait Lore, qui connaissait tout sur la famille, qui en faisait partie depuis le début, depuis mes grands-parents. C'est fou, ajouta-t-elle avec un soupir. Je n'arrive pas à croire qu'elle soit morte.

— Quel âge avait-elle ?

— Quatre-vingt-quatre ou quatre-vingt-cinq ans. Heureusement, elle a eu une mort rapide et sans douleur. Quand on l'a retrouvée hier matin après sa crise cardiaque, il y avait encore le *Prélude* et *Liebstod* sur la platine. D'après Will, Ève a été très affectée. C'est plus dur pour elle que pour moi. Dans mon esprit, Lore est surtout associée aux dîners du dimanche soir à la maison, aux fêtes de fin d'année, aux tournois sportifs de l'école, et à certaines longues conversations de mon adolescence. Mais Ève a d'autres souvenirs. Elle doit beaucoup souffrir.

— Des souvenirs liés à son père, tu veux dire ?

— Je ne pense jamais à cet homme comme à son père. Son père, c'était Joël.

— Pourtant, on ne peut pas nier les faits. Elle a dû recevoir la vérité en pleine figure.

— Oui. Je me souviens que même moi, ça m'a choquée quand

je l'ai appris. Je crois qu'Ève ne voulait rien me dire, mais Will a insisté. À douze ans, un jour, j'ai surpris une conversation. Ils parlaient de moi. Will disait : « Si tu ne le lui dis pas, quelqu'un d'autre s'en chargera à ta place. Rappelle-toi la façon dont ça s'est passé pour toi. » Ève avait peur que l'histoire ne ternisse l'opinion que j'avais de sa mère.

— C'est drôle que tu dises toujours « sa » mère.

— Ah oui... Ève l'appelle « maman », mais moi je n'y arrive pas. Parfois je reste des heures devant sa photo, mais je ne parviens pas à me convaincre que c'est ma mère. C'est une très belle femme que je n'ai pas connue. Et pour mon père c'est un peu pareil. C'était un homme adorable dont il ne me reste que de rares souvenirs. Il fumait des cigares sans arrêt et il m'a donné une poupée de chiffon.

Les souvenirs se précipitaient pêle-mêle... Un jour, une des élèves d'Ève les avait invitées chez elle, et elles s'étaient retrouvées dans leur ancienne maison. Elle voyait encore le papier à fleurs. Des pivoines, avait dit Ève, les fleurs préférées de leur mère. Quand on avait mis Lore au courant, elle avait remarqué que la famille était descendue bien bas, et Ève n'avait pas du tout apprécié ce commentaire...

— Ça ne me ressemble pas de m'appesantir sur le passé, conclut-elle abruptement. J'arrête. Je ne sais pas ce qui me prend.

— C'est moi qui t'ai posé des questions. Tu affirmes souvent, madame la psychologue, que ce n'est pas bon de refouler ses sentiments.

— Parfait, monsieur le curieux. Que veux-tu savoir d'autre ?

— Je ne sais pas... mais c'est vrai que je suis curieux. Ta famille est très intéressante.

— Toutes les familles sont intéressantes.

— Sans doute, mais dans la tienne, vous avez eu des hauts et des bas spectaculaires. D'abord, évidemment, il y a la fin tragique de tes grands-parents. Ensuite, le succès des Orangeries, et puis cette drôle d'histoire avec le testament de ton père. Ça a dû être très douloureux de perdre tout cet argent que tes parents avaient gagné à la sueur de leur front, et leur belle maison par-dessus le marché ! Plus on tombe de haut, plus la chute est dure. Je ne comprends toujours pas pourquoi Ève ne s'est pas plus battue que ça.

— Je te l'ai déjà expliqué. Le fardeau était trop lourd, elle n'en pouvait plus. Depuis qu'elle a appris qui était son père, elle a porté un poids terrible sur ses épaules. Ça te plairait, à toi, d'être le fils d'un salaud de nazi et de devoir assumer ça jusqu'à la fin de tes jours ?

— Non, ça ne me plairait pas du tout.

Ils se turent. En face, la voisine était sortie sur sa terrasse pour arroser ses dahlias et ses asters. Le soleil qui perçait à travers les nuages jetait une lueur dorée sur la ville.

David brisa le silence.

— Nous aurons beau temps pour notre vol.

— On ne devrait pas commencer à se préparer ? À quelle heure est notre avion, déjà ?

— 12 h 45. Oui, il est temps de nous activer. Nous ne devons surtout pas manquer le changement pour Ivy.

Lore fut enterrée dans un petit cimetière assez proche de la ville. La région, comme Ève s'en félicita, était restée rurale.

— J'espère que ça ne changera pas, remarqua-t-elle. Maman prétendait toujours que Lore était amoureuse des vieux arbres.

Triste objet d'amour, songea Jane. Lore n'avait pas eu d'autre passion dans son existence laborieuse. Seuls de petits plaisirs avaient distrait sa solitude.

Elle s'étonna de voir tant de monde au cimetière : des infirmières et des médecins de l'hôpital où Lore avait travaillé avant de prendre sa retraite, de longues années auparavant, des copropriétaires, des amis de la famille qui la connaissaient depuis un demi-siècle. Emmy Schulman, venue en fauteuil roulant, raconta la journée d'automne de 1939 où son mari était allé attendre Lore au train.

Après le cimetière, il y eut un déjeuner chez Ève et Will. Jane fit remarquer à David qu'elle ne comprenait pas comment des gens qui n'avalaient d'habitude qu'un sandwich à midi pouvaient s'attabler pendant des heures après les enterrements.

— Un bel esprit a écrit que c'est par soulagement de ne pas être mort, répliqua-t-il.

— Peut-être, mais je préfère me dire que c'est parce que nous ne pouvons pas résister aux bons plats que nous apportent nos amis.

— Tu sais ce qu'il manque ? intervint Ève. Le gâteau au chocolat de Lore. On ne retrouvera plus jamais le même, tu ne crois pas, Jane ?

— Tu as raison. J'ai beau y mettre tout mon cœur, le mien n'a jamais le même goût. Évidemment, je n'en fais pas très souvent.

— Ça va me sembler drôle qu'elle ne soit plus là pour me donner des conseils, ou pour discuter un peu.

Quand les grands yeux noirs d'Ève se mettaient à briller, elle parvenait cependant à ravaler ses larmes.

— Elle était toujours là quand on avait besoin d'elle. Elle était... indispensable. J'espère qu'elle se rendait compte à quel point on l'appréciait et on l'aimait.

— Bien sûr que oui. Elle devait le savoir, répondit Will.

Quel homme adorable ! songea Jane. Et quels gens charmants dans leur maison simple et chaleureuse, pleine de livres, avec leurs chiens et les citrouilles de Halloween sur le pas de la porte ! Elle aurait préféré que David rencontre Ève et sa famille dans des circonstances moins tristes, car les enfants étaient tous de grands comiques, et le père, avec sa barbe blonde, son visage d'intellectuel et son énergie d'observateur de la nature, avait beaucoup d'esprit.

— Alors vous partez ensemble en Europe ? demanda Will.

— Oui. Mon cabinet intervient dans un procès qui nous oblige à traiter avec des avocats de Zurich. Nous irons là-bas après quelques jours de vacances en amoureux. À notre retour, nous vous inviterons à un petit mariage très intime. C'est une sorte de lune de miel à l'envers.

Le silence se prolongea, hésitant, comme lorsqu'on est trop fatigué pour chercher un sujet de conversation. La journée avait été épuisante. David le comprit.

— Malheureusement, rappela-t-il, un enterrement, ça ne s'arrête pas au cimetière. Il faut encore que vous retourniez chez elle pour vous assurer que tout est bien fermé, jusqu'à ce que vous trouviez le courage de vider l'appartement.

— Oui, approuva Ève, c'est très pénible. Il va falloir trier ses papiers et ses affaires personnelles. Résorber tout ce qui reste de sa vie.

— Jane et moi, nous ne serons absents qu'une dizaine de jours. Attendez notre retour, nous nous en occuperons, proposa-t-il avec gentillesse.

Puis il ajouta en riant :

— Maintenant que vous allez avoir un avocat dans la famille, profitez-en un peu. Nous nous chargeons de tout.

L'appartement de Lore était impeccable, comme on pouvait s'y attendre. Seuls quelques disques étaient sortis de l'étagère et étalés en désordre.

— Elle se préparait son concert pour la soirée, remarqua Jane. Elle faisait toujours ça. Regarde, tout Wagner. C'est évident qu'elle ne s'attendait pas à mourir dans l'heure qui suivait. J'ai l'impression qu'elle pensait vivre jusqu'à cent ans au moins.

Lore avait été une maîtresse de maison irréprochable. Ses plantes vertes se portaient bien, ses livres étaient rangés par ordre alphabétique d'auteur. Les seuls objets de valeur étaient les meubles de la chambre de Caroline à la maison du lac, la chaîne stéréo, et le cadre en argent massif offert par Jane, qui abritait la photographie de leur dernier dîner de Thanksgiving.

— C'est bizarre, remarqua-t-elle, arrêtée devant le visage sans grâce et ridé de Lore. C'est la première fois que j'approche la mort de près. J'étais trop petite quand papa est parti, et, comme je te l'ai dit, je ne me souviens que de ses cigares.

— Tiens, regarde cette rangée de cahiers, dans le placard. Celui-ci est entièrement rempli ! C'est son écriture ?

— Oui, ce doit être le journal qu'elle tenait tous les jours, depuis son enfance. Donne, je vais le remettre en place. Notre grand-père se moquait d'elle en la voyant faire. C'est Ève qui m'a raconté ça. Il prétendait qu'elle allait écrire un roman plus long que la Bible. David, je sais que je me répète, mais je n'arrive pas à croire qu'elle soit morte.

— C'est pourtant vrai, ma chérie, et nous ferions mieux de ne pas trop traîner. Nous devons être à l'aéroport demain matin à 7 heures et demie.

17

À bord de leur petite Fiat de location, Jane et David souffrirent pour le moteur pendant toute la montée des Alpes afin de passer d'Italie en Suisse. Dans la descente, ce fut pour les freins qu'ils prièrent. Qu'importe, l'aventure avait du charme. Ils roulaient sous des ciels tumultueux ; de gros nuages laissaient tomber des rais de lumière sur le vert sombre des conifères et les couleurs flamboyantes de l'automne.

— *Ridi, Pagliaccio*, chanta David. Ah ! Le bon air des sommets me rend lyrique.

— Lyrique, tu l'as été pendant toute la traversée de l'Italie. Je croyais te connaître, mais je ne me doutais pas que tu étais si bon chanteur d'opéra.

— Vile flatteuse.

— Non, je t'assure, c'est vrai.

Ils avaient parcouru l'Italie dans la bonne humeur. Ils avaient marché dans la montagne, pique-niqué au bord des routes de campagne, écouté avec ravissement la musique du pays. C'était le début de leur bonheur.

— Je n'aurai pas besoin de passer trop de temps à Zurich, annonça David. Nous nous sommes déjà débarrassés des préliminaires par téléphone et par fax. Je ne vais t'abandonner que deux jours, au maximum.

— Ne t'inquiète pas pour moi. J'adore la marche. D'habitude, je déteste courir les magasins, mais je vais faire une exception. J'ai besoin d'une ou deux petites choses.

— Je parie que tu veux un coucou suisse.

— Oui, et pour toi des *lederhosen* et un chapeau tyrolien avec une plume. Attention, je vais t'obliger à les porter !

— Du moment que je peux les laisser au vestiaire pendant mes réunions de travail.

— D'accord. Va pour le coucou, le chapeau et la culotte de peau. On va bien s'amuser.
— Comme d'habitude.
Pourtant, quand la petite voiture avait passé la frontière en cahotant et était entrée en Suisse, Jane avait senti soudain un vague malaise. Cachée par la paix joyeuse de ces journées de vacances, l'angoisse avait attendu son heure.

Un matin, le deuxième jour de leur étape à Genève, Jane dit à David :
— Je me demandais si tu n'aurais pas envie d'explorer un peu le passé avec moi. Tu te souviens que ma mère a vécu quelque temps dans la région avant son départ pour l'Amérique ? Elle avait été accueillie près de Genève par un médecin, ancien camarade de faculté de mon grand-père. Nous n'avons plus jamais entendu parler d'eux depuis, et je me disais que ce serait peut-être intéressant d'aller leur rendre visite.
— De l'eau a coulé sous les ponts. Ils risquent d'être morts, tu sais.
— Ils seraient très vieux, mais ils pourraient être encore en vie. En fait, je sais que Mme Schmidt est encore là, mais plus son mari.
— Comment l'as-tu appris ?
— J'ai effectué quelques recherches. Pendant que tu travaillais à Zurich, j'ai trouvé une association de médecins et je me suis renseignée. Ils ont été très gentils. Ils lui ont même téléphoné pour moi.
— Je me demande si l'idée est bonne... J'imagine que vu le contexte, le danger que courait ta famille et l'issue tragique, tu supporteras mal de te trouver là-bas.
Elle ne répondit pas tout de suite, tâchant d'analyser ses sentiments. Il y avait de la peur, de la peine, et pourtant une grande volonté de résister au chagrin.
Sous la fenêtre s'étendait le grand lac, plat comme une assiette bleue entre les collines. Lore lui avait tout décrit en détail : la vieille maison, le balcon de bois dans le style suisse, la longue pelouse qui descendait presque jusqu'au bord de l'eau. Un chemin étroit bordait le lac. Les légendes familiales survivaient ainsi, de bouche à oreille...
— Ce n'est pas loin, déclara-t-elle. Tu voudras bien y aller avec moi ?

— Jane, je pense sincèrement que c'est une mauvaise idée. J'ai l'impression que tu cèdes à une curiosité morbide. Ça te fera du mal.

— Peut-être, mais si je n'y vais pas, je suis sûre que je le regretterai en rentrant. Je m'en voudrai de ne pas y être allée.

« Cette histoire est épouvantable, songea-t-elle, et je n'ai aucune envie de l'entendre encore une fois. Lore me l'a racontée assez souvent telle qu'elle l'a vécue. Mais, maintenant, j'ai besoin de savoir ce dont se souvient cette dame. »

— Je voudrais que tu viennes, répéta-t-elle avec un regard insistant.

— Bon, d'accord, dit-il tendrement. Je vais t'accompagner. Quand veux-tu que nous y allions ?

— Demain après-midi, ça te va ? Nous pourrons flâner dans la vieille ville et déjeuner d'abord.

Le lendemain, ils prirent une petite route parallèle au lac. À leur gauche filaient des prairies où broutaient des vaches.

— C'est l'image convenue de la Suisse, remarqua Jane. On dirait une illustration dans un livre ; tout est propre, bien net.

— Ne te donne pas tout ce mal pour me faire la conversation, Jane. Je sais que tu es angoissée.

— Oui, c'est vrai, très, mais ce serait bien pire pour Ève. Après tout, c'était son père, pas le mien, Dieu merci.

— On est encore loin ?

— Non, je ne pense pas. On doit trouver une église sur la droite, à environ trois kilomètres du village qu'on vient de traverser. Une église en pierre, je crois. Du XVe siècle...

— Plus je vois l'Europe, plus je regrette de ne pas m'y connaître en architecture.

— Il y a tellement de choses que je voudrais savoir... Stop ! On a failli la dépasser. Ce doit être là. La maison est en face.

La maison, elle aussi, était en pierre. Ils descendirent de voiture en silence, remontèrent une allée bordée de chrysanthèmes bronze et jaune, appuyèrent sur la sonnette et attendirent dans la torpeur de ce lent après-midi.

Au bout de quelques minutes, la porte s'ouvrit. Une femme aux cheveux de neige apparut devant eux, une vieille femme de quatre-vingt-dix ans qui n'en paraissait guère plus de soixante-dix. Elle était vêtue de bleu marine et portait un médaillon en or autour du cou. Jane fut impressionnée par son allure raffinée, d'un autre temps.

Jane se présenta, ainsi que David.

— On vous a annoncé notre visite, je crois, madame.

— Oui, je vous attendais. Entrez donc.

Ils pénétrèrent dans une grande pièce qui devait ouvrir sur le lac car une luminosité scintillante les accueillit. Les meubles y étaient anciens et sculptés ; un tricot en cours était posé sur un fauteuil, et une rangée d'objets de verre rouge rubis s'alignait sur une étagère. Quand on entrait chez des inconnus, on comprenait beaucoup de choses du premier coup d'œil. Ce beau salon tranquille inspirait confiance ; Jane se sentit rassurée.

Elle se lança.

— Vous êtes très aimable d'avoir accepté de nous recevoir, madame Schmidt.

— Je serai ravie de vous aider si c'est en mon pouvoir, mais je dois vous avouer ma surprise. L'association m'a appelée pour me dire que vous faisiez des recherches sur votre famille. Excusez-moi, mon anglais n'est plus très bon. J'ai rarement l'occasion de m'en servir et je suis un peu rouillée.

— Je peux vous dire tout de suite que vous parlez bien mieux l'anglais que moi l'allemand !

« Qui de nous deux est la plus mal à l'aise ? se demanda Jane. Cette pauvre vieille dame s'attend probablement à ce qu'on l'interroge sur un criminel de guerre. »

— Avant de continuer, venez vous asseoir, je vous en prie. Ici, près de la fenêtre. Vous êtes américains, je crois ?

— Oui, mais ma mère était allemande. Les gens de Zurich ne vous ont pas donné mon nom ?

— À vrai dire, je n'ai pas bien entendu. Je n'y ai pas compris grand-chose, j'avoue. Je ne connais personne en Amérique.

— C'était il y a très longtemps. Ma mère a séjourné chez vous juste avant la guerre. Elle s'appelait Caroline Hartzinger.

Jane avait la bouche sèche, et il lui semblait avoir la voix hésitante d'une élève qu'on appelle au tableau alors qu'elle n'a pas appris sa leçon.

Mme Schmidt enleva ses lunettes, regarda fixement Jane, puis les remit. Elle tremblait.

— Je sais que cela doit vous paraître très étrange, poursuivit Jane avec douceur, mais j'espérais que vous vous souviendriez d'elle.

— Mais vous... Excusez-moi, mais vous avez... trente ans, environ ?

— Un peu plus de trente-cinq. Pourquoi ?

— Mais parce qu'elle est partie en Amérique en... Nous l'avons emmenée au train en août 1939, et elle est morte peu de temps après son arrivée là-bas. Je ne vois pas comment vous pourriez être sa fille.

— Que voulez-vous dire ? s'écria Jane. Enfin, elle est morte, c'est vrai, mais bien plus tard, quand j'étais petite.

Elles se dévisageaient, interloquées, et David vola à leur secours.

— Assurons-nous d'abord qu'il n'y a pas de malentendu. Vous parlez bien de Caroline Hartzinger, la fille du médecin que connaissait votre mari ? Elle voyageait avec une femme un peu plus âgée, sa sœur, ou plutôt sa sœur adoptive, Lore, qui était infirmière et...

— Oui, oui, bien sûr que nous parlons de la même personne. Une jeune fille charmante que j'aimais beaucoup. C'est Lore qui a écrit pour nous annoncer sa mort. D'après elle, c'était arrivé brutalement, et puis nous n'avons plus jamais eu de nouvelles. Vous imaginez le choc que sa lettre nous a causé.

Un silence se fit.

— C'est incroyable, lança Jane.

— Je vais vous raconter en deux mots ce qui lui est arrivé, madame, reprit David. Quand elle est partie pour l'Amérique, Caroline attendait un enfant. Elle ne le savait pas en vous quittant, elle l'a appris plus tard. À New York, elle a rencontré un jeune homme qui était si amoureux d'elle qu'il l'a épousée tout en sachant qu'elle était enceinte. Elle a donné naissance à une fille qui s'appelle Ève, et que cet homme a élevée comme sa propre fille. C'est la demi-sœur de Jane, qui est née beaucoup plus tard.

— Elle était enceinte ? Ça ne m'étonne pas.

Amalia Schmidt eut un sourire entendu et un peu triste.

— Nous avions peur de cela quand elle partait se promener avec son fiancé. Ils étaient très amoureux. Il faut vous souvenir que nous étions en 1939, et que les temps ont beaucoup changé depuis. Et c'était la guerre, ou tout comme. N'importe quoi aurait pu leur arriver d'un jour à l'autre.

Jane eut l'impression de se vider de ses forces. Effondrée dans son fauteuil, elle répéta :

— Incroyable.

— Vous vous sentez bien ? demanda Mme Schmidt, inquiète. Vous voulez boire quelque chose ?

— Non, rien, merci. Ce que vous venez de m'apprendre m'a causé un choc terrible. Terrible.

David se leva et s'approcha de la fenêtre, les sourcils froncés.

— L'attitude de Lore est très bizarre, observa-t-il. Pourquoi vous a-t-elle annoncé une nouvelle pareille ? Il faut essayer de comprendre. Jane, tu sais peut-être quelque chose qui nous mettrait sur la voie.

Mais elle avait un mal fou à rassembler ses idées.

— Tout ce que je peux dire, c'est que Lore a toujours été là, fidèle, adorable, depuis qu'elle a été adoptée par mes grands-parents à Berlin. Elle était présente au mariage de ma mère, à la naissance de ma sœur Ève, et aussi à la mienne.

Incapable de continuer, elle se tourna vers David.

— Vas-y, aide-moi.

— Je crois que Jane nous a appris tout ce qu'elle savait, elle ne m'en a pas dit plus. Vous n'avez pas idée de ce qui aurait pu se passer, madame ?

— Il faudrait que je me souvienne... Il doit y avoir une foule de petits détails que j'ai oubliés... Enfin ils ne sont pas très loin, ils sont là, cachés dans ma mémoire...

Elle se tapota le front pour illustrer ses dires.

— On n'oublie jamais vraiment... Tout est là, mais pour l'instant, rien ne me revient.

Ils attendirent. La vieille dame avait l'air si perturbée qu'on était en droit de se demander si ses souvenirs seraient fiables quand elle parviendrait à les exhumer. Elle s'agitait en bonne hôtesse, sans doute pour s'excuser, pour gagner du temps. Elle leur proposa du thé ou du café ; comme ils déclinèrent son offre, elle apporta une carafe d'eau qu'elle plaça sur une table basse entre Jane et David. Ensuite elle prit sur ses genoux un chat qui l'avait suivie depuis la cuisine. Le grelot du collier de l'animal tinta dans le silence.

— J'essaie de réfléchir, assura-t-elle.

— Ne forcez pas votre mémoire, intervint David gentiment. Prenez votre temps.

— Je peux commencer par les parents, le père et la mère de Caroline. Elle se faisait un sang d'encre pour eux. Elle mourait de peur. Est-ce qu'elle a su ce qui leur était arrivé ? A-t-elle découvert comment ils étaient morts ?

Jane regardait par terre ; le vieux tapis d'Orient avait été usé par un pied de fauteuil. De petites fleurs d'un rose fané décoraient des octogones vert foncé, avec un motif de vigne entrelacé. Dans la maison de ses grands-parents, lui avait raconté Lore, les parquets étaient aussi couverts de tapis d'Orient.

— Oui, répondit-elle. Après la guerre, ma mère a appris où ils étaient morts.

— Et pour Walter ? Est-ce qu'elle a su ?

Ce prénom, pourtant fort courant, aurait toujours le même pouvoir sur elle. Chaque fois qu'on le mentionnait, elle recevait un coup au cœur. « Même moi, pensa-t-elle, qui ne suis pas reliée à lui par le sang, j'ai une série d'images que je me suis forgées à partir de ce qu'on m'a raconté. Et puis je me souviens trop bien de la peine que j'ai lue dans les yeux d'Ève. »

— Tout ce que je sais, dit-elle avec amertume, c'est que ma mère l'a aimé et qu'elle a cru qu'il l'aimait, et puis qu'il l'a abandonnée.

La vieille dame eut un nouveau sourire triste, mais cette fois teinté d'ironie.

— Il l'a abandonnée, si on veut... Il n'a pas vraiment eu le choix.

— C'est-à-dire ?

— Vous ne connaissez pas les circonstances de sa mort ?

— Bien sûr que non. Comment voudriez-vous que nous en ayons été informées ?

— Mais nous avons écrit à Lore... Comme il a été tué, nous ne voulions pas que Caroline ouvre la lettre.

— Il a été tué pendant la guerre ?

— Non. Juste avant. Il s'est fait prendre par les nazis.

— Mais il était nazi lui-même !

— Lui, nazi ? Jamais de la vie ! Mon Dieu, c'est cela que vous croyez encore ? Mais quelle horreur ! Pauvre petite Caroline ! Elle n'a pas su ce qui s'était réellement passé ? C'est épouvantable ! Même si la vérité est tragique, cela aurait tout changé pour elle. Non, Walter n'était pas nazi. Nous l'avons cru pour commencer, mais c'était faux. Bien au contraire. Il a été arrêté avec un groupe d'étudiants qui préparaient un attentat contre Hitler.

Le cœur de Jane, qui s'était calmé, se remit à battre à tout rompre.

— C'est incroyable, ce que vous me racontez là, madame ! En êtes-vous sûre ? Ce n'est pas possible, Lore a toujours dit...

— Eh bien, Lore se trompait. Après coup, on en a beaucoup parlé dans les journaux allemands, et, bien sûr, c'est parvenu jusqu'ici. L'histoire a fait grand bruit parce que le père de Walter était un industriel très important et qu'il avait des responsabilités au parti nazi. Il y a eu un scandale terrible, et le père a eu beaucoup d'ennuis. En fait, je crois qu'il n'a échappé à la mort que de justesse.

— Mais Lore disait... elle disait que...

— Peu importe. Moi, je vous explique ce qui est arrivé.

— Mais alors...

Jane s'interrompit pour essayer de mettre de l'ordre dans le torrent de questions qui se précipitait à ses lèvres. David en profita pour intervenir.

— Laisse madame terminer, ma chérie. Racontez-nous tout ce que vous savez, s'il vous plaît.

Amalia Schmidt poussa un soupir. Elle réunit le bout de ses doigts, et se mit à parler avec l'aisance d'une personne qui a déjà relaté souvent son histoire.

— Il faut que vous sachiez tout d'abord que, pendant ces années terribles, la propagande nazie était très bien reçue dans les universités. Quand on pense qu'il s'agissait de gens qui faisaient des études, qui n'auraient jamais dû se laisser influencer... enfin bref, on ne peut que le constater. Heureusement, il y avait tout de même certains jeunes, pas en assez grand nombre, je vous l'accorde, mais tout de même quelques-uns, qui avaient assez de cœur et de courage pour aller à contre-courant. Le groupe auquel appartenait Walter, du moins c'est ce que j'ai compris d'après ce que j'ai lu, a été pris parce que l'un d'entre eux a été arrêté avec des tracts sur lui. Vous imaginez la suite.

— Oui, bien sûr, intervint David. La justice expéditive des nazis. Pas de procès. Des exécutions sommaires.

— Une balle dans la tête ? Vous croyez ça, vous ? Malheureusement, non. Ils ont subi des tortures prolongées. Les nazis étaient spécialistes. Et puis une mort horrible, par pendaison... Mais ne nous appesantissons pas, acheva Amalia en jetant un coup d'œil à Jane.

— Ma pauvre sœur ! murmura celle-ci. Toute sa vie elle a été hantée par cette histoire. Elle en parle à peine, mais ça se voit. Je vous en prie, est-ce que vous pourriez me décrire un peu Walter, me dire quelque chose que je pourrais lui raconter ? Tout détail sera précieux.

— Je ne peux vous livrer que mes propres impressions. Il n'est pas resté longtemps chez nous. Et il passait le plus clair de ses journées à se promener avec Caroline. Voyons... Il était cultivé, on peut même dire que c'était un intellectuel. Il avait de belles manières, il était raffiné, et profondément amoureux de Caroline. Il était très tendre avec elle. Je me souviens que parfois il l'appelait « Rébecca » pour rire, parce qu'elle ressemblait aux vieilles gravures de Rébecca avec ses longs cheveux noirs.

« Ma mère a vécu dans cette maison avec lui, songeait Jane, elle s'est même peut-être assise dans mon fauteuil. »

— C'est comme de lire un livre d'histoire, murmura-t-elle. C'était il y a si longtemps !

— Mais non, protesta Amalia, ce n'est pas si vieux. Pour moi, tout cela est bien réel, et il y a encore beaucoup de gens qui se souviennent de cette époque. Vous n'avez cette impression que parce que vous êtes jeune.

— Non, c'est parce que je suis dans cette maison, avec vous qui avez connu ma mère quand elle n'avait même pas dix-neuf ans. Vous pouvez me parler d'elle ? Vous n'avez pas d'anecdote à me raconter ?

— Ma mémoire me joue des tours, vous savez. Parfois, je me souviens de tout, et puis ça part l'instant d'après. Voyons... Je ne peux pas vous apprendre grand-chose, sauf qu'elle était charmante. Elle avait une délicatesse, une innocence qu'on ne trouve plus souvent de nos jours. Elle était jeune pour son âge, aussi. On voyait qu'elle avait été très protégée, sans doute plus qu'elle ne l'aurait été en d'autres temps. Mais elle avait grandi pendant des années extrêmement violentes. Les rues des villes allemandes étaient pleines de brutes dangereuses. Il avait fallu la tenir à l'écart de tout ça. Ah ! on faisait régner l'ordre d'une drôle de façon en ce temps-là ! On protégeait les citoyens... selon qui vous étiez, évidemment.

« Mon mari avait décelé chez Caroline un trait de caractère qui ne m'avait pas frappée. Moi, je m'inquiétais beaucoup pour elle, surtout le jour où elle a su que Walter ne reviendrait pas. Elle allait devoir traverser l'océan sans ses parents. Je me doutais bien qu'ils avaient peu de chances de survivre, même si à l'époque on n'avait pas beaucoup entendu parler des camps de la mort. Mais mon mari, lui, savait très bien juger les gens, et il disait que Caroline était solide. Je l'entends encore : « Elle tiendra le coup, elle a le caractère bien trempé. »

— Jane, raconte à madame ce que cette pauvre jeune fille surprotégée a fait plus tard, suggéra David. Parle-lui de la chaîne de restaurants qu'elle a créée... avec ton père, bien sûr.

— Pas tout de suite, je suis désolée. Je vous prie de m'excuser, mais j'ai besoin d'aller respirer dehors cinq minutes.

Amalia Schmidt se leva pour l'accompagner, mais David l'arrêta.

— Je la connais. Elle a besoin d'être seule quand ça ne va pas.

— On serait tenté d'y voir une caractéristique familiale. Caroline réagissait ainsi : soit elle s'enfermait en haut dans sa chambre, soit elle partait se promener seule pendant des heures.

Le décor était tel que Lore l'avait souvent décrit : la pente de la longue pelouse vers le lac, le chemin au bord de l'eau, et jusqu'au groupe de chaises de jardin sous le tilleul, qui devait être beaucoup plus petit à l'époque. Jane s'arrêta, remuant des pensées désordonnées et douloureuses qui n'aboutissaient qu'à une série de questions sans réponse.

Pourquoi Lore avait-elle écrit que Caroline était morte ? Cela n'avait aucun sens. En fait, c'était tellement absurde qu'on avait du mal à y croire. Caroline, désespérée, dans sa situation épouvantable, avait dû lui causer beaucoup de tracas. Lore avait peut-être simplement confié ses inquiétudes et donné ainsi naissance à un malentendu. Mme Schmidt, elle le reconnaissait elle-même, perdait la mémoire ; peut-être même perdait-elle aussi un peu la tête.

Tournée vers le lac calme et scintillant qui reflétait le ciel, Jane compara cette limpidité aux eaux troubles des affaires humaines.

À son retour, elle vit que Mme Schmidt avait étalé des photographies sur la table de la salle à manger.

— Voilà des années que je n'ai rien sorti de ce placard, expliqua-t-elle. Je me suis rappelé tout à coup qu'il devait y avoir de vieilles photos par là. Regardez, en voilà une où ils sont. Notre voisin nous avait pris, mon mari et moi, avec Caroline et Walter. Maintenant que je l'ai sous les yeux, je me souviens de cette journée. Là, c'est Caroline. Elle porte une robe rose. Je crois que c'était sa préférée.

Et Walter... Vous voyez comme il est grand ? Un jeune homme très bien de sa personne. Dommage qu'elle ait pâli, mais on voit encore un peu...

Jane prit la photo pour s'approcher de la lumière. Ève avait essayé très souvent de lui décrire leur mère en détail, mais même elle n'avait pu la faire revivre à l'âge de dix-neuf ans. « Ainsi, c'est Caroline. A-t-elle l'air heureuse ? C'est impossible à dire. Elle se tient près de lui. Ils se touchent presque, un peu à l'écart du docteur Schmidt et de sa femme. On peut faire agrandir la photo. J'en garderai une copie. À quoi pense-t-elle derrière ses yeux calmes ? Elle porte des chaussures à double bride, c'est revenu à la mode. Elles ont l'air d'être blanches. Et voici donc la fameuse robe rose. Un ruban à rayures retient ses cheveux en arrière. C'est son bref été de bonheur. Non, même pas un été tout entier, juste quelques jours. Elle ne pouvait pas savoir ce qui allait arriver. Mais c'est le cas de tout le monde. Ève dit qu'elle s'est consolée en épousant mon père. Je me demande si c'est possible. J'en doute. Quelle femme pourrait oublier un tel amour ? »

La mémoire réveillée par la photo, Mme Schmidt devenait intarissable.

— Elles avaient chacune une malle pleine de beaux vêtements. Il n'y avait aucune différence entre les deux sœurs, leurs affaires étaient d'aussi bonne qualité. Lore disait qu'elle faisait vraiment partie de la famille. Ils étaient très généreux avec elle. On voyait qu'elle était reconnaissante pour tout ce qu'on lui donnait, les beaux habits et le reste. Le cauchemar ne serait terminé, nous confiait-elle, que lorsque le docteur Hartzinger arriverait aux États-Unis. Elle était très intelligente. Le docteur Hartzinger lui avait confié Caroline, et elle ne prenait pas cette responsabilité à la légère, c'était évident.

Au bout d'un assez long moment, vers la fin de l'après-midi, David et Jane s'envoyèrent des signaux discrets ; il était temps de partir. Ils prirent congé de leur hôtesse en lui exprimant leur gratitude.

— Vous devriez rester encore un peu, insista Mme Schmidt. Partagez mon dîner.

Mais ni l'un ni l'autre n'en ayant envie, ils la remercièrent encore avec effusion, demandèrent à garder la photo et promirent d'écrire.

Ils montèrent en voiture en silence, un silence lourd qui traduisait leur malaise. L'angoisse que Jane était parvenue à maîtriser tant qu'elle était chez Mme Schmidt menaçait de nouveau.

David s'efforça de raisonner à voix haute.

— Je n'arrive pas à décider si toute cette histoire est vraie ! Entendu, cette dame est très vieille, mais elle n'a pas l'air gâteuse. Du moins tant qu'elle ne s'embrouille pas. Elle aurait pu confondre le nom de Walter avec celui de quelqu'un d'autre, et puis l'annonce de la mort de Caroline me semble improbable. Tu n'as pas eu l'impression qu'elle divaguait de temps en temps ?

— Je ne sais pas... Je ne suis pas sûre. Peut-être pas.

David lui lança un regard perçant.

— Jane, je crois que tu ne me dis pas tout. Pour commencer, ça m'étonne que tu aies eu envie d'aller voir ces gens tout d'un coup, comme ça.

— Je vois que je n'ai pas intérêt à te cacher des choses ! Je me ferais prendre tout de suite, remarqua-t-elle, penaude. Tu as raison, quelque chose m'a poussée à fouiller un peu dans le passé, mais c'est tellement bizarre que j'avais peur de t'en parler.

— Vas-y.

— Je ne sais pas par où commencer.

— Par le commencement.

— Tu te souviens, quand nous sommes allés à l'appartement de Lore, et que tu as remarqué les rangées de cahiers dans l'armoire ? Tu en as ouvert un et je l'ai remis en place, mais avant de le refermer, j'ai lu quelques ligne très étranges. Je te cite à peu près : « Je me sens coupable parce qu'ils ont toujours été très généreux avec moi depuis que je suis petite. Dans ces moments-là, je m'en veux beaucoup. J'ai honte de tout ce que je leur ai fait. » Je n'ai rien lu d'autre, mais je n'arrête pas d'y penser. Tu comprends quoi, toi ?

— Tu penses qu'elle parlait de ta famille ?

— Je ne vois pas de qui d'autre il pourrait s'agir.

— Je ne sais pas, par exemple des gens avec qui elle travaillait, à l'hôpital.

— Mais elle écrit : « Depuis que je suis petite. »

— Oui, tu as raison, répondit David, soudain plus grave. Tu crois qu'il y a un rapport avec ce que nous a raconté Mme Schmidt aujourd'hui ?

— Je ne sais pas. Bien sûr, on peut penser, comme j'essaie de le faire, que les Schmidt ont mal compris ce qui était arrivé à Walter.

Il a bien fallu que quelqu'un se trompe. On ne peut pas croire à la fois Lore et Mme Schmidt.

— Mais pourquoi voudrais-tu que Lore leur ait annoncé la mort de Caroline ?

— Pour lui éviter d'apprendre par les Schmidt la façon dont Walter était mort, non ?

— En admettant qu'il soit mort comme nous l'a raconté Mme Schmidt.

— David, ça me donne la migraine, tout ça ! Et Ève ? On lui dit ce qu'on a appris ?

— Non, attendons. Ça ne sert à rien de la perturber avant de savoir la vérité. Je te propose de trouver un vol demain, et d'aller directement à Ivy pour le lire, ce journal.

18

— Je me sens mal, avoua Jane. Ça ne me plaît pas de fouiller dans ses affaires, c'est très indiscret.

David, sûr de lui, avait pris l'enquête en main. Ils en étaient à leur quatrième heure de recherches.

— C'est drôle qu'elle soit passée si vite à l'anglais, commenta-t-il. Quatre gros cahiers en allemand, et puis tout à coup elle change de langue.

— Elle était très perfectionniste. Dès qu'elle a commencé à pouvoir s'exprimer plus ou moins correctement en anglais, elle n'a plus du tout parlé allemand, par égard pour son pays d'adoption.

— Dire qu'elle est née avant la Première Guerre mondiale ! Elle a été témoin de beaucoup d'événements historiques. Les premiers cahiers sont particulièrement fascinants.

Jane était loin de partager cette opinion. Elle les jugeait d'un ennui mortel. Elle avait lu cinquante-cinq pages, et elle n'y avait trouvé que la longue liste des dépenses de Lore, qui semblait enregistrer le moindre centime : telle somme pour faire ressemeler ses chaussures, telle autre pour la pharmacie... c'était touchant.

— Essaie d'imaginer que tu es chercheuse d'or. Tu passes au tamis des tonnes de cailloux et de terre pour guetter une pépite. Je suis convaincu que, dans toute cette matière première, nous allons découvrir quelque chose d'intéressant.

Mal à l'aise, Jane tourna les yeux vers la fenêtre et le crépuscule pluvieux. Une vie, longue et humble, s'étalait dans ces cahiers fatigués qui mettaient à nu celle qui les avait écrits, comme si on lui avait arraché ses vêtements en pleine rue.

— Tu sais, ajouta David, ce n'est pas grave si nous ne les lisons pas en suivant l'ordre chronologique, du moment que nous complétons l'inventaire en marquant la date sur notre liste et que nous prenons systématiquement des notes. Les cahiers sont tellement mélangés que ça ne vaut pas la peine d'essayer de les classer.

— Tu n'es pas juriste pour rien, toi.

— C'est ce que tu dis toujours. Ne t'inquiète pas, je m'en rends compte.

Malgré les efforts de David pour dédramatiser la situation, l'atmosphère restait tendue. Lore les observait du haut de sa photo, derrière ses épaisses lunettes, comme si elle leur reprochait leur intrusion. Jane feuilleta les pages.

— « Le Dr D. était furieux ce matin, lut-elle, cette imbécile de R. a oublié de donner son médicament à son patient. »

En continuant, elle découvrit qu'on vendait les citrons à un prix honteux et que le manteau neuf de Lore n'était pas assez chaud pour le climat américain. Elle commençait à dodeliner de la tête quand David la fit sursauter.

— Tiens, écoute ça. « C'est vraiment curieux que toutes les calamités qui s'abattent sur leur tête finissent par leur profiter. Je ne parle pas bien sûr des pauvres parents : eux, ils ont été pris dans une catastrophe mondiale à laquelle très peu de gens ont échappé. »

— Quelle date ?

— 1955, juin.

— Je ne vois pas quel événement particulier a pu déclencher ce commentaire, à part peut-être l'achat de la maison du lac par mon père.

— Attends, ça continue à la page suivante. Écoute : « Je ne me serais jamais doutée qu'elle changerait à ce point. Elle ne savait rien faire de ses dix doigts à part se pomponner, et elle devient une femme d'affaires avisée qui travaille jour et nuit. Il faut l'avoir vue remonter la pente après la naissance d'Ève pour le croire. Avant, elle me demandait mon avis sur tout, et maintenant, c'est elle qui me donne des conseils. »

— Je ne vois pas ce que tu trouves de drôle à ça, protesta Jane. Elle ne fait qu'exprimer son admiration pour ma mère, c'est tout.

— Peut-être, mais tu n'as pas l'impression qu'elle est un peu envieuse ?

Elle ne répondit rien. Le bruit des pages reprit pendant si longtemps que Jane, qui avait entamé un nouveau cahier, se rongeait d'impatience. Mais, soudain, David s'exclama :

— Ah ! J'ai trouvé quelque chose. « Jamais je n'aurais imaginé qu'elle tirerait autant de bénéfices de ce mariage. Maintenant ils ont une belle maison, et un bébé, en plus. Une bonne fée a dû se pencher sur son berceau, et une sorcière sur le mien. » 1957. C'est l'année de ta naissance. Le bébé, c'est toi.

Ils se jetèrent un long regard. Qui eût cru, se dit Jane, que Lore était si amère ?

— Attends, reprit David, ça me fait penser à une note que j'ai prise tout à l'heure. Elle parle d'un autre bébé. Ça remonte à 1940. Tiens, je l'ai.

— 1940 ? C'est la naissance d'Ève.

— « Ce malheureux petit bébé-là va mener une existence bien différente. Elle n'aura pas de roseraie dans son jardin, pas de robes en velours, pas de gouvernantes. Pas de père non plus, d'ailleurs, la pauvre petite. La vie sera dure pour elle. Je me demande comment Caroline va supporter ça. La vie est pleine de surprises ! »

— La pauvre petite Caroline a plutôt bien géré la situation, il me semble, persifla Jane, et la pauvre petite Ève n'a pas été si malheureuse non plus, finalement.

— Ça alors, écoute ce que je viens de lire : « J'ai eu bien raison de lui faire épouser Joël. Dire qu'elle n'en voulait pas... Si je n'avais pas fait semblant d'avoir un cancer, elle n'aurait jamais accepté. »

— Quoi ! Elle a inventé son cancer ? De toutes pièces ?

— C'est ce qu'elle dit. « Il voulait bien d'elle, et moi je n'aurais jamais pu me débrouiller toute seule dans un nouveau pays, avec les humeurs de mademoiselle, et un nouveau-né en plus. Mais j'avais promis de m'occuper d'elle et je ne pouvais pas l'abandonner. J'ai fait de mon mieux pour tenir ma parole. »

— Drôle de sens de l'honneur ! C'est fou !

— Attends, ce n'est pas fini. « Joël est un homme droit. C'est un innocent avec une conscience très développée. Il l'aidera à s'en sortir, il s'occupera bien d'elle. Mais quand ses parents, s'ils en réchappent, vont voir leur beau-fils, ils en auront une attaque ! Leur fille chérie, mariée à un ouvrier quasiment illettré ! Ils vont comprendre ce que c'est que d'être pauvre. Ils vont voir ce que j'ai vécu. S'ils savaient tous les souvenirs qui me restent... »

— Je n'arrive pas à croire qu'elle dise ça de mon père ! interrompit Jane. C'est méchant, snob et idiot. Sans parler du reste.

— Oui et non. Il y a un peu de vrai dans ce qu'elle écrit, tout de même. Il venait d'un milieu très différent de celui de tes grands-parents, il faut l'admettre. Et puis elle ne dit pas que ça, elle le couvre aussi de louanges.

— J'espère que tu n'essaies pas de l'excuser ! C'est méprisable de forcer quelqu'un à se marier, de mentir...

— Je ne l'excuse pas. Je cherche à comprendre.

— À mon avis, l'enquête est close. Une femme qui a pu se conduire comme elle l'a fait avec Joël et Caroline est capable de n'importe quoi. Maintenant je suis sûre qu'Amalia Schmidt ne s'est pas trompée.

— Les impressions ne constituent pas une preuve, aucun tribunal n'accepte ça.

— Qui te parle de tribunal ?

— Pardon, déformation professionnelle. Allez, on continue. Il nous en reste encore toute une pile.

— D'accord. Je ferme les yeux et j'en tire un au hasard. Voyons... 1961.

Page après page, continuait la même litanie de petites tâches quotidiennes, mêlée à d'interminables passages sur son travail à l'hôpital avec parfois l'annonce d'un concert, d'une fête d'anniversaire pour la « petite Jane », ou de rendez-vous chez le dentiste qui étaient toujours occasion de se plaindre de ses « dents pourries ». Tout était raconté de la même manière et se répétait avec une monotonie déprimante.

Puis, enfin, en entamant un nouveau cahier, Jane tomba sur quelques lignes incroyables. Elle les lut à haute voix :

— « Maintenant que c'est arrivé, je me rends compte que la plaisanterie est allée trop loin. Je me suis tout de suite doutée de quelque chose quand Vicky a amené son jeune notaire. Je ne soupçonnais quand même pas qu'elle ramasserait tout, mais j'aurais pu le deviner. Elle a changé. Avant, c'était une petite fille pauvre, une indésirable, comme moi à l'époque où je suis allée vivre chez les Hartzinger. Mais elle est devenue vulgaire, méchante et âpre au gain. Joël a assuré à Ève que nous aurions toutes de l'argent, même moi. J'aurais dû dire quelque chose pour protéger Ève. Mais il était trop tard. Vicky savait que j'avais des soupçons et je n'aurais rien pu faire. Je suis mauvaise. J'ai honte de moi. »

Jane s'interrompit.

— David, je rêve !

— Tu sais depuis le début que le testament de ton père était un faux.

— Oui, mais comment voulais-tu que je me doute que Lore était au courant avant la mort de papa ?

— Bon, continue, courage.

Elle tenait le cahier sur ses genoux, les mains glacées et tremblantes.

— « Pauvre Joël, lut-elle. Lui, je l'aimais vraiment bien. Je suis contente qu'il ne soit pas là pour voir ça. Je n'aurais pas voulu lui faire de mal. Lui aussi, il revient de loin, et il a réussi à la force du poignet. »

David leva la main pour l'arrêter.

— Excuse-moi, une seconde. Je retrouve une note que j'ai écrite ce matin. Tu vois que ça sert à quelque chose... Écoute : « ... il me dit qu'il épouse Vicky en partie parce que Jane a besoin d'une mère ! Elle, une mère ! Alors que je suis la seule à vraiment aimer Jane. Et Jane m'aime aussi. Si c'est ça qu'il veut, pourquoi ne pense-t-il pas à moi ? Je serais aussi une meilleure épouse. »

— Mon Dieu, elle pensait vraiment que mon père aurait pu l'épouser ?

— Apparemment, oui. Allez, on termine. Il ne nous reste qu'une demi-douzaine de cahiers à lire.

Écœurée, abasourdie, Jane poursuivit sa lecture. Après un long moment, un nouveau commentaire fut découvert par David.

— « Pendant que Ève faisait ses bagages pour emmener Jane en Californie, j'avais envie de crier : "Arrête ! Je sais quelque chose qui nous permettrait de l'attaquer en justice. Reste et je t'aiderai à te battre. Ne pars pas." Mais au lieu de ça, je l'ai regardée s'en aller pour l'aéroport, je suis rentrée chez moi et j'ai pleuré. » Qu'est-ce que tu penses de ça ? Et ça, un peu plus tard : « Je suis contente qu'elles soient rentrées à Ivy. J'ai de nouveau une famille. J'adore aller leur rendre visite à l'école, ou qu'elles viennent dîner ici. Je me sentais très seule. Parfois j'ai du mal à supporter mon horrible solitude. » Et puis enfin : « Maintenant, elle épouse un simple professeur au lieu de son milliardaire californien. La vie, c'est un vrai feuilleton. Caroline disait que son existence était comme une pièce de théâtre. Parfois, on prend pitié des pauvres petits acteurs, avec leur orgueil et leur illusion de diriger leur destinée. Oui, j'ai pitié de nous, tous autant que nous sommes. »

Les cahiers s'amoncelaient par terre en désordre. Jane, effarée, regardait sans bouger cette masse de serpents venimeux enroulés à leurs pieds, prêts à se dresser et à frapper.

— David, je ne veux plus lire ça. Ce journal donne une impression déformée de Lore, c'est horrible. J'ai envie de tout jeter.

— Tu sais bien qu'on ne peut pas. Il n'y a que ces cahiers qui pourront nous apprendre ce qui s'est passé à la disparition de Walter.

Il ne restait que trois cahiers à lire. Jane se sentait presque trop faible pour les tenir sur ses genoux. Ses paupières se fermaient toutes seules. Le tic-tac de l'horloge rythmait sans répit cette journée interminable.

— Je vais te lire des notes que j'ai prises tout à l'heure, dit David. 1927. C'est la remise des diplômes. « Je suis infirmière. La troisième de ma classe. Il y a eu une petite fête à la maison pour moi. Quelques collègues de papa sont venus. Ils sont tous vraiment gentils pour moi. »

Il s'arrêta.

— C'est l'autre versant, remarqua-t-il. Elle ressent aussi de l'amour et de la gratitude. « Ils me donneront du travail à l'hôpital, reprit-il. Même maman, qui n'est pas trop intelligente et ne sait rien faire sauf jouer du piano, me traite comme sa fille. Je fais vraiment partie de la famille. Papa est fier de moi. Je déteste l'appeler papa ! C'est l'homme idéal. Il est beau, tendre et plein de sagesse. Je l'aime à la folie. Si seulement il était plus jeune et moi plus âgée ! »

— Mon Dieu, elle était amoureuse de mon grand-père !

— Et ce n'est pas tout : « L'amour vous étouffe dans cette maison. Je me souviens, au début, quand je suis arrivée, comme ils s'occupaient de Caroline sans arrêt... Avant, chez les gens qui me gardaient, les bébés naissaient les uns après les autres, tous les ans, et on y faisait à peine attention, sauf pour les nourrir. C'est très bien, toute cette tendresse, mais... c'est drôle, parfois ça m'agace. Ça me met même presque en colère de les voir ensemble. Est-ce que c'est normal ? »

— Non ! s'exclama Jane, pas normal du tout ! C'est très triste. David, je veux vraiment qu'on arrête. Ça m'écœure, je ne sais plus où j'en suis.

— Je vais finir tout seul. Repose-toi.

— Non, j'ai changé d'avis. C'est ma famille et il faut que j'aie le courage de regarder la vérité en face. Je termine.

Après une longue heure de lecture, David émit un sifflement d'indignation désabusé.

— Jane, écoute ça : « Caroline est en train de mourir à petit feu. C'est terrible de la voir souffrir autant. Je pense à toutes les fois où je me suis sentie proche d'elle, parfois comme une mère, parfois comme une fille. Et je pense à tout ce que je regrette de lui avoir fait. »

— Ça y est, je n'en peux plus, David. J'en ai assez, plus qu'assez.

— Tu es épuisée, dit-il avec compassion. Allonge-toi sur le canapé pendant que je termine.

Les paupières qu'elle avait gardées ouvertes se fermèrent enfin ; pourtant, le sommeil ne vint pas. Éveillée, au rythme bruyant de l'horloge, elle tâcha de comprendre la tragédie causée par cette jalousie assassine. Comme Caroline avait souffert ! Lore, la confidente, la conseillère, si bonne en apparence, avait eu deux visages. À présent se dessinait un personnage trouble, qui à peine éclairé disparaissait dans l'ombre.

Une seule chose était évidente. Lore avait été malheureuse. Elle se qualifiait d'« indésirable ». Mais pourquoi, alors que toute la famille l'adorait ? Peut-être était-elle incapable de comprendre l'amour inconditionnel ? Elle avait dû vivre des situations épouvantables avant d'être recueillie chez les Hartzinger, des situations dont personne ne se doutait.

Et peu à peu, comme son métier lui avait appris à le faire, Jane essaya de se constituer une image de la psychologie de Lore. Elle méprisait son corps. Dans cette famille où tout le monde était beau, elle avait dû se sentir inférieure. D'ailleurs, elle l'avait souvent exprimé. Elle aurait voulu qu'un homme l'aime, et aucun homme ne l'avait aimée. « Mon grand-père, disait-on souvent, avait prédit qu'elle mènerait une existence difficile. Peut-être un médecin pouvait-il lire des indices qui restaient invisibles aux autres. »

Elle s'éveilla pour trouver David au-dessus d'elle, qui la couvait d'un regard aimant et inquiet.

— Tu as fini par t'endormir. Tu en avais besoin. J'ai terminé.

Elle s'assit, curieuse.

— Et tu as trouvé quelque chose ?

— Amalia Schmidt avait raison. Lore leur a bien affirmé que

Caroline était morte. Elle voulait couper les ponts avec les Schmidt, empêcher Caroline d'apprendre ce qui s'était passé. Alors elle a envoyé une lettre pour annoncer qu'elle partait en Californie sans leur donner d'adresse.

— C'est tout ?

— Non.

David s'arrêta, l'air grave.

— L'histoire de Walter, reprit Jane, elle était vraie ou fausse ?

— Vraie.

Ils se turent l'un et l'autre pendant quelques secondes. La faible lumière d'un crépuscule gris bleuté teintait les vitres tandis que la courte journée d'automne laissait place à la nuit. Le dos de David se courbait sous le poids de ce qu'il allait annoncer.

— C'est affreux, Jane. Elle écrit qu'elle n'est jamais allée chez lui, à Berlin. Elle n'a pas interrogé les domestiques pour avoir des nouvelles de Walter. Elle ne l'a cherché nulle part, sauf, brièvement, à l'université, où quelques étudiants lui ont dit qu'il était parti à la campagne. Donc toute l'histoire de la conversion au nazisme, tout ce qu'elle a raconté en rentrant en Suisse était une invention pure et simple. Attends, je vais te lire le passage : « Je n'ai rien appris à l'université. Il a dû partir avec une autre femme et oublier Caroline. Il a trouvé une belle fille aux grands yeux, aux cheveux épais et soyeux, aux dents magnifiques, et qui ne lui apporterait pas autant d'ennuis que Caroline. Je ne vois pas ce qui a pu arriver d'autre. Elle a bien de la chance, la nouvelle élue de son cœur. De toute façon, ce n'est qu'une question de chance. Moi, si j'avais su saisir l'occasion, j'aurais pu le rendre très heureux ! Les rares fois où nous nous sommes retrouvés seuls ensemble, quand il me déposait à l'hôpital en voiture, ou le soir où il m'a emmenée au théâtre, nous avons parlé de choses passionnantes, c'était merveilleux. Nous étions faits l'un pour l'autre. Si seulement il avait pu s'en rendre compte ! »

— Je ne reconnais pas Lore du tout, murmura Jane.

Des souvenirs lui revenaient par dizaines : « Lore marche vite, elle s'active sans cesse ; elle est toujours occupée, joyeuse... »

— Il y a autre chose ? demanda-t-elle.

— Elle était contente d'aller en Amérique avec Caroline. Et puis elle espérait que les parents les rejoindraient, et que la famille se retrouverait au complet. S'ils ne venaient pas, au moins elle aurait Caroline et ne serait pas seule au monde. Walter la lui aurait enlevée. C'est pour cette raison qu'elle a inventé une histoire pour l'éliminer à tout jamais. Elle a préféré en faire un nazi.

— Elle a tout inventé. Elle n'a pas hésité à briser le cœur de cette pauvre petite... le cœur de ma mère.

— Mais elle ne se l'est jamais pardonné. D'après son journal, elle n'a pas cessé d'avoir des remords. Elle avait l'impression d'avoir gâché la vie de Caroline. Mais, bien sûr, la situation était irrattrapable. Elle s'était enfermée dans ses mensonges. Te rends-tu compte que Lore vous manipulait et vous a tous manipulés jusqu'à la fin ? Question stupide, se reprit-il. Évidemment que tu t'en rends compte. Mais pourquoi ? Tu sais pourquoi, toi ?

Jane avait à peine la force de répondre.

— Un syndrome d'amour-haine, suggéra-t-elle. Elle avait besoin des autres... de nous... pour soulager sa solitude. Et, en même temps, elle nous en voulait parce qu'elle était contrainte d'éprouver de la reconnaissance. Elle avait trop d'orgueil pour que cette dépendance ne lui soit pas insupportable.

— Ah ! C'est la psy qui parle ! s'exclama-t-il, amusé.

— C'est mon métier, c'est vrai.

— Alors vas-y, continue.

— Eh bien, je dirais qu'elle prenait sa revanche parce qu'elle n'avait pas eu de chance et qu'elle estimait avoir été lésée par la vie. Ce n'est qu'une hypothèse, bien sûr.

— C'est du bla-bla de psy, tout ça. Lore était une pauvre fille, à plaindre, et en même temps une vraie vipère, c'est tout simple.

— Non, rien n'est jamais tout simple.

— Mais si. C'était un être malfaisant.

— Tu crois que ça existe vraiment, toi ?

— D'après ce que je vois dans ma profession, je dirais que oui, sans hésiter.

— En fin de compte, nos deux positions se valent. Je sais qu'on débat sur ce point à longueur de procès dans les tribunaux.

— Nos points de vue ne sont pas les mêmes, Jane, c'est tout. Ça ne sert à rien d'y passer des heures. La question qui se pose réellement, c'est de savoir ce que nous allons faire de tous ces cahiers. Il y a assez de papier pour tapisser une maison.

— On les brûle.

— Oui, ou on en fait des confettis. Je me demande ce qui l'a poussée à garder des documents aussi compromettants. Elle devait bien savoir qu'elle allait mourir un jour et qu'on les découvrirait.

— Moi aussi, je me suis posé la question. Tu sais, il est très possible que, pour des raisons bizarres, elle ait voulu qu'on sache ce qu'elle avait fait.

— Dans ce cas, elle était vraiment folle.

— À un certain degré, oui. Mais ça ne veut pas dire grand-chose. Il y a des centaines de façons d'être fou. De toute façon, nous ne pouvons qu'avoir pitié d'elle.

Ils restèrent accrochés l'un à l'autre une minute, comme des naufragés dans la tempête. Il leur semblait avoir traversé un cataclysme.

— Faut-il prévenir ta sœur, à présent que la version de Mme Schmidt est confirmée ?

— Réfléchissons. Nous savons maintenant que Walter est mort, mais nous ne savons toujours pas s'il avait l'intention d'aller retrouver Caroline.

— Ça, nous ne le saurons jamais.

— Peut-être vaut-il mieux ne pas lui donner les détails horribles de sa mort. Il a été fusillé, et c'est tout. Ça suffit.

— J'imagine que tu ne veux rien lui dire sur Lore et son journal.

— Non... Ève est tout à fait capable de le supporter, mais autant lui épargner cette révélation. Elle a traversé suffisamment d'épreuves comme ça. Il n'y a aucune raison de répandre l'histoire de cette pauvre Lore. Autant la laisser reposer en paix, sa réputation intacte. Que tout le monde puisse garder un bon souvenir d'elle.

— D'accord. Alors nous n'avons plus qu'à rassembler les preuves et à les faire disparaître.

Il se baissait pour ramasser les cahiers lorsqu'il se redressa et demanda avec intérêt :

— Que s'est-il passé ? Je croyais que tu étais en colère, et puis ta fureur a soudain disparu.

— Non, je suis encore terriblement en colère, et je le serai toujours. Mais, en même temps, j'ai pitié d'elle, je suis triste et j'ai envie d'oublier cette tragédie. Je te l'ai déjà dit, rien n'est simple dans cette histoire.

Pendant quelques secondes, David la contempla avec admiration et un petit sourire tendre.

— Tu sais que je t'aime ? Et tu veux que je te dise pourquoi ? Parce que j'aime tes cheveux bouclés, ton joli rire et ton intelligence.

Et puis aussi parce que tu es une amante merveilleuse. Mais surtout, je le comprends maintenant, je t'aime du plus profond de mon cœur parce que tu es la bonté même.

Puis il la prit dans ses bras.

Quelques semaines plus tard, une lettre d'Amalia Schmidt arriva à New York.

« Je veux vous remercier pour les jolies roses que vous m'avez envoyées. J'ai beaucoup pensé à l'après-midi que nous avons passé ensemble. Votre visite m'a beaucoup touchée et j'imagine que vous avez été bouleversés.

« Je viens de penser à une chose : peut-être, si vous en avez envie, pourriez-vous interroger les banques suisses. Walter aurait très bien pu faire sortir de l'argent d'Allemagne... C'est tout à fait possible. Cela vaudrait la peine d'essayer. »

— Autant chercher une aiguille dans une meule de foin, commenta Jane.

— Peut-être, mais pas nécessairement.

— David, plus tôt nous oublierons toute cette horreur, mieux nous nous porterons.

— Exact, mais verrais-tu une objection à ce que j'appelle les avocats que je connais à Zurich pour leur demander de lancer une recherche ? Ils me doivent un petit service.

— Je suis sûre que ça ne mènera à rien, mais, après tout, pourquoi pas ? Ça ne peut pas faire de mal.

19

Il faisait si doux pour un début de printemps que Will avait ouvert les portes de la terrasse. Devant Jane, les poiriers étaient couverts de fleurs blanches ; elle avait aidé Will à planter l'allée dans son enfance alors que les arbres n'étaient pas plus hauts qu'elle. Elle tourna les yeux vers les trois personnes qui complétaient le petit cercle. Chacune d'elles venait de lignées, de lieux différents, et elles portaient chacune leurs souvenirs, tous aussi singuliers que la plantation des poiriers. En cet instant, un événement, fil ténu mais solide, les reliait, tragédie qui était arrivée sur un autre continent, un demi-siècle auparavant. « C'est une évidence, pensa-t-elle, mais nous sommes tous le fruit des décisions de ceux qui nous ont précédés, et qui, avant nous, étaient tributaires des actes de leurs parents, et ainsi de suite jusqu'à la nuit des temps... C'est une évidence mais nous y songeons rarement, et pour moi cela n'a jamais été aussi clair qu'aujourd'hui. Ève maîtrise ses larmes. Tendre, protecteur, Will lui tient la main. À mon doigt, je porte l'anneau symbolique que David y a glissé, tandis que j'ai relégué le rubis de ma mère à ma main droite. David s'appuie à une liasse de papiers qu'il vient de compulser avec attention pendant une heure. »

— Cinquante mille dollars dans un compte joint, dit-il. Aujourd'hui, cela équivaudrait à un demi-million.

Personne ne répondit. Un engourdissement général s'était emparé d'eux. Il faudrait du temps pour tout assimiler.

Puis la voix d'Ève se fit entendre, si faible qu'on aurait pu croire qu'elle provenait d'une autre pièce.

— Pauvre Lore ! Ah, si elle pouvait être là ! On lui a dit qu'il était devenu nazi parce tout le monde savait dans le quartier qu'elle ne l'était pas. Par ce mensonge, on se moquait d'elle.

« Si elle connaissait la vérité ! » pensa Jane, qui s'était juré de tenir sa langue, malgré sa colère.

— Pauvre maman ! ajouta-t-elle.

— C'est un miracle que Mme Schmidt ait gardé cette photo si longtemps, s'émerveilla Ève, la regardant comme si elle n'en croyait pas ses yeux.

Jane essaya d'imaginer ce qu'on ressentait en voyant le visage de son père pour la première fois, mais elle en fut incapable. Elle avait grandi entourée d'albums photo remplis du visage souriant et bon enfant de son père, et tout le monde à Ivy avait bien connu Joël.

— Je me demande comment il était, remarqua Ève. D'après Lore, il s'y connaissait en art, en architecture, et il adorait la musique. Mais ça ne dit pas grand-chose. J'aurais sans doute dû demander des détails à maman, mais je voulais l'épargner. Elle était tellement amoureuse de Joël qu'elle avait presque oublié, ou s'efforçait d'oublier, le passé.

« Tu crois ça, toi ? pensa Jane. Moi pas. »

— Ève, intervint David, je suis désolé d'avoir ouvert la lettre qui accompagnait les documents. Je ne me doutais pas qu'elle était personnelle.

— Ce n'est pas grave. Je veux bien qu'elle soit lue par d'autres. D'ailleurs, cette lettre n'est pas seulement à moi. Elle était adressée à notre mère, et elle appartient tout autant à Jane. Tiens, Jane. Lis-la tout haut. Moi, je la connais déjà par cœur.

— Je ne sais pas assez bien l'allemand pour traduire.

— Alors je vais le faire. Elle est datée de mai 1939. « Caroline, mon amour, quand nous nous retrouverons, je te raconterai ce que je fais ici. Tu comprendras alors pourquoi je n'ai rien pu te dire plus tôt, et pourquoi je t'écris cette lettre au cas, peu probable, où mon projet ne serait pas couronné de succès. » C'est presque illisible, remarqua Ève en redressant la tête. On dirait qu'il était pressé. « Cet argent est pour nous, quand nous vivrons en Amérique, et pour tes chers parents quand ils nous rejoindront là-bas ; je prie le ciel pour qu'ils aient la vie sauve. Je t'écris cette lettre avec la hâte d'un homme surpris par la tempête et qui court vers l'abri.

« La tempête que je vois est une guerre si terrible qu'elle changera la face du monde. Je vois l'Europe dévastée de nouveau. Mais cette fois ce sera pire. Je vois les victimes dans les camps de concentration, les morts, les blessés ensanglantés, les villes bombardées, en flammes, et les réfugiés sur les routes de campagne. Je vois mon pays en ruine. Je vois les Américains traverser l'océan pour venir mourir ici. C'est un cauchemar indescriptible.

« Très chère Caroline, comprends qu'il n'y a plus de temps à perdre. Je voudrais pouvoir arrêter les horloges.

« Mon amour, te souviens-tu du jour où tu as tressé tes beaux cheveux de soie noire à la façon des écolières, et noué un ruban rouge à chaque bout ? Je revois ta robe d'été rose. Garde-la pour moi, tu la porteras à mon retour. Et je me rappelle aussi... »

Ève hésita, puis s'arrêta.

— Voilà, ça suffit.

— C'est trop pour toi, commenta tendrement Will.

— Et pour Jane aussi, ajouta David.

Ils se turent, émus. Du jardin leur parvenait la senteur de la pluie sur l'herbe mouillée. La vieille pendule de la cheminée, dans sa cage de verre, fit entendre son tintement. Lore s'en était emparée dans la maison du lac.

— Ta mère l'aimait, avait-elle expliqué. Elle aurait voulu la laisser à ses filles.

La modeste demeure d'Ève accueillait d'autres trésors de Caroline : son chandelier, ses livres, ses figurines de Dresde.

— J'ai volé tout ça pour vous, avait déclaré Lore avec un sourire espiègle. Vicky n'en a pas besoin, elle ne se rend même pas compte de leur valeur, ce serait du gâchis.

« Nos vies se nouent comme les fils d'un tissage, songea Jane. Ils commencent ensemble, se séparent, puis se retrouvent ; parfois ils s'effilochent et le motif se déforme. »

— Pour en revenir à nos moutons, reprit David, l'argent est à toi aux trois quarts, Ève. La moitié vient de ton père, et l'autre moitié était au nom de ta mère. Le reste revient à Jane, je dirais.

— Mais non, je n'en veux pas ! s'exclama Jane.

— Moi non plus, ajouta Ève aussitôt.

Elle se leva et alla se placer près de la porte, la lumière verte de cette soirée de printemps dans son dos. Elle se tenait très droite et, dans sa dignité, paraissait encore plus grande que de coutume.

— Es-tu sûre de toi ? demanda David.

— Oui. Je préfère laisser cet argent aux survivants de la Shoah qui en ont besoin. Il leur revient de droit. Will et moi, nous avons ce qu'il nous faut.

En effet, quand on les voyait tous deux ensemble, on s'apercevait qu'ils étaient comblés.

— C'est ton héritage, protesta David.

Ève sourit et son visage en fut illuminé. « Comme elle est belle ! » pensa Jane.

— Mon héritage, je viens de le recevoir. Maintenant, je sais enfin qui je suis. Je sais qui était mon père. C'était un homme bon, honorable et très courageux. Un homme exceptionnel.

Transcontinental
IMPRESSION
IMPRIMERIE GAGNÉ

IMPRIMÉ AU CANADA